Place des Érables

Tome 4 · Coiffure des Érables

DU MÊME AUTEUR CHEZ LE MÊME ÉDITEUR :

Place des Érables, tome 1 : *La Quincaillerie J.A. Picard & fils*, 2021
Place des Érables, tome 2 : *Le Casse-croûte Chez Rita*, 2021
Place des Érables, tome 3 : *La Pharmacie V. Lamoureux*, 2021
Les souvenirs d'Évangéline, 2020
Du côté des Laurentides, tome 1 : *L'école de rang*, 2019
Du côté des Laurentides, tome 2 : *L'école du village*, 2020
Du côté des Laurentides, tome 3 : *La maison du docteur*, 2020
Mémoires d'un quartier 1 : *Laura* (2008), *Antoine* (2008) et *Évangéline* (2009), réédition 2020
Mémoires d'un quartier 2 : *Bernadette* (2009), *Adrien* (2010) et *Francine* (2010), réédition 2020
Mémoires d'un quartier 3 : *Marcel* (2010), *Laura, la suite* (2011) et *Antoine, la suite* (2011), réédition 2020
Mémoires d'un quartier 4 : *Évangéline, la suite* (2011), *Bernadette, la suite* (2012) et *Adrien, la suite* (2012), réédition 2020
Entre l'eau douce et la mer, 1994 (réédition de luxe), 2019
Histoires de femmes, tome 1 : *Éléonore, une femme de cœur*, 2018
Histoires de femmes, tome 2 : *Félicité, une femme d'honneur*, 2018
Histoires de femmes, tome 3 : *Marion, une femme en devenir*, 2018
Histoires de femmes, tome 4 : *Agnès, une femme d'action*, 2019
Une simple histoire d'amour, tome 1 : *L'incendie*, 2017
Une simple histoire d'amour, tome 2 : *La déroute*, 2017
Une simple histoire d'amour, tome 3 : *Les rafales*, 2017
Une simple histoire d'amour, tome 4 : *Les embellies*, 2018
L'amour au temps d'une guerre, tome 1 : *1939-1942*, 2015
L'amour au temps d'une guerre, tome 2 : *1942-1945*, 2016
L'amour au temps d'une guerre, tome 3 : *1945-1948*, 2016
L'infiltrateur, roman basé sur des faits vécus, 1996, réédition 2015
Boomerang, roman en collaboration avec Loui Sansfaçon, 1998, réédition 2015
Les demoiselles du quartier, nouvelles, 2003, réédition 2015
Les héritiers du fleuve, tome 1 : *1887-1893*, 2013
Les héritiers du fleuve, tome 2 : *1898-1914*, 2013
Les héritiers du fleuve, tome 3 : *1918-1929*, 2014
Les héritiers du fleuve, tome 4 : *1931-1939*, 2014
Les années du silence 1 : *La tourmente* (1995) et *La délivrance* (1995), réédition 2014
Les années du silence 2 : *La sérénité* (1998) et *La destinée* (2000), réédition 2014
Les années du silence 3 : Les bourrasques (2001) et *L'oasis* (2002), réédition 2014
La dernière saison, tome 1 : *Jeanne*, 2006
La dernière saison, tome 2 : *Thomas*, 2007
La dernière saison, tome 3 : *Les enfants de Jeanne*, 2012
Les sœurs Deblois, tome 1 : *Charlotte*, 2003, réédition 2020
Les sœurs Deblois, tome 2 : *Émilie*, 2004, réédition 2020
Les sœurs Deblois, tome 3 : *Anne*, 2005, réédition 2020
Les sœurs Deblois, tome 4 : *Le demi-frère*, 2005, réédition 2020
De l'autre côté du mur, récit-témoignage, 2001
Au-delà des mots, roman autobiographique, 1999
«Queen Size», 1997
La fille de Joseph, roman, 1994, 2006, 2014 (réédition du *Tournesol*, 1984), (édition de luxe) 2020

Visitez le site Web de l'auteur : www.louisetremblaydessiambre.com

LOUISE
TREMBLAY
D'ESSIAMBRE

Place des Érables

Tome 4 • Coiffure des Érables

SAINTJEAN

Guy Saint-Jean Éditeur
4490, rue Garand
Laval (Québec) H7L 5Z6
450 663-1777
info@saint-jeanediteur.com
saint-jeanediteur.com

....

Données de catalogage avant publication disponibles à Bibliothèque et Archives nationales du Québec et à Bibliothèque et Archives Canada

....

Nous reconnaissons l'aide financière du gouvernement du Canada par l'entremise du Fonds du livre du Canada (FLC) ainsi que celle de la SODEC pour nos activités d'édition. Nous remercions le Conseil des Arts de l'aide accordée à notre programme de publication.

Financé par le gouvernement du Canada | Canada   SODEC Québec   Conseil des Arts du Canada   Canada Council for the Arts

Gouvernement du Québec – Programme de crédit d'impôt pour l'édition de livres – Gestion SODEC

Révision : Isabelle Pauzé
Conception graphique et mise en pages : Christiane Séguin
Page couverture : Toile peinte par Louise Tremblay d'Essiambre, « Le salon de coiffure des Érables »

Dépôt légal – Bibliothèque et Archives nationales du Québec, Bibliothèque et Archives Canada, 2022
ISBN : 978-2-89827-276-9
ISBN EPUB : 978-2-89827-277-6
ISBN PDF : 978-2-89827-278-3

Imprimé et relié au Canada
1re impression, mars 2022

ASSOCIATION NATIONALE DES ÉDITEURS DE LIVRES
Guy Saint-Jean Éditeur est membre de
l'Association nationale des éditeurs de livres (ANEL).

À mon arrière-petite-fille Mélodie
et à ma petite-fille Rose, avec tout mon amour.
Bienvenue à vous deux dans notre
belle grande famille.

« Cherche-toi d'abord. On n'est pas l'écrivain
qu'on décide, mais l'écrivain qu'on est.
Ne te trompe pas. Hâte-toi encore moins.
S'il existe, l'écrivain que tu es t'attend,
patient, frais, intact, au bout de ta plume... »

ÉRIC-EMMANUEL SCHMITT,
L'homme qui voyait à travers les visages

Note de l'auteur

Quand j'ai commencé à écrire Place des Érables, je n'aurais jamais pensé qu'il y aurait un tome 4 à cette série que je voyais pleine de vie, mais plutôt courte. J'aurais dû deviner que s'il y avait des enfants au premier plan, l'histoire avait de bonnes chances de se prolonger un peu, au fur et à mesure que les petits deviendraient grands. Si vous êtes comme moi, vous devez sûrement vouloir connaître leur destinée, n'est-ce pas? Puis, comme le disait si bien Zachary Richard, hier soir, lors d'une émission à la télévision, on ne sait pas ce qui nous pousse à écrire, ni d'où nous viennent les idées. Lui, il a appelé ça «la main de Dieu». Peut-être a-t-il raison. Je ne le sais pas. Chose certaine, toutefois, ce matin, les personnages de Place des Érables sont revenus en force, et depuis, ils occupent toutes mes pensées. Ils m'ont même poussée hors du lit aux aurores, et c'est à cause d'eux si je suis devant mon ordinateur, en ce dernier jour du mois d'août, alors que je m'étais juré de reprendre l'écriture uniquement en septembre.

Mais comme je suis déjà réveillée, pourquoi ne pas les rejoindre?

Ça y est! Je suis assise à la Place des Érables, et je regarde fixement la devanture du salon de coiffure d'Agathe Langevin, sans trop savoir ce qui m'attire chez elle. Mis à part une coupe de cheveux de temps en temps, je ne vais pas très souvent chez ma coiffeuse. Malgré cela, j'ai l'intuition que l'essentiel de ce livre se passera dans l'univers de madame Agathe, lequel est fait de shampoings et de bigoudis, de crèmes malodorantes qui frisent ou qui défrisent selon les modes, et de teintures qui puent l'ammoniaque. Mais c'est aussi un univers cousu de confidences et de potins. C'est peut-être à cause de cela que je n'aime pas tellement les salons de coiffure. Je déteste le mémérage. En revanche, j'aime bien me rendre utile, aider autour de moi, et je suis curieuse, ça c'est certain. Alors, c'est probablement pour son fils Rémi si je suis là. Ce gamin, je le crains, a de la graine de petit voyou dans le cœur, et ça me désole.

La maison qu'occupe le commerce d'Agathe semble écrasée par ses voisines plus massives, car elle n'a qu'un étage et son toit est plat. Néanmoins, l'ensemble est plutôt coquet et bien entretenu. Chaque printemps, Agathe se fait un devoir d'engager un peintre en bâtiment pour rafraîchir les boiseries peintes en rose et pour repeindre les lettres en un noir bien luisant, celles qui annoncent son salon, inscrites sur la grande vitre de la devanture. Coiffure des Érables… Il y a deux ans, le lambris de bois est passé du blanc au vert menthe. Agathe emploie une partie de ses lundis à laver la grande vitrine qui donne sur la Place des Érables, en dehors comme en dedans, et elle balaie les pierres plates de son perron.

Avant de faire sa comptabilité et les courses de la semaine, bien entendu.

Pauvre Agathe ! Être seule à élever un garçon, tenir maison, et travailler du mardi au samedi, ça ne doit pas être facile tous les jours.

Ce qui n'empêche pas le soleil de briller. Ni pour elle ni pour moi.

En ce moment, il fait aussi beau dans le quartier de la Place des Érables que dans ma cour. En revanche, si là-bas, c'est le printemps qui pointe le bout de son nez, chez nous, c'est l'automne qui s'en vient à grands pas. Le vert du boisé que j'aperçois au-dessus de l'écran de mon ordinateur commence à se faner, et il est piqué ici et là de quelques feuilles tirant sur le rouge et l'orangé. Dans le fond de mon jardin, il y a même un petit érable tout rose de confusion d'être aussi en avance.

Voilà que le magnifique flamboiement de l'automne avant la froide blancheur de l'hiver se prépare déjà, et moi, à écrire tous les jours sans exception, je n'ai pas vu l'été passer.

Zut !

Plus je vieillis, et plus les saisons déboulent à toute allure. Je devrais en tenir compte quand je parle d'échéanciers avec ma directrice littéraire, et ne plus jamais oublier de me garder quelques semaines de vacances pour profiter pleinement de ce bonheur que nous avons à vivre dans un pays où chaque saison est splendide dans sa différence.

Mais trêve de regrets, ils sont inutiles. Je n'ai qu'à profiter au centuple des années à venir pour combler ma quête de beauté, pour apaiser mon envie de vivre. Et cette soif insatiable, elle existe aussi devant l'écriture, vous le savez bien. Alors, ce matin, je suis une femme heureuse de retrouver ma petite routine. J'y ajouterai une courte promenade quotidienne dans les bois, et je serai comblée, d'autant plus que la cohabitation à temps plein avec la fille et le mari est terminée.

Vive le déconfinement!

Pour l'une, c'est l'université qui ouvre ses portes demain matin, et pour l'autre, c'est le travail régulier qui recommence. J'avoue que j'en suis fort aise. Le silence qui enveloppe normalement mes moments d'écriture m'a beaucoup manqué, même si chacun a fait de gros efforts pour respecter mes caprices d'écrivain.

Voilà où j'en suis présentement, ne sachant par quel bout reprendre l'histoire des gens de ce quartier.

Oh! Mais attendez donc une minute, vous...

Est-ce bien Mado qui sort du salon de coiffure?

Mais oui, c'est elle. À son allure, je devine qu'elle n'est pas contente de sa teinture ou qu'elle est tout simplement de mauvais poil aujourd'hui, parce qu'elle marche d'un pas militaire. J'entends ses talons claquer sur le béton du trottoir.

Et la voilà qui tourne au coin de la rue, la traverse et se dirige vers le parc. Curieux. Son appartement n'est pas dans cette direction, le casse-croûte non plus, et c'est l'heure du souper, un moment habituellement bien occupé chez madame Rita.

C'est plus fort que moi, je suis déjà debout, prête à la suivre. La curiosité est un vilain défaut, j'en conviens facilement, mais c'est quand même elle qui guide souvent mon écriture. Et je vous l'avoue bien candidement : il est rarissime que je lui résiste longtemps. En revanche, si vous n'avez pas envie de me suivre, je ne vous en voudrai pas. Vous n'avez qu'à m'attendre sur le banc de la gloriette, je vais vous y rejoindre le plus rapidement possible avec des nouvelles toutes fraîches.

Bonne lecture !

Partie 1

Printemps
~
Été 1968

Chapitre 1

«It's the time of the season
When love runs high
In this time, give it to me easy
And let me try with pleasured hands
To take you in the sun
To promised lands
To show you everyone
It's the time of the season for loving»

~

Time of the Season, Rod Argent

Interprété par The Zombies, 1968

Le lundi 22 avril 1968, dans la cuisine d'Agathe Langevin, située à l'arrière de son salon de coiffure, qui occupe l'ancien salon de la petite maison qu'elle loue depuis des années

Quand Mado était entrée dans la cuisine chez son amie Agathe, cette dernière était anéantie. La détresse, l'incompréhension et l'inquiétude formaient un nœud serré dans sa gorge et l'empêchaient de parler. Des larmes brûlantes coulaient sans interruption, inondant son visage, et elle pétrissait entre ses mains tremblantes une boule de papier mouchoir détrempée. Le souffle court, Agathe avait levé un regard désespéré vers la serveuse, qui était son amie la plus proche, même si les deux femmes ne se voyaient pas très souvent, trop occupées de part et d'autre.

Après une pression de la main sur l'épaule de la coiffeuse, Mado s'était dépêchée de mettre de l'eau à bouillir pour préparer deux cafés instantanés. Les explications viendraient plus tard, quand Agathe aurait repris une certaine maîtrise de ses émotions, et le café, aussi contradictoire que cela puisse être, avait toujours eu un pouvoir apaisant sur elle.

Sur les entrefaites, Léonie était arrivée à son tour.

— Veux-tu ben me dire ce qui se passe ici ?

Un simple regard de Mado, occupée à sortir le lait et le sucre, avait suffi pour que l'épouse du quincailler ne poursuive pas. Léonie avait plutôt tiré une chaise, qu'elle avait approchée de celle d'Agathe. Ensuite, elle avait repoussé au milieu de la table les assiettes à peine entamées, puis elle s'était assise et elle avait entouré les épaules de son amie d'un bras amical, tandis que Mado sortait une troisième tasse de l'armoire.

Lentement, à deux, Mado et Léonie avaient finalement réussi à calmer la pauvre mère éplorée qui, entre deux sanglots, autant de reniflements et quelques gorgées de café, avait enfin réussi à raconter ce qui s'était passé.

— C'est comme si le ciel venait de me tomber sur la tête !

— Pas besoin de le dire, on voit très bien que t'es toute chamboulée, ma pauvre enfant, souligna Mado, avec son franc-parler habituel. Dans le téléphone, tantôt, tu m'as dit que la police était venue chercher ton garçon. Il y a de quoi assommer un bœuf, une nouvelle de même, tu penses pas, toi ?

Un sanglot servit de réponse.

— Mais pourquoi, soda, que la police était ici ? On arrête pas le monde sans raison valable.

— Je le sais pas plus que toi, la raison. Du moins, pas dans le détail...

Sur ce, Agathe prit une longue inspiration tremblante, avant de poursuivre.

— En fait, c'est ben juste si on avait eu le temps de s'installer pour souper, Rémi pis moi, quand on a entendu cogner à la porte, expliqua enfin Agathe, les deux mains entourant sa tasse de porcelaine fleurie ébréchée. Misère que j'ai fait le saut quand j'ai vu que c'était la police ! Deux espèces d'armoires à glace, à l'air pas trop commode, pis qui voulaient poser des questions à mon garçon à propos d'un vol qui aurait été commis hier, selon leurs premières constatations, comme ils m'ont expliqué.

— Un vol ? s'écria Mado, incapable de retenir sa surprise. Voyons donc ! C'est quoi une idée pareille ? Ton Rémi, c'est pas un voleur ! Il se donne des airs de fanfaron, de même, mais c'est pas sérieux... De toute façon, si c'était le cas, laisse-moi te dire que mon Valentin l'aurait jamais engagé pour travailler dans sa pharmacie. C'est sa plus grande crainte, tu sauras, de se faire voler ses pilules ou son argent.

— C'est ce que je pense, moi avec, pis c'est en plein ça que j'ai répondu ! J'ai ajouté que toute leur histoire, c'était probablement un ramassis de malentendus, comme le père Gamache passe son temps à colporter à droite pis à gauche, pis qu'ils s'étaient trompés de porte. Mais comme ils ont rien répliqué à ça, pis qu'ils ont gardé leur air sévère, je savais plus trop quoi leur dire. Ça fait que je les ai invités à entrer pour qu'ils puissent les poser, leurs satanées questions, pour qu'on en finisse au plus vite. C'est là que le plus grand des deux s'est décidé à parler, après avoir consulté son partenaire en le regardant longuement. Finalement, il m'a répliqué sur un ton bête qu'il préférait faire son interrogatoire au poste... Au poste de police, tu te rends compte ? Mon garçon au poste de police comme un bandit ! C'est pas mêlant, un coup de poing en pleine face m'aurait pas fait plus mal... Laisse-moi te dire que j'étais dans mes p'tits souliers.

— Il y a de quoi, non ? rétorqua une Léonie blême comme un drap, imaginant facilement ce que son amie Agathe avait dû ressentir devant deux malabars venus chercher son Rémi jusque chez elle. Cheez Whiz ! Tu parles d'une affaire, toi ! C'est pas mêlant, je pense que j'aurais perdu connaissance si ça m'était arrivé.

— Pis ? pressa Mado, sans tenir compte de l'intervention de Léonie. Qu'est-ce qui s'est passé après ça ?

— Ben... Ça m'a surpris un peu, parce que Rémi a même pas protesté. Pas un mot ! D'habitude, il est plutôt *prime* pour se défendre, pour expliquer sa pensée, même si des fois, ses idées ont juste pas d'allure. Mais là, non... Il s'est tout simplement levé de table, sans chercher à avoir plus d'explications, pis il a demandé s'il pouvait aller aux toilettes avant de partir. La même grande police a répondu que oui, en autant qu'il se dépêche, pis c'est à partir de là que toute la patente s'est mise à « chirer ».

— Comment ça, « chirer » ?

— Je sais pas trop ce qui est passé par la tête de mon Rémi, mais deux minutes après, on l'a entendu tirer la chaîne de la toilette, pis ensuite, il a ouvert la fenêtre de la salle de bain. On a facilement reconnu le bruit parce que ce châssis-là grince comme une vieille poulie rouillée quand on le remonte. J'ai pensé à ce moment-là que ça devait être à cause des mauvaises odeurs, mais les deux policiers, eux autres, ils ont pas pensé à ça pantoute. À peine le temps de le dire, ils sortaient de chez moi, pis ils descendaient l'escalier à toute allure en se bousculant, pour se mettre tusuite à courir après mon gars. Ils l'ont rattrapé juste au coin de la maison pour l'emmener direct dans leur char. Ils avaient deviné, eux autres, que Rémi était en train de se sauver. De voir mon garçon se faire ramasser comme ça par des polices, pis se faire bousculer comme un malfaiteur, ça m'a coupé le souffle. J'aurais ben voulu les suivre, comme de raison. Après toute, Rémi, c'est encore un enfant. Mais le plus petit des deux hommes m'a crié de surtout pas m'en mêler, parce que ça pourrait mal tourner pour moi, pis que je pourrais être accusée de complicité de vol.

— Toi, voleuse? Ça se peut pas... Tu vois ben qu'ils disent n'importe quoi, tes policiers, fit remarquer Mado en haussant les épaules et en secouant la tête. Ils vont s'en rendre compte assez vite merci, pis ils vont te ramener ton Rémi avant la fin de la soirée.

— J'espère tellement que tu dis vrai... En tous les cas, ils ont dit qu'ils allaient m'appeler plus tard. C'est là que j'ai téléphoné au casse-croûte. Je me voyais pas attendre toute seule. Surtout que j'ai pas la moindre idée de ce qui va arriver à Rémi.

— Pardon? Je comprends pas ce que tu cherches à expliquer. On dirait que t'es pas sûre de le voir revenir.

Mado mâchait sa gomme avec énergie, comme toujours quand elle était préoccupée par quelque chose.

— Viens pas me dire, Agathe Langevin, que toi, sa propre mère, tu doutes de ton garçon?

— Ben là... Je sais pas trop quoi te répondre, Mado.

Agathe promena son regard de l'une à l'autre de ses amies, rougissant de plus belle, et pétrissant son mouchoir, qui n'était plus qu'un tapon de papier en train de s'effriter en petits morceaux sur la nappe à carreaux.

— Vous le savez, vous deux, que depuis un boutte, j'en arrache avec mon gars... C'est un secret pour personne que Rémi est pas l'enfant le plus agréable en ville. C'est pour ça que je suis plus sûre de rien avec lui. Pis en même temps, j'aurais envie de dire que c'est pas de sa faute. C'est à cause de la gang de *bums* avec qui il se tient, aussi! Ouais... C'est depuis ce temps-là que mon garçon a changé. Avant, Rémi, c'était un bon p'tit gars.

— Pis ça l'est encore, voyons donc!

Tout en essayant de la réconforter, Léonie frottait le dos de son amie.

— Tu vas voir! C'est juste une mauvaise passe.

— Je le sais pas, justement, si c'est rien qu'un mauvais moment... On dit toujours ça, quand ça va mal... On essaye de se convaincre que ça va finir par changer, que c'est juste un accident de parcours, mais des voyous, des vrais, ça existe aussi, souligna Agathe en soupirant.

Léonie et Mado se regardèrent sans piper mot. Elles savaient fort bien que leur amie pouvait avoir tout à fait raison.

— Il y a des jours où je me demande si mon Rémi ferait pas partie de ces petits «malvats» qui traînent dans les rues, pis qui font peur au monde, juste pour le *fun*, murmura enfin Agathe...

Puis, baissant les yeux, elle ajouta:

— J'en jase pas vraiment autour de moi, comme de raison, mais à vous deux, je peux ben le dire: ça arrive de plus en plus souvent que Rémi me parle comme si j'étais la dernière des imbéciles... Dans ce temps-là, on dirait qu'il rit de moi. Comme s'il avait un cœur de pierre.

Mado et Léonie échangèrent un regard consterné.

— Laisse-moi te promettre qu'il est mieux de jamais te parler sans respect devant moi, déclara Mado sur un ton sévère, parce que j'vas lui chauffer les oreilles... C'est pas un petit morveux de son âge qui va me faire peur! Je connais pas de mère plus dévouée que toi... Que vous deux, en fait! Parce que toi avec, Léonie, t'es vraiment une bonne mère.

— On fait toutes notre possible, tu sais, modula cette dernière. Mais c'est pas parce qu'on aime ben gros nos garçons qu'on peut pas se tromper, des fois... Une chance que j'avais mon J.A. pis mon beau-père pour m'aider, je vous dis rien que ça! Parce qu'avec ma manie de m'inquiéter pour à peu près tout, pis à peu près tout le temps, peut-être ben que mon Joseph-Arthur aurait eu la patience à boutte plus souvent qu'autrement, pis qu'il serait pas le bon jeune homme qu'il est devenu.

— Tant qu'à ça... Je te donne pas tort, Léonie, quand tu dis que ton mari pis ton beau-père ont pu faire une différence. Dans le temps, quand mon père est mort, j'ai souvent entendu ma mère se décourager en disant que ça prend tout un village pour élever une famille pis qu'elle, ben, elle se retrouvait toute seule, sans mari, raconta Mado. Elle se plaignait que certains jours, elle trouvait ça ben dur de savoir toute sa parenté loin de Montréal. Comme toi, Agathe, avec le gros de ta famille qui demeure à Québec... Soda que la vie est pas facile à comprendre, des fois!

Sur ces mots, Mado hocha la tête, le regard vague, revoyant certaines bourdes de ses jeunes frères. Puis, elle soupira et ramena les yeux sur Agathe.

— J'ai pas élevé de famille, c'est sûr, mais au casse-croûte, j'en ai vu passer des jeunes, pis t'as raison de prétendre qu'il y en a de toutes les sortes... Veux-tu que je te dise de quoi, Agathe? Pis dans un sens, ça rejoindrait ce que Léonie vient de nous expliquer.

— Ah ouais?

Agathe avait une toute petite voix qui exprimait une espérance hésitante.

— Qu'est-ce que c'est? J'suis prête à entendre n'importe quoi, en autant que ça peut aider mon Rémi.

Mado redressa les épaules et, coinçant sa gomme contre sa joue, elle déclara d'une voix assurée :

— Ben moi, là, Mado Champagne, même si je connais pas grand-chose aux histoires de police, je pense que ça prendrait un homme pour aller voir ce qui se passe au poste. Pis tout de suite, en plus. Ouais... Il me semble qu'il faudrait un vrai monsieur ben à sa place qui leur en mettrait plein la vue, à tes deux policiers. À lui, ils oseraient sûrement pas répondre de se mêler de ses affaires, pis on le traiterait pas de voleur.

Agathe haussa une épaule indécise.

— Peut-être ben, oui...

Puis, elle soupira de découragement.

— N'empêche... C'est ben beau ton affaire, pis je serais d'accord avec toi, mais tu le sais comme moi : il y en a pas de mari dans le décor, pis le père de Rémi, ça fait un méchant bail qu'il s'est évaporé dans la nature. De toute façon, il a jamais voulu croire que le bébé que j'attendais était de lui, même si en grandissant, Rémi lui ressemble de plus en plus. Tout ça pour dire que j'ai passé ma vie sans homme. Pis en fin de compte, jusqu'à maintenant, je m'en étais tirée pas trop mal. De toute façon, quand ben même je l'aurais voulu de toutes mes forces, j'aurais pas eu le temps de me trouver un prétendant. Avec le salon pis mon garçon, j'en avais plein les bras. Ça fait que pour astheure, j'ai pas ça à portée de main, un homme bien comme il faut, comme tu dis, à part peut-être mes frères, mais comme c'est deux forts en gueule, c'est probablement pas eux autres qui aideraient le plus Rémi, s'ils se pointaient au poste. En plus, ils demeurent à Trois-Rivières. C'est quand même pas à côté, pis j'suis loin d'être sûre qu'ils accepteraient de venir à Montréal pour m'aider.

— Pis chez nous, même si je vis entourée de trois hommes, c'est pas le diable mieux! compléta Léonie. Mon beau-père est trop vieux pour marcher jusqu'au poste de police, pis on pourrait penser qu'il radote, avec sa manière de parler un peu bizarre. Mon J.A., lui, il arriverait jamais à faire comprendre le bon sens à qui que ce soit, pis Arthur, il est bien trop jeune encore pour qu'on le prenne au sérieux.

— Pis si je demandais à Valentin? demanda sans tarder une Mado presque souriante, tant elle était certaine de posséder la carte gagnante.

Cette proposition fut accueillie par un silence stupéfait. Qu'à cela ne tienne, la serveuse poursuivit avec assurance, tandis que Léonie et Agathe échangeaient un regard perplexe.

— Pourquoi pas? Valentin, c'est un homme sérieux qui est toujours bien mis, pis en plus, il parle comme un dictionnaire. Juste à cause de ça, il en impose souvent aux gens qu'on rencontre, vous saurez. En plus, il connaît Rémi. Il faut pas oublier que ça fait trois semaines que ton garçon travaille pour lui. Valentin va leur dire, à tes policiers, que ton fils est pas un voleur !

— C'est vrai qu'il pourrait faire ça, admit Agathe, prête à se raccrocher à n'importe quoi. L'autre jour, quand j'suis allée chercher des aspirines à la pharmacie, monsieur Lamoureux m'a justement dit que Rémi travaillait vite et bien, pis qu'il regrettait pas de l'avoir engagé, malgré son jeune âge.

— Bon, tu vois que j'ai peut-être raison ! Qu'est-ce qu'on pourrait demander de mieux ? Un patron qui a de la classe pis de la conversation vaut probablement mieux qu'un père indigne.

— Ça avec, c'est vrai.

— Ben qu'est-ce qu'on attend, d'abord ?

Tout feu tout flamme, Mado en avait oublié qu'à cette heure-ci, la pharmacie était fermée depuis plus d'une heure. La serveuse était déjà debout, et elle cherchait des yeux l'endroit où elle avait déposé son sac à main et sa veste de laine en entrant.

— Considère que j'suis déjà partie, Agathe ! lança-t-elle avec entrain, même si la situation présente n'avait rien de joyeux.

Puis, elle se dirigea vers la petite console à côté de la porte, entre le salon de coiffure et la cuisine, où elle venait d'apercevoir ce qu'elle cherchait.

— Compte sur moi pour convaincre Valentin qu'il doit aider ton garçon !

— Pourquoi tu te contenterais pas de l'appeler ?

Un ange passa.

Mado allait-elle confier qu'il était plutôt rare qu'elle prenne le téléphone pour rejoindre Valentin ? Et que c'était à la demande expresse de ce dernier si elle était obligée de se faire discrète à ce point ? Et ce, pour toutes sortes de raisons plus ou moins valables, selon elle, et qu'elle n'avait surtout pas envie d'exposer en ce moment ? Elle se contenta de hausser les épaules et se retourna vers ses amies, tout en affichant une fausse détermination.

— Pantoute ! Il y a des choses qui se disent pas dans le téléphone, pis l'histoire de ton garçon fait partie de celles-là. Il y a rien de mieux qu'une bonne discussion les yeux dans les yeux quand on veut amener quelqu'un à penser comme nous autres.

— Ben si c'est de même, grouille-toi, Mado ! Agathe pis moi, on va aller t'attendre au casse-croûte, lança Léonie sur le même ton jovial, tout en se levant à son tour. À l'heure qu'il est rendu, Rita doit se ronger les sangs à se demander ce qui se passe.

— T'as ben raison, admit Mado. C'est vrai que ma patronne doit sûrement vouloir savoir ce que je deviens. Ça fait quand même un bout de temps que je suis partie... Mais j'y pense, Léonie... Comment ça se fait que t'es ici, toi ? Toute à mon inquiétude pis à mon café, tout à l'heure, j'ai même pas été surprise de te voir la face dans le cadre de la porte.

— C'est justement à cause de Rita. C'est elle qui m'a tout raconté.

— Comment ça ? Elle t'a appelée ?

— Ben non ! Pourquoi elle aurait fait ça ? Non ! Imagine-toi donc que le beau-père, Arthur pis moi, on avait envie d'un bon *sundae*. C'est en arrivant au casse-croûte que j'ai appris que t'étais partie à la fine épouvante pour t'en venir ici... Ça fait que moi, j'suis venue te rejoindre, tandis que le beau-père pis Arthur se sont retroussé les manches pour donner un coup de pouce au restaurant.

— Pauvre Rita ! Je l'ai laissée toute seule en plein sur l'heure du souper, pis à partir de là, je l'ai complètement oubliée. J'suis donc pas fine, des fois !

— C'était pour la bonne cause, il faut pas t'en vouloir pour ça. Comme tu vois, le Bon Dieu veillait, pis ça s'est arrangé pour le mieux... Envoye, file, Mado. Il y a quelque chose qui me dit qu'on doit pas trop tarder...

— T'as ben raison. Le temps de mettre mon chandail pis un peu de rouge à lèvres, pis là, c'est vrai, c'est comme si j'étais partie.

— Pis toi, va te poudrer le bout du nez pis te donner un bon coup de peigne, si tu veux pas faire jaser le monde autour de toi, conseilla Léonie en jetant un regard sur son amie Agathe. Je voudrais surtout pas t'insulter, ma pauvre fille, mais t'as une tête à faire peur ! Pour une coiffeuse, c'est pas le diable approprié. Pendant ce temps-là, moi, j'vas ramasser un peu dans ta cuisine, sinon le manger va sécher dans les assiettes, pis tu vas devoir te battre avec pour les récurer. Après ça, tu t'en viens avec moi chez Rita.

Comme Agathe ouvrait la bouche pour protester, Léonie la tança du doigt comme une enfant.

— Pis je veux pas de discussion, déclara-t-elle. Une bonne pointe de tarte au sucre, il y a rien de mieux pour te réconforter une femme désemparée !

— Pis si la police appelle ? arriva à glisser la coiffeuse.

— Ils rappelleront plus tard, tes deux polices, c'est tout ! Envoye, chenaille dans la salle de bain, Agathe !

Léonie n'osa ajouter qu'à la lumière de tout ce que son amie venait de leur raconter, elle-même avait l'intuition que l'appel des policiers n'était pas pour tout de suite.

L'instant d'après, la porte claquait dans le dos de la serveuse, qu'on entendit descendre les quelques marches de l'escalier au pas de course. Léonie se tourna vers Agathe.

— Dépêche-toi ! Moi, j'en ai pour cinq minutes tout au plus à gratter tes assiettes, pis à les rincer !

Et tandis qu'Agathe tentait tant bien que mal de camoufler ses yeux rougis sous le maquillage, Mado, de son côté, arrivait devant la Place des Érables.

Le soleil n'était plus qu'un pâle reflet de clarté au-dessus des toits, et la brise qui venait de se lever charriait la fraîcheur des vestiges de la neige sale, entassée sous les sapins. Mado frissonna. Elle croisa les pans de son chandail sur sa poitrine et, tournant résolument à sa gauche, elle traversa la rue pour emprunter un des sentiers du parc.

Ça irait plus vite ainsi.

Pourtant, au bout de quelques pas, Mado s'arrêta brusquement.

— Soda que j'ai pas d'allure, moi, des fois, murmura-t-elle, sincèrement dépitée. Voyons donc ! Je pourrai pas parler à Valentin tusuite, la pharmacie doit être fermée ! Pis à date, j'ai jamais mis les pieds chez lui... C'est sûrement pas à soir que j'vas commencer à aller cogner chez sa mère.

Mado en avait le regard tout embué.

— Pauvre Agathe ! Elle va être désappointée rare, pis ça va être de ma faute, aussi. Maudite tête de linotte qui réfléchit pas avant de parler... Soda que je peux être cruche, des fois !

Mado regarda autour d'elle, soupira, hésita, jeta un regard en direction du casse-croûte qu'elle voyait de l'autre côté du parc, puis elle recommença à marcher lentement en direction de la pharmacie, malgré tout. Pas question pour l'instant de retourner au restaurant, car elle n'aurait pas les mots qui sauraient réconforter son amie. Encore moins ceux pour expliquer sa bévue. De toute façon, Léonie et Agathe ne devaient pas encore être arrivées.

Fébrile, Mado fouilla dans son sac à main pour y prendre son paquet de cigarettes Matinée. Un peu de boucane, comme le disait sa mère, l'aiderait sûrement à réfléchir.

Et tant pis pour son fiancé, qui jugeait du plus mauvais goût de croiser une femme qui fumait sur la rue.

— On va dire qu'à soir, c'est une exception, parce que j'ai une bonne excuse, soupira la serveuse, tout en cherchant du bout des doigts le petit briquet recouvert de nacre, invariablement caché sous la montagne d'objets jugés essentiels et qui ne la quittaient jamais.

En effet, du peigne à la petite bouteille d'aspirines en passant par les billets d'autobus, les menthes au thé des bois, la clé de sa maison et celle du casse-croûte, le paquet de gommes pour l'haleine et les mouchoirs pour les éternuements, le rouge à lèvres, le chapeau en plastique transparent pour protéger ses cheveux de la pluie, le porte-monnaie et le poudrier pour les retouches en cours de journée, Mado n'était jamais prise au dépourvu.

— On rit pas, Rémi est au poste de police! s'énerva-t-elle, alors qu'elle venait de toucher au fichu briquet avec le bout d'un index. Soda d'affaire, faudrait ben que je trouve une solution. Je l'ai promis à Agathe.

Mado s'en voulait terriblement de ne pas avoir plus longuement mûri la question avant de lancer à tort et à travers que Valentin allait pouvoir tout régler par sa seule présence. C'était une chose de vouloir à tout prix aider Agathe et son fils, c'en était une autre d'avoir fait miroiter l'illusion que tout allait s'arranger sur un claquement des doigts.

Et si Valentin refusait?

Devant cette possibilité, Mado secoua énergiquement la tête. Si c'était elle qui le demandait, Valentin n'aurait pas le choix d'accepter, parce qu'elle faisait bien des sacrifices pour lui. À commencer par patienter avant d'officialiser leurs fiançailles, sous prétexte de ménager madame Lamoureux. En attendant, Mado comptait les jours en espérant choisir bientôt la bague qui ferait foi de leur engagement.

N'empêche que la serveuse se rendrait tout de même jusqu'à la pharmacie, en étudiant sérieusement la situation, même si elle risquait de se heurter à une porte fermée. Ce qu'elle n'avait pas fait dans la cuisine de la coiffeuse, se laissant porter par son impulsivité coutumière, Mado le ferait maintenant. Oui, elle se donnerait la peine d'envisager la situation sous tous ses angles et elle pèserait le pour et le contre de chacune de ses décisions, même si elle pressentait toujours autant que Valentin serait mis à contribution. Mais pour le convaincre, elle aurait de bons arguments. Puis, elle ferait demi-tour pour se diriger vers le casse-croûte. Elle dirait alors à Agathe qu'elle se reprendrait dès le lendemain matin, sachant que Valentin arrivait tôt à la pharmacie.

En revanche, si elle était vraiment sincère, quand elle disait vouloir aider son amie et son fils, elle poursuivrait peut-être sa route jusqu'à la demeure de Valentin.

— Pourquoi pas ? murmura Mado, après avoir expiré une longue bouffée de fumée grisâtre.

Ce n'était qu'une banale interrogation, de celles qu'on lance dans une conversation ou pour soutenir une réflexion, sans même y penser.

Pourquoi pas ?

Toutefois, Mado accusa le coup en hochant la tête, surprise que la possibilité de se rendre au domicile du pharmacien ait pu lui traverser l'esprit. Après tout, Valentin ne disait-il pas régulièrement que le temps d'une rencontre entre sa fiancée et sa mère n'était pas encore arrivé ?

— Par contre, à soir, poursuivit Mado à voix basse, faisant ainsi se retourner un passant qu'elle croisa, en parlant de Rémi, j'aurais une sorte d'excuse pour me présenter chez lui, pis rencontrer sa mère par la même occasion. C'est quand même une situation d'urgence, non ? Pauvre Rémi ! Pour ça, je pense que Valentin m'en voudrait pas trop. De toute façon, je me demande bien pourquoi il prétend qu'il lui faut préparer le terrain si on veut que ça se passe bien entre sa mère pis moi. Il me semble que je suis pas si mal de ma personne, pis même si j'ai pas eu la chance de faire des grandes études, j'suis quand même parlable, non ?

La vie amoureuse de Mado, plutôt décevante depuis quelque temps, et la position d'Agathe on ne peut plus préoccupante, s'emmêlèrent sournoisement dans le cœur de la serveuse du casse-croûte. Tendue comme elle l'était présentement, elle sentit que les larmes n'étaient pas très loin. Mado renifla bruyamment pour les éloigner.

— De toute façon, va ben falloir qu'un jour, Valentin finisse par se décider à me la présenter, sa mère, continua-t-elle de marmonner. Sans devoir annoncer nos fiançailles, tusuite, je pourrais quand même la rencontrer... Je comprends pas pourquoi il «brette» à ce point-là... Soda que je trouve ça dur, par bouttes, de pas le comprendre! Par contre, il me semble qu'à soir, ça serait peut-être une bonne occasion de briser la glace. Comme si le destin avait décidé pour nous deux... Ouais, il faut que je voye la situation comme une chance qui se représentera peut-être pas de sitôt... Ça me permettrait de régler deux problèmes en même temps! Le mien face à la mère de Valentin, ben entendu, pis celui d'Agathe avec son garçon. Après tout, Valentin pis moi, on est pas obligés de se faire les yeux doux ni de se faire des sourires. Il est assez intelligent pour comprendre qu'on a juste à faire semblant qu'on se connaît pas tant que ça. Surtout quand il va savoir ce qui m'amène chez eux. J'vas commencer par expliquer que... Non, j'vas commencer par m'excuser de les déranger... Ouais, ça, c'est la meilleure façon de bien faire les choses, pis la mère de Valentin devrait l'apprécier. Il faut que je montre que j'ai des bonnes manières, parce que c'est une madame de la haute société. C'est ma mère qui le disait tout le temps: il y a rien de plus important dans la vie que les bonnes manières. Pis après, j'vas dire que moi, j'suis une vieille amie de la mère de Rémi, pis que Valentin... Non! J'suis donc sans dessein, quand j'veux! Faut surtout pas que je l'appelle Valentin. J'vas dire plutôt monsieur Lamoureux quand j'vas vouloir parler de lui ou avec lui... Donc, j'vas expliquer que si j'suis là, c'est parce que monsieur Lamoureux est le patron de Rémi qui, pour l'instant, est dans une fâcheuse position, parce que la police l'a accusé de vol...

Mado fronça les sourcils.

— Non, pas vraiment accusé, si ce qu'Agathe nous a dit est vrai... Comment je pourrais dire ça, d'abord? Ah oui, je l'ai! J'vas dire que la police suspecte Rémi d'avoir fait un vol. Ouais, suspecter. C'est un beau mot à mettre dans la conversation, surtout devant la mère de Valentin. Pis je l'ai déjà entendu dans un vieux film avec Humphrey Bogart... Soda qu'il était beau, cet homme-là, avec son chapeau mis un peu de travers! C'est ben pour dire, mais c'est toujours les plus beaux qui partent en premier.

Sur ce, Mado poussa un long soupir.

— Bon, où c'est que j'en étais? Ah oui! Rémi qui est avec la police pis qui devrait plutôt retourner chez lui... Donc, j'vas demander à Valentin, en l'appelant monsieur, s'il pourrait pas aider mon amie Agathe, la mère de Rémi, en allant voir ce qui se passe au poste de police, parce que la pauvre femme a pas de mari pour la soutenir... Ça aurait-tu de l'allure, ça là? Me semble que oui... De toute façon, il faut ben que ça aye au moins un semblant de bon sens parce que c'est la vérité, soda!

Heureuse d'avoir trouvé un prétexte plausible, Mado accéléra le pas.

Ce fut donc pétrie de bonnes intentions et tout en répétant mentalement son petit laïus qui lui paraissait à tout le moins sensé, pour ne pas dire impeccable, que Mado arriva devant la pharmacie, pour éventuellement se mettre en route pour le domicile de son fiancé, et bien déterminée à ne pas reculer. Cependant, une lueur à l'arrière du commerce la fit s'arrêter pile une seconde fois.

Valentin serait-il là ?

— Soda ! Ça serait parfait !

Mado esquissa un sourire sincère, vite balayé par un soupir agacé. Ce serait parfait, certes, mais ce serait surtout bien surprenant, car le lundi, c'était sacré, son fiancé regardait *Séraphin* à la télévision avec sa mère.

Mado haussa les épaules de dépit. Puis, elle hésita entre retourner sur ses pas, bredouille, frapper à la porte de la pharmacie, même si elle ne croyait pas que son fiancé y soit, ou poursuivre sa route jusque chez lui, comme elle se l'était promis.

Elle s'approcha de la vitrine, mit ses mains en coupe autour de son visage, et elle tenta de voir à l'intérieur du commerce.

C'était le plafonnier tout au fond du grand local qui était allumé, celui au-dessus de l'officine, qu'elle ne pouvait voir en entier d'où elle était placée.

Tout semblait très calme dans la pharmacie. Alors, Valentin avait peut-être tout bonnement oublié d'éteindre, et Mado recula d'un pas, toujours aussi indécise.

Allait-elle continuer ou non ? Parfois, la seule bonne volonté ne suffit pas à museler les craintes, et celles de Mado devant la mère de son fiancé étaient vives.

Puis, oublier quelque chose ne ressemblait pas du tout à Valentin Lamoureux.

Alors que faire ?

À côtoyer régulièrement Valentin depuis plusieurs mois déjà, Mado avait compris que s'il y avait sur cette Terre un être minutieux, pour ne pas dire excessif par moments, c'était bien son fiancé. Chaque fois qu'ils avaient quitté la pharmacie ensemble, Mado avait remarqué qu'il vérifiait la porte à deux reprises. Il lui arrivait même parfois de retourner à l'intérieur, uniquement pour voir si le thermostat dans la salle des employés avait bel et bien été baissé pour la nuit, et pour être tout à fait certain que toutes les lumières étaient éteintes, avant de quitter les lieux pour de bon, après avoir sondé la poignée de la porte encore une fois à deux reprises.

Voilà pourquoi, selon Mado, Valentin ne pouvait avoir laissé une lumière allumée, ce serait contre nature chez lui. Il était donc probablement dans la pharmacie, pour une raison qui lui serait bientôt expliquée.

Mado se sentit aussitôt soulagée.

Pour être franche, ne serait-ce qu'avec elle-même, la serveuse devait reconnaître qu'elle n'était peut-être pas tout à fait prête à rencontrer madame Lamoureux, même sous un ingénieux prétexte. Valentin brossait un portrait tellement austère d'Adrienne Lamoureux que Mado était persuadée que cette dernière l'intimiderait au plus haut point. Alors tant mieux si Valentin était seul en ce moment. La discussion serait beaucoup plus simple ainsi. Pas de fioritures, pas de courbettes ou de risque de bafouillage, elle irait droit au but, et elle pourrait se permettre d'insister au besoin.

Et tant pis pour une éventuelle rencontre avec madame Lamoureux, les présentations officielles se feraient une autre fois. Peut-être même en grand apparat, sait-on jamais? Valentin connaissait tous les plus beaux restaurants de Montréal, et Mado se voyait assez bien, assise devant celle qui serait un jour sa belle-mère, à discuter entre femmes de tout et de rien, un peu comme elle le faisait parfois avec Rita ou Agathe, devant un café ou une pointe de tarte!

La serveuse écrasa sa cigarette avec la pointe de sa chaussure, remit rapidement un trait de rouge à lèvres, glissa une gomme fraîche dans sa bouche, puis frappa à la porte, tout en sondant la poignée.

C'était de plus en plus étonnant, car la porte n'était pas verrouillée.

Au lieu de se poser mille et une questions, ce qu'elle aurait peut-être dû faire, car une telle situation était plutôt insolite, Mado entra dans la pharmacie en se disant que le Ciel était avec elle et que tout irait bien.

— Valentin, c'est moi! lança-t-elle sur un ton plutôt enjoué, espérant que cette visite surprise plairait à son fiancé et le mettrait dans de bonnes dispositions pour écouter ce qu'elle avait à lui demander.

Puis, soyons honnêtes, elle était vraiment heureuse de voir son prétendant durant la semaine, malgré le fait que la raison qui l'ait amenée ici soit plutôt regrettable.

— Veux-tu ben me dire ce que tu fais ici, toi ? Un lundi soir surtout... Il me semble que d'habitude, tu restes chez vous pour regarder la télévision avec ta mère. Mais dans un sens, c'est tant mieux, parce que j'aurais quelque chose à te demander.

Tout en parlant, Mado avait remonté l'allée des analgésiques et des onguents, celle qui menait directement à l'officine. Elle s'arrêta brusquement quand elle arriva au bout des étagères. Puis, elle se mit à rougir violemment comme une gamine prise en défaut quand elle découvrit la présence d'une femme qu'elle ne connaissait pas, mais qu'elle reconnut aussitôt.

Assise sur ce que Mado appelait familièrement « son tabouret », une dame aux magnifiques cheveux gris argenté la toisait sévèrement de la tête aux pieds. Cette femme n'avait nul besoin de présentation, tant la ressemblance avec Valentin était frappante. Exactement ce que son fiancé avait prétendu. Vêtue d'une robe de velours émeraude et d'un cardigan qui semblait fait d'une laine très douce, la vieille dame avait un crayon à la main et une feuille de papier ligné devant elle. Mado l'aurait juré, madame Lamoureux était en train de prendre des notes. La seule chose qui lui vint en tête, à ce moment-là, ce fut que l'image était surprenante, et que finalement, la première rencontre avec sa future belle-mère aurait lieu ce soir.

Mado avala sa salive, effectivement intimidée par la prestance de cette femme qui semblait plutôt grande et mince, à l'instar de son garçon.

C'était donc elle, cette mère omnipotente qui régentait la vie de son fils au point où celui-ci n'avait toujours pas osé présenter celle qu'il avait pourtant demandée en mariage, une main sur le cœur ?

Adrienne Lamoureux n'eut qu'à poser une simple œillade interrogative sur Mado pour que cette dernière comprenne enfin pourquoi son fiancé hésitait tant à la lui présenter.

Le regard acéré qui la détaillait présentement avait un petit quelque chose de désapprobateur qui déstabilisa Mado. Il est vrai qu'elle portait son uniforme de serveuse, chemisier blanc moulant et petite jupe noire, avec un cardigan jeté sur ses épaules. Il n'y avait rien dans cette tenue pour la faire paraître à son mieux, Mado en était douloureusement consciente. Mais était-ce suffisant pour se faire lapider des yeux ainsi ?

La vieille dame ne dégageait aucune émotion, sauf peut-être un certain mépris arrogant.

En repensant à la façon familière qu'elle venait tout juste d'employer pour saluer Valentin, en entrant dans la pharmacie, Mado admit d'emblée que toute sa belle mise en scène ne tenait plus. Elle en eut aussitôt la bouche toute sèche, tandis qu'elle retenait à grand-peine l'envie de faire bouffer ses boucles noires, pour se sentir à son avantage.

Et Valentin qui ne disait rien !

Mais qu'est-ce qu'il attendait pour faire les présentations?

— Oh! T'es pas tout seul? arriva-t-elle cependant à articuler, en s'adressant au pharmacien. Je m'excuse. Je voulais surtout pas te déranger, mais l'occasion serait peut-être venue pour...

— Qui est cette énergumène, Valentin? coupa madame Lamoureux, brisant du coup l'inspiration de Mado, qui s'apprêtait à lui tendre la main, tout en demandant à son fiancé de lui présenter sa mère.

La voix de la vieille dame était à la fois cassante, froide et dédaigneuse, et Mado se demanda si elle parlait toujours à son fils sur ce ton.

— Il me semble ne l'avoir jamais vue auparavant, nota la mère de Valentin, et tu ne m'en as jamais parlé.

Il y avait comme un reproche dans cette constatation.

— Ce n'est donc pas une amie à toi, constata Adrienne Lamoureux.

À ces mots, Mado entendit un certain soulagement dans la voix qui les prononçait.

Elle se demanda pourquoi tandis qu'Adrienne poursuivait.

— Je trouve surprenant que tu te laisses tutoyer de la sorte... Alors, dis-moi Valentin, serait-ce tout simplement une patiente mal élevée?

— Pas vraiment, non... Ce serait plutôt une connaissance que j'apprécie... Oui, on pourrait le dire comme ça.

De toute évidence, le pharmacien était mal à l'aise, car sa voix n'était qu'un filet à peine audible, lui qui savait si bien pérorer quand il le voulait. Mado en eut le cœur serré, tant pour lui que pour elle. Valentin n'avait-il pas là l'occasion de faire des présentations en bonne et due forme ?

Elle lui jeta un regard en coin. Valentin triturait nerveusement le bouton de manchette qui attachait le poignet de sa chemise.

Mais qui donc était cet homme aux antipodes de celui qu'elle avait l'habitude de côtoyer et qui lui plaisait tant ? Où donc était passée la belle assurance de SON Valentin, alors que, sans avertissement, elle était reléguée au titre de simple connaissance ?

Curieusement, Valentin lui fit presque pitié. Fallait-il que l'emprise de cette femme sur lui soit étouffante et totale pour qu'un homme de cinquante-cinq ans agisse en gamin ? Si Mado s'était écoutée, elle se serait précipitée vers son amoureux pour le prendre dans ses bras, comme elle l'aurait sans doute fait avec un enfant malheureux, pour le rassurer, pour lui dire que tout irait bien. Seule la présence de cette vieille chipie l'en empêcha. Dommage…

Interdite, la serveuse resta figée sur place, immobile comme une statue, incapable de faire volte-face pour s'en aller, parce qu'elle ne voulait pas laisser son fiancé seul, ni d'avancer pour se présenter, car les mots pour expliquer sa présence lui manquaient cruellement.

Durant ce silence qui semblait s'éterniser, Valentin promena discrètement son regard de Mado à sa mère. Il était atterré. Jamais il n'aurait pu imaginer que ces deux femmes-là, celles qui avaient tant d'importance à ses yeux, allaient se rencontrer aussi bêtement, au comptoir de l'officine de sa pharmacie, sans la moindre préparation. Pourtant, Dieu sait qu'il y avait pensé, à ce moment où elles se retrouveraient face à face. Et à force de tourner et de retourner ce qu'il voyait comme un problème insurmontable, il avait réussi à se convaincre qu'un repas au restaurant serait l'idéal afin d'éviter toute confrontation, toute démonstration bruyante. Il ne lui restait plus qu'à décider du moment et de l'endroit.

En ce lundi soir, après une journée pénible, il eut la clairvoyance de se dire qu'il aurait dû agir bien avant aujourd'hui, comme Mado le lui avait demandé à maintes reprises.

— Qu'est-ce que tu attends, mon fils ? lança vivement Adrienne Lamoureux, faisant sursauter ce dernier. Dis à cette femme de s'en aller, la pharmacie est fermée pour cause de cambriolage.

Puis, elle se tourna vers Mado.

— Par son jeune employé, de surcroît ! précisa-t-elle. Alors, pour l'instant, nous n'avons pas le temps de vous répondre, madame. J'ajouterais cependant que je vous trouve tout à fait effrontée d'être entrée, alors que la pharmacie était fermée. Ça ne se fait pas, même si à l'évidence, la porte n'était pas verrouillée. Je vous demanderais donc de quitter la place le plus rapidement possible. Vous reviendrez demain matin. Mon fils et moi, nous avons plus important à faire que...

— Justement, en parlant de chose importante, se risqua spontanément Mado, inspirée par le mot, coupant ainsi la parole à madame Lamoureux, dont le regard se mit aussitôt à lancer des éclairs de colère. Ça adonne bien en soda parce que j'aurais peut-être quelque chose à demander !

Si elle avait un tant soit peu pensé à l'avenir, à son avenir avec Valentin, peut-être bien que Mado se serait tue. Peut-être, oui... Malheureusement, il arrive parfois que le cœur ait des raisons que la raison elle-même ignore, et en ce moment, c'était le nom de Rémi qui sollicitait les émotions de la serveuse, bien au-delà de la déception qu'elle ressentait devant un Valentin aussi effacé.

Il y avait aussi que certains mots prononcés par madame Lamoureux avaient enclenché une réflexion différente sur la situation.

En effet, si un plus un égalaient deux, comme on le lui avait enseigné à la petite école, Mado venait d'apprendre que le vol dont avaient parlé les policiers à son amie Agathe avait été commis à la pharmacie. Cela changeait la donne.

Complètement !

Présentement, Mado avait la sensation que ses idées étaient comme un jeu de blocs qui s'emboîtaient les uns dans les autres à une vitesse folle.

Dans un quartier aussi petit et aussi calme que la Place des Érables, il ne pouvait y avoir eu deux larcins perpétrés la même journée. C'était l'évidence même.

Donc, à la lumière de ce nouvel éclairage, le rôle que pouvait jouer Valentin dans toute cette histoire n'en devenait que plus manifeste. Ou pas, selon la réaction qu'il aurait face à sa demande. Mais quoi qu'il en soit, que Rémi soit coupable ou non, Valentin aurait son mot à dire, puisqu'il était la victime.

Le cœur de la serveuse se mit à battre à tout rompre. Elle était consciente que le dénouement de cette malheureuse affaire passerait peut-être par les mots qu'elle dirait, là, maintenant. Cependant, elle savait tout aussi bien qu'elle n'était pas des plus habiles en ce domaine, et comme pour l'instant, elle se sentait intimidée par la présence de madame Lamoureux, c'était encore pire.

Mado prit une longue inspiration et dirigea son regard vers le pharmacien. Elle fit même un pas dans sa direction pour qu'il comprenne qu'elle s'adressait à lui, uniquement à lui.

— Je comprends qu'un vol, c'est quelque chose d'inacceptable, expliqua-t-elle calmement, en essayant de faire abstraction de la présence de la vieille dame, dont elle sentait le regard hostile peser sur elle. Pis je comprends avec que c'est ben désagréable pour toi, Valentin. Surtout si c'est Rémi le voleur. Mais à date, moi, j'ai pas la moindre preuve de ça.

— Mais elle insiste ! s'écria Adrienne Lamoureux en donnant une petite tape sèche sur le comptoir devant elle.

— Mademoiselle Champagne n'a pas tout à fait tort, mère ! osa répliquer le pharmacien. On n'a aucune preuve tangible, à l'exception de la fenêtre de la cuisinette restée entrouverte et...

— Ah non, Valentin, on ne va pas recommencer cette discussion ! On y a passé l'avant-midi et ça me suffit. Je te répète que si nous ne pouvons pas nous fier au jugement des policiers et à leur analyse, dans quel monde vivons-nous ?

Et sur ces mots, Adrienne Lamoureux fixa intensément son fils pour lui faire comprendre qu'il serait nettement préférable pour lui de rester silencieux.

Puis, elle darda les yeux sur Mado.

— Qu'est-ce que vous n'avez pas compris, madame ? Vous devez quitter les lieux parce que la pharmacie est fermée. Effectivement, mon fils s'est fait cambrioler par son jeune employé, qui a signé son forfait en se déclarant malade, ce matin, et en ne se présentant pas à l'ouvrage de toute la journée. Les policiers ont été formels, quand ils sont revenus durant l'après-midi, et moi, voyez-vous, je me fie à leur hypothèse. Comme on le lui a demandé, Valentin doit faire l'inventaire des médicaments à usage restreint qui manquent. Par souci de rectitude et à cause de sa fébrilité, mon pauvre garçon a dû compter ses pilules et l'argent de la caisse au moins dix fois, depuis la visite des policiers.

Faisant fi de l'explication de la vieille dame, Mado fouilla Valentin du regard à son tour. Elle savait que son fiancé était sensible à son sourire, et c'est ce qu'elle lui offrit, timidement, faisant ainsi appel à sa clémence. Selon Mado, Rémi ne pouvait pas se retrouver en maison de redressement, ou peut-être même en prison, pour un peu d'argent et quelques pilules volés.

— Je t'en prie ! l'exhorta-t-elle sur un ton doux en accord avec son sourire. Réfléchis avant de condamner un jeune de quinze ans. Je te connais, Valentin, pis je sais très bien que t'es un homme de cœur. Ça fait que je me dis que tu pourrais aller au poste, pis dire aux policiers que tu vas t'occuper toi-même du jeune Rémi, pis...

— Mais cette femme est effrontée, en plus ! coupa Adrienne Lamoureux. Et qu'est-ce que c'est que cette familiarité que j'entends ?

Les bras levés devant elle, la mère de Valentin donnait l'impression de prendre la pharmacie au grand complet à témoin de cette découverte on ne peut plus désagréable qu'elle était en train de faire.

— Je n'y comprends rien ! De quel droit vous permettez-vous de dire à mon fils ce qu'il devrait faire ? Ce qui se passe ici ne vous regarde strictement pas.

— Mère, s'il vous plaît !

Le pharmacien avait la désagréable sensation que c'était une grande partie de sa vie qui était en train de se jouer présentement.

— Laissez-moi vous expliquer ce qui…

— Rien du tout, Valentin ! Je ne veux rien entendre de plus. Tu n'as pas à prendre la défense d'une… d'une impudente qui se mêle de ce qui ne la concerne pas. Un voleur, c'est un voleur, quel que soit son âge, et il est normal de payer pour les fautes qu'on commet. Ça lui servira de leçon, et peut-être bien que grâce à nous, ce jeune Rémi reprendra le droit chemin.

Adrienne soupira de lassitude.

— Nous entends-tu encore discuter, Valentin ? Cela n'a aucun sens. Je suis épuisée. Il serait temps de rentrer à la maison, et à cause de vous, ajouta-t-elle en se tournant vers Mado, nous sommes encore ici à ergoter sur quelque chose que je considérais comme étant réglé.

Puis, revenant à son fils, Adrienne Lamoureux ajouta froidement, comme si Mado n'était déjà plus là :

— À l'allure qu'elle a, j'estime que cette femme n'a surtout pas de conseils à te donner, Valentin. J'espère que tu es d'accord avec moi et que tu vas lui montrer la porte. Elle est, comment dire… Elle est tellement « mauvais genre ». As-tu vu ce rouge à lèvres ? C'est parfaitement grotesque, pour ne pas dire grivois.

Entendre parler de son apparence sur ce ton dédaigneux était quelque chose que la serveuse n'avait jamais toléré, et ces derniers mots avaient tristement relégué Rémi en arrière-plan.

Mado redressa les épaules.

Oh ! Elle n'était pas idiote, et elle savait fort bien que sa culture et son instruction laissaient à désirer. Mais elle avait le cœur à la bonne place, et selon l'entendement qu'elle en avait, c'était plus important que tous les livres qu'elle n'avait pas lus et qu'elle ne lirait jamais. Mais ce n'était pas sa faute ! Que voulez-vous ? Elle avait quitté l'école pour aider sa mère à élever la famille, et à quinze ans, les emplois se faisaient plutôt rares. À l'exception des ateliers de couture et des usines, il n'y avait pas vraiment de travail pour les jeunes. Voilà pourquoi, avec la bénédiction de sa mère, Mado était devenue la serveuse attitrée de la binerie au coin de la rue chez elle. C'est là qu'elle avait appris son métier. Et selon le patron qui l'avait engagée, l'apparence d'une femme et son sourire étaient d'une importance capitale quand on était en étroit contact avec la clientèle. Ce conseil n'était pas tombé dans l'oreille d'une sourde. Et comme Mado Champagne avait toujours travaillé avec le public, tous les matins, sans la moindre exception, elle prenait le temps de se maquiller soigneusement. On l'appréciait, on disait qu'elle avait un gentil sourire, qui mettait du soleil dans la plus ennuyeuse des journées, et Mado en était très fière. Alors ce n'était pas cette vieille femme aigrie qui allait porter un jugement aussi lapidaire sur elle.

Fût-elle la mère de Valentin !

Quant à ce dernier, plutôt que de mettre Mado à la porte comme sa mère le lui avait ordonné, il avait tout bonnement recommencé à compter ses pilules, comme si cette conversation houleuse ne le concernait plus. Seul un léger tremblement de ses mains témoignait de son malaise.

Mado ferma les yeux une fraction de seconde. Elle n'avait donc pas plus d'importance que cela aux yeux de Valentin ? Et qu'attendait-il pour la défendre ?

Toute gêne disparue, la serveuse s'approcha de madame Lamoureux.

— Coudonc, madame Chose, êtes-vous vraiment méchante ou c'est juste une impression que j'ai ? lança-t-elle vivement.

Mado était tout à fait consciente du ton impertinent qu'elle avait employé, des mots déplacés qu'elle venait de prononcer et de son incroyable effronterie. Pourtant, elle n'éprouvait pas le moindre regret.

— Pis toi, Valentin, t'as rien de plus à dire là-dessus ? Il me semble que d'habitude, t'as moins la langue dans ta poche…

Malheureusement, ces quelques mots ne suscitèrent eux non plus aucune réplique. Valentin était plutôt anéanti, devinant aisément le sermon auquel il aurait droit plus tard en soirée.

— Soda, Valentin, *wake up* ! T'as l'air d'un enfant qui a peur de se faire disputer… De toute façon, c'est ta pharmacie à toi qui a été cambriolée. Pas celle de ta mère.

— C'est là que vous vous trompez, madame. Je suis copropriétaire de ce commerce.

À ces mots, Mado haussa les épaules comme si ce n'était qu'un détail sans importance dans la présente discussion. Elle osa une œillade furtive vers madame Lamoureux, qui était cramoisie de colère, mais elle n'en ressentit aucun malaise. Puis, elle revint aussitôt à son fiancé.

— Tu dis toujours rien, Valentin? J'en reviens pas... Ça te fait rien, à toi, de savoir qu'un jeune comme Rémi va peut-être avoir toute sa vie gâchée à cause d'une erreur qui doit même pas venir de lui. C'est la gang de grands avec qui il se tient qui lui donne des mauvaises idées. Pis pourquoi il se tient avec des plus vieux comme ça? Probablement que c'est parce qu'il a pas eu de père, le pauvre enfant, même si mon amie Agathe s'est désâmée pour lui depuis sa naissance.

Maintenant qu'elle avait tout dit ce qui pouvait être dit, Mado se sentit subitement exténuée. Épuisée par ce chassé-croisé de regards hostiles, blessée par le silence de son amoureux, elle était profondément désolée de la déception qu'elle allait devoir infliger à son amie.

En désespoir de cause, devant cette furie qui semblait ne pas vouloir lâcher prise, Adrienne Lamoureux avait enfin décidé de se taire. Elle était concentrée sur la pointe de ses ongles tandis que Valentin comptait toujours ses pilules.

— Pis? Toujours rien à dire, Valentin? demanda Mado sur un ton las. C'est dommage.

— Non, mon fils n'a rien à dire, se hâta de répondre Adrienne Lamoureux, sans lever la tête, toutefois. Les décisions concernant la pharmacie se prennent toujours à deux. Surtout celles d'importance. Je vais donc lui demander d'aller vous reconduire à la porte, puisque vous n'avez toujours pas compris le message, et...

— Donne-toi pas ce trouble-là pour moi, Valentin, souffla Mado, dévastée devant l'attitude de celui qui se disait son fiancé. Je connais les airs de la pharmacie, j'suis capable de me rendre jusqu'à la sortie toute seule... Si jamais t'as encore le droit de me parler, parce que j'ai ben l'impression que ça va passer par là, tu sais où me trouver.

Mado fit quelques pas à reculons, priant le Ciel d'inspirer un peu de courage à Valentin pour qu'à la dernière minute, il la retienne. Devant son mutisme qui persistait, la serveuse haussa les épaules. Sa douleur au cœur était réelle, quasi physique, et sa tristesse ressemblait à un deuil.

— Soda que c'est ridicule, murmura-t-elle alors, mais suffisamment fort pour que la mère et le fils l'entendent. J'ai vraiment l'impression d'avoir encore quinze ans!

Puis, elle se retourna et remonta l'allée qui menait à la porte, la tête haute, faisant de louables efforts pour ne pas éclater en sanglots. Se donner en spectacle devant la mère de Valentin était bien la dernière chose qu'elle souhaitait en ce moment.

En fait, Mado espérait du plus profond de son cœur ne jamais revoir cette femme hautaine et mesquine. Ni même en entendre parler.

L'instant d'après, la serveuse était de retour sur le trottoir. Fourbue, brisée, effondrée. Elle remonta la rue jusqu'au croisement qui donnait sur la Place des Érables, marchant lentement, espérant qu'elle entendrait son nom résonner contre les murs de briques.

Il n'en fut rien. Seuls les bruits de la ville l'accompagnèrent jusqu'à l'intersection des rues. Sans hésiter, elle traversa le carrefour et se dirigea vers la gloriette du parc. Elle prendrait tout le temps qu'il faudrait pour mettre de l'ordre dans ses pensées et dans ses émotions, puis elle irait rejoindre ses amies, après avoir essuyé avec un papier-mouchoir le rimmel que les larmes auraient sûrement étalé sur ses joues.

Comment Léonie avait-elle dit ça, tout à l'heure ? Qu'une pointe de tarte était souveraine pour réconforter une femme désespérée ?

Si c'était vraiment le cas, ce soir, Mado Champagne aurait besoin de la tarte au grand complet, car elle avait bien des déceptions à guérir...

Chapitre 2

«Si j'avais les ailes d'un ange
Je partirais pour Québec
Si j'avais des lumières sur mon bike
Je partirais pour Québec
Si j'avais plus de gazoline
Je monterais toutes les belles collines
Quand la noirceur sera venue
J'allumerais des lumières pour ma vue
Et je roule, roulerais dans la nuit
En chantant ces jolies mélodies»

~

Les ailes d'un ange, Robert Charlebois

Interprété par Robert Charlebois, 1969

Le vendredi 18 octobre 1968, à l'appartement de Jacinthe et de Daniel, par une très belle journée de l'été indien

Jacinthe dressait la table en chantonnant pour accompagner le poste de radio qui diffusait le tout dernier succès de Renée Martel. La fenêtre au-dessus de l'évier était grande ouverte sur l'automne, et la brise tiède, qui faisait onduler les rideaux de cretonne fleurie, charriait dans son souffle une bonne odeur de feu de bois, ce qui plaisait beaucoup à la jeune femme. Ce parfum un peu lourd lui rappelait son enfance, quand son père partait une flambée dans le foyer du salon et qu'ensemble, ils buvaient un chocolat chaud, après avoir ramassé les feuilles sur le carré de pelouse en façade de leur maison. À sa prochaine visite chez ses parents, elle demanderait à son père de faire une attisée pour Caroline. Ce serait une belle occasion de garder vivante une jolie tradition de la famille Demers.

Jacinthe avait toujours aimé la luminosité de l'automne, le parfum entêtant de la terre mouillée et le bruit des feuilles mortes craquetant sous les semelles.

À cette heure de l'après-midi, le soleil arrivait à glisser quelques rayons entre le bâtiment voisin et celui qu'elle habitait avec sa petite famille. Au passage, il éclaboussait sa cuisine un peu vieillotte de pépites de lumière, ce qui rendait la pièce jolie, et Jacinthe joyeuse.

— *Je vais à Londres, je voudrais faire du cinéma, Je vais à Londres, je n'ai qu'un regret, qu'il soit loin de moi, ah, ah, ah...*

Une fois les ustensiles posés bien droit de chaque côté de l'assiette, les serviettes de table couleur saumon pliées en pointe et déposées sous la fourchette, la jeune femme recula d'un pas pour apprécier l'ensemble de sa mise en place. Un petit bouquet de feuilles multicolores ramassées la veille avec Caroline égayait le tout.

Un sourire franc, mais furtif traversa le visage de Jacinthe.

— Mautadine que j'aime ça, recevoir du monde chez nous, murmura-t-elle en rectifiant l'alignement d'un verre. Surtout Anna pis Arthur. On s'entend tellement bien, tous les quatre !

Puis elle passa la main sur la nappe de jacquard bleu marine, en ton sur ton, pour effacer un pli imaginaire. C'était une très belle nappe, et l'un des nombreux cadeaux qu'elle avait reçus de ses parents au Noël précédent. Elle y tenait comme à la prunelle de ses yeux et ne s'en servait que pour les grandes occasions.

Entièrement satisfaite du travail qu'elle avait accompli au cours des dernières heures, Jacinthe se désintéressa de la table, et s'en détournant, elle lança à voix haute :

— T'es où, là, Caroline? Ça te tenterait-tu d'aller faire un tour dehors? Moman a fini de préparer ses choses pour la visite, pis ce qui sent bon de même, c'est un gros rôti de porc qui en a pour une bonne heure encore à cuire dans le fourneau. On aurait le temps d'aller se «balanciner» avant de faire la petite commission que je t'ai parlé tantôt. Après ça, on va revenir faire notre toilette pis mettre nos belles robes.

Un charmant minois se pointa dans l'embrasure de la porte. Les cheveux bouclés de la petite fille avaient pâli durant la belle saison, le soleil leur donnant des reflets de tire de sainte Catherine. Ses pommettes toutes rondes étaient maintenant parsemées de taches de rousseur, lesquelles étaient apparues aux jours les plus chauds de l'été, et il semblait bien qu'elles étaient là pour rester. En un mot, le bébé rieur était devenu une très jolie petite demoiselle, et comme le disait si bien Daniel:

— Ma fille à moi est la seule petite fille du monde à avoir des fleurs plein les joues. Attention, il va y avoir une attaque de becs en pincette!

Caroline éclatait de rire quand son papa disait cela, et elle se sauvait en courant, tout excitée, car elle savait qu'il la rattraperait et qu'elle aurait droit à une chatouille.

Deux grands yeux bleus débordant de confiance se posèrent donc sur Jacinthe. Âgée maintenant de dix-sept mois, la fillette était toujours aussi sage, de plus en plus curieuse, un brin ricaneuse, et elle était surtout l'adoration de son père, qui n'en avait que pour elle.

Gare à qui ne la trouverait pas exceptionnelle !

Et à la surprise de bien des gens, à commencer par ses grands-parents maternels, qui l'idolâtraient, rien de moins, la petite Caroline parlait déjà couramment un langage simple, mais expressif.

— Juste pour ça, expliquait régulièrement Jacinthe à tous ceux qui s'extasiaient devant la faconde d'une si jeune enfant, je trouve que j'ai eu une mautadine de bonne idée de rester à la maison avec elle, au lieu d'aller travailler comme tout le monde me conseillait de faire. C'est peut-être devenu à la mode que les femmes ayent une carrière, comme on dit, même après avoir eu un bébé, mais ça sera pas le cas pour moi.

Dès qu'elle parlait de sa fille, Jacinthe devenait intarissable.

— J'ai pas envie que ça soye une étrangère qui s'occupe de ma fille. C'est pour ça que Caroline parle comme une grande. C'est parce que depuis le jour où elle est venue au monde, je jase avec elle à longueur de journée. Il faut dire aussi qu'elle est pas mal intelligente, notre fille. Elle comprend vraiment tout ce qu'on dit ! C'est en masse pour pas avoir envie de travailler en dehors de la maison. Je trouve ça beau de la voir changer quasiment de jour en jour, pis de l'entendre parler. Ça me fait rire quand elle dit des mots d'adulte, sérieuse comme un pape, comme si elle connaissait vraiment le sens de tout ce qu'elle nous raconte. Pis laissez-moi vous dire que j'aurais eu ben gros de la peine si elle avait commencé à marcher sans que je soye là. De toute façon, que c'est que ça me rapporterait de plus que j'aille travailler? Le peu d'argent que je gagnerais, je serais obligée de le donner à sa gardienne. Non, pour moi, c'était plus important de rester à la maison avec elle, pis mon mari était ben d'accord avec ça... Lui avec, il aimait pas trop l'idée d'une étrangère pour élever notre fille. De toute façon, Daniel a un bon emploi comme mécanicien au garage Ford Lincoln Métropolitain. Il est capable de bien faire vivre sa famille tout seul. On est pas riches, je le sais, mais on manque de rien, pis c'est ça l'important. Pis c'est pas tout! Notre fille est propre aussi! Ça avec, j'ai pu m'en occuper. À partir du jour où elle a commencé à marcher, j'ai sorti le petit pot. Elle a vite compris à quoi ça servait. C'est pas mêlant, à peine le temps de la mettre au monde, pis j'ai déjà plus de bébé à la maison.

C'étaient là des propos que Jacinthe répétait à l'envi, et en ce moment, elle dévorait des yeux la mignonne bambine qui se dandinait dans l'embrasure de la porte, pressée d'aller dehors.

— Pis? T'as-tu envie qu'on aille se promener?

— Au parc?

— Ben oui. Si c'est ça que tu veux, on va aller au parc. Aujourd'hui, c'est toi qui décides parce que t'as été pas mal sage, depuis à matin. À cause de ça, j'ai pu faire tout mon ménage, en plus de la popote pour le souper. Ouais, c'est parce que tu m'as pas dérangée, si j'suis prête en avance. T'es pas mal fine, ma cocotte. Ça fait qu'on a le temps d'aller jouer dehors, comme je te l'avais promis.

Le regard de la gamine brilla de plaisir.

— Au parc, répéta-t-elle sur un ton sérieux… Caro veut jouer avec la balancine.

— T'aimes ça, hein, quand moman te donne des élans ?

— Oui, beaucoup ! Caro va haut, haut dans le ciel…

La petite fronça les sourcils sur une courte réflexion. Puis, un sourire éclaira sa jolie frimousse.

— Caro vole comme les oiseaux !

— C'est vrai que les oiseaux volent dans le ciel. T'es pas mal bonne de te rappeler de ça. Ben si c'est de même, donne-moi le temps de prendre nos vestes de laine, pour quand le soleil va baisser, pis on s'en va tusuite après… As-tu envie de faire un pipi, avant de partir ?

— Non, pas de pipi.

— Veux-tu t'assire dans le carrosse pour aller au parc ?

— Non, pas le carrosse. Caro grande maintenant. Caro veut marcher.

Ce fut donc main dans la main que Jacinthe et sa fille se rendirent au parc, à quelques rues de leur appartement. Ce jardin-là était doté de balançoires pour les grands et de quelques-unes pour les plus petits. Il y avait aussi un carré de sable, deux courts de tennis et un grand terrain pour jouer au baseball.

C'était un endroit de rêve pour les enfants. À l'inverse, le petit parc devant leur appartement était plutôt conçu pour les adultes. Même s'il était joli, paré de ses couleurs d'automne et de sa longue platebande fleurie de chrysanthèmes, il n'y avait que des bancs pour s'asseoir.

Les parents de Jacinthe, sa mère Odette, surtout, avaient bien essayé d'amener leur fille et son mari à vouloir déménager dans le quartier de la Place des Érables, où eux-mêmes habitaient depuis leur mariage, et où ils avaient élevé Jacinthe. Mais les jeunes parents n'avaient pas plié devant leurs demandes incessantes ou leurs arguments plus ou moins pertinents.

— Et puis quoi encore? avait grommelé Daniel, un certain dimanche de septembre, alors qu'ils revenaient lentement chez eux après avoir soupé chez les parents Demers, qui avaient encore une fois insisté lourdement pour tenter de les faire changer d'avis. Rappelle-toi, ma douce! Il y a deux ans de ça, tes parents voulaient même pas que tu gardes ton bébé. Ils disaient que tu serais ben mieux de le faire adopter parce que sinon, ce bébé-là allait gâcher ta vie... Te rends-tu compte, Jacinthe? On aurait jamais connu Caroline. Juste à y penser, ça me donne des frissons dans le dos. Pis astheure que tes parents ont pas le choix de dire qu'on se débrouille pas trop mal, toi pis moi, parce que c'est la vérité, pis qu'ils sont tombés en amour avec leur petite-fille, ce qui était vraiment pas difficile, ben, ils nous lâchent plus. C'est pas mêlant, il faudrait qu'on fasse leurs quatre volontés, tout le temps ! C'est fatigant en saudit, tu sauras ! Il me semble qu'on est ben chez nous, non ?

— J'ai jamais dit le contraire, Dan. C'est vrai que t'as choisi un appartement qui a ben de l'allure, pis en plus, c'est proche de ton travail. Rien que pour ça, ça vaut la peine de rester là, au moins aussi longtemps qu'on aura pas les moyens d'avoir un char. Mais pour ce qui est de mes parents, par exemple, j'suis pas tout à fait d'accord avec toi.

— Comment ça ?

— Il me semble que c'est facile à comprendre ! J'aime pas mal mieux avoir des parents tannants par bouttes, parce que oui, je reconnais qu'ils sont fatigants, avec leur manie de vouloir nous voir aussi souvent, pis avec leur histoire de déménagement, mais selon moi, c'est pas mal moins plate que ta mère, qui continue de nous faire la « baboune ». Mautadine, Daniel ! Elle est même pas venue au baptême de Caroline. Ni à son premier Noël... Ni à sa fête d'un an, tant qu'à ça !

— Reviens pas là-dessus, je te l'ai déjà expliqué, ma douce ! C'est pas à cause de toi ou de Caroline, si ma mère est pas venue. C'est à cause de mon père pis de sa blonde.

— Ouais, c'est ça que tu répètes tout le temps, mais...

— Il y a pas de « mais » qui tienne parce que c'est la vérité.

— Ben pourquoi, d'abord, ta mère a jamais accepté nos invitations à souper, non plus? Voyons donc! Il me semble que c'est clair que ton père serait pas là. J'suis quand même pas niaiseuse au point de les inviter tous les deux en même temps. Par contre, je peux comprendre que ta mère aye pas voulu nous garder à souper les quelques fois où on est allés la voir, parce qu'elle a pas ben ben d'argent, mais…

— Mais elle est de même, ma mère, c'est pas une sorteuse ni une «inviteuse», avait coupé Daniel un peu sèchement parce que lui aussi trouvait que sa mère exagérait.

Même s'il ne l'admettait toujours pas plus qu'auparavant, cette apparente indifférence envers sa fille le blessait grandement.

— Pis ma mère aime ça, avoir la paix le dimanche, rapport que c'est sa seule journée de congé de la semaine, avait-il encore une fois précisé, comme s'il se sentait l'obligation de justifier les agissements de sa mère, autant pour lui que pour Jacinthe. Il faut pas oublier qu'elle mène deux *jobs* de front pour arriver à joindre les deux bouts.

— Mettons ouais… Si tu le dis…

— Ben oui, je le dis… Pis si on parlait de quelque chose d'autre? avait alors suggéré Daniel. Crime Pof! Si on continue comme ça, on va encore finir par se chicaner comme chaque fois qu'on parle de ma mère. J'haïs ça en saudit, pis tu le sais.

— Moi avec, j'haïs ça… Mais il y a pas à dire, avait tout de même insisté Jacinthe, il va falloir finir par trouver une manière de faire pour que ta mère voie Caroline plus souvent. À mon avis, c'est ben important de connaître ses deux grands-mères pour une petite fille comme elle.

Toutefois, voyant le visage de Daniel s'empourprer, Jacinthe avait décidé de couper court à la discussion.

— OK! J'suis d'accord avec toi, Dan, on va dire qu'on a assez parlé de ta mère pour aujourd'hui... Qu'est-ce que tu veux comme lunch, demain midi? Un sandwich au fromage ou un Thermos de soupe aux pois?

Quoi qu'il en soit, le sujet était récurrent, et chaque fois qu'ils le remettaient sur le tapis, Daniel en ressortait meurtri.

C'était encore à cela que Jacinthe pensait en arrivant au parc avec sa fille. Elle voyait bien que son mari était malheureux de la situation, mais elle n'arrivait toujours pas à trouver de solution susceptible de plaire à Ruth, la mère de Daniel.

— Mautadine! Tant que la belle-mère y mettra pas du sien, on pourra rien faire pour arranger les choses, murmura-t-elle.

— À qui moman parle?

Le nez en l'air, Caroline regardait sa mère, ses fins sourcils blonds froncés.

— À personne, ma belle Caro! Moman parlait juste pour elle. Ça arrive, des fois, que les grandes personnes parlent toutes seules, comme ça... Envoye, ma cocotte! Cours un peu, ça va te faire du bien. Les petites filles comme toi, toujours sages comme une image, elles ont besoin de lâcher leur fou, de temps en temps ! File en avant, pis moman va aller te rejoindre proche du carré de sable.

La mère et la fille passèrent un bon moment ensemble au parc des balançoires. Chaque fois que la petite poussait un cri de joie ou se mettait à rire à gorge déployée, Jacinthe sentait sa poitrine se gonfler d'émotion. Jamais elle n'aurait pu imaginer qu'un jour, elle serait capable d'aimer autant.

Et jamais elle n'aurait pu imaginer qu'un jour, elle serait aussi heureuse. Elle était même surprise de voir qu'un bonheur aussi grand pouvait parfois donner envie de pleurer. Et ce n'était pas juste en raison de la présence de sa fille. Les regards que son mari Daniel posait parfois sur elle lui donnaient toujours autant de vertiges. Lui aussi, elle l'aimait profondément, et jamais elle ne regretterait d'avoir tenu tête à ses parents en choisissant de se marier à seize ans avec cet ami d'enfance devenu son amoureux, pour pouvoir poursuivre sa grossesse, au vu et au su de tous, faisant fi de tous les qu'en-dira-t-on.

— Bon ben astheure, Caroline, il faut partir pour avoir le temps de faire notre commission avant d'aller se préparer pour recevoir la visite, déclara-t-elle en retenant la balançoire par la barre transversale qui empêchait les jeunes enfants de tomber.

— Encore un coup, moman !

— Non, ma belle ! C'est plate, mais on a pas le temps. T'aurais-tu oublié que « mononcle » Arthur pis « matante » Anna viennent souper, à soir ?

Tout en parlant, Jacinthe avait pris sa fille dans ses bras, une petite soudainement très docile, car elle adorait son parrain et sa marraine, les amis de ses parents. La perspective de les voir lui plaisait donc beaucoup.

— Pis j'vas même te garder dans mes bras pour marcher plus vite, expliqua Jacinthe, tout en empruntant un sentier en terre battue qui menait jusqu'à la rue. Il faudrait surtout pas être en retard... Pis? C'est quelle robe tu veux mettre, pour la visite? La rose ou la bleue?

La gamine soupira. Elle parlait peut-être passablement bien pour son âge, mais elle était toujours aussi embêtée quand sa maman nommait les couleurs. Elle pouvait dire sans se tromper qu'il y avait celle comme le ciel, celle comme les fleurs dans le jardin de sa grand-maman, celle comme les pommes qu'on achetait à l'épicerie au coin de la rue, mais de là à se souvenir de tous ces noms différents...

— Caro veut la robe avec le bateau, déclara-t-elle avec le plus grand des sérieux.

— Tu veux dire la robe bleue?

— Comme le ciel.

— C'est correct, tu peux mettre ta robe bleue parce qu'il fait beau aujourd'hui. Mais ça va être probablement la dernière fois, parce que c'est une robe d'été, pis là, on est rendus en automne... Astheure, tu veux quels bas pour aller avec ta robe? Il me semble que les bleu marine seraient pas mal beaux. Qu'est-ce que t'en penses, toi?

Caroline fronça son nez en une petite grimace comique.

— C'est quoi bleu marine ?

— Mautadine, Caro ! Quand c'est que tu vas finir par apprendre tes couleurs, toi, coudonc ? Je comprends pas que tu trouves ça difficile. Tu dis plein de mots, mais tu sais pas tes couleurs ! Je comprends rien là-dedans ! Bleu marine, cocotte, c'est comme quand le ciel devient...

Ce fut ainsi, discutant couleurs et agencement entre elles, que Jacinthe et Caroline arrivèrent à la pharmacie de leur quartier.

Une petite enveloppe au nom de « madame Daniel Meloche » attendait la jeune femme à la caisse. Le temps de payer, et cette dernière repartait vers chez elle, donnant cette fois la main à sa fille, qui avait exigé de marcher comme une grande en haussant sérieusement la voix, au point où la caissière avait pincé les lèvres de réprobation.

— Caro veut marcher, bon !

L'esprit ailleurs, Jacinthe avait obtempéré sans passer la moindre remarque, alors qu'en temps normal, elle aurait exigé que sa fille change de ton pour lui parler.

Depuis l'hiver dernier, cela faisait trois fois que la jeune femme passait ainsi à la pharmacie. Ayant été déçue à deux reprises, Jacinthe n'entretenait aucune illusion, se disant que c'était comme jouer à pile ou face. Toutefois, si enfin la réponse était positive, cela ferait un merveilleux cadeau pour Daniel, à l'occasion de leur deuxième anniversaire de mariage. Et si elle en était aussi convaincue, c'était parce que son mari parlait de plus en plus souvent d'un petit frère pour leur Caroline qui, selon lui, ferait la plus merveilleuse des grandes sœurs.

Jacinthe jeta un regard en coin à sa fille qui, pendue à sa main, avançait tout en regardant autour d'elle. La jeune maman serra un peu plus fort la menotte qui s'agrippait à ses doigts. Elle était perplexe, sachant que dans l'enveloppe, il y avait une réponse qui imposerait ses volontés et modèlerait ainsi leur vie de famille à court ou à long terme.

Mais elle, que souhaitait-elle vraiment ?

Jacinthe aurait été en peine de le dire clairement.

Bien sûr, la jeune femme avait été un peu déçue quand elle avait appris deux fois en deux mois qu'elle n'était pas enceinte. Oui, Jacinthe avait été un peu désappointée. Pour le papa, surtout, car malgré l'amour sincère et profond que Jacinthe ressentait pour Daniel, elle avait quand même été soulagée devant ces résultats négatifs. En effet, elle se demandait avec une sincérité désarmante si elle serait capable d'aimer un autre enfant.

Quand elle regardait Caroline, cela lui semblait quasi impossible d'éprouver un sentiment aussi vif, aussi profond, aussi exclusif, une seconde fois. Alors, que ferait-elle d'un petit bébé qu'elle ne serait pas capable de choyer autant que son aînée ? Comme mère, serait-elle malheureuse pour le reste de ses jours, se sentant irrévocablement injuste ?

En contrepartie, chaque fois qu'elle avait lu le mot «négatif» inscrit sur le papier de la pharmacie, une pointe d'inquiétude lui avait aussi piqué le cœur, car alors, c'était une certaine crainte qui s'emparait d'elle.

En effet, ces réponses négatives étaient-elles le signe que, tout comme sa propre mère, Jacinthe n'aurait qu'un seul enfant, sans que l'on sache exactement pour quelle raison?

Est-ce que cela se pouvait que ce soit héréditaire, un problème comme celui-là?

Lorsque l'appréhension balayait le soulagement, Jacinthe admettait sans trop se forcer qu'elle finirait bien par ressentir un peu d'attachement pour un autre enfant. Comment faire autrement? C'était si mignon, un bébé, surtout quand c'était un nouveau-né!

De toute façon, s'il fallait que Caroline soit leur seule enfant, Daniel serait terriblement déçu, et ce n'était pas du tout ce qu'elle voulait pour leur vie à deux.

— Ça sera à moi de m'ajuster, si jamais un jour la réponse est positive. Un point, c'est tout, murmura-t-elle en introduisant la clé dans la porte de leur appartement.

Ce fut donc portée par un imbroglio d'émotions disparates que Jacinthe arriva chez elle.

Ne sachant trop comment elle réagirait devant la réponse contenue dans l'enveloppe, elle cacha celle-ci dans un tiroir de sa commode, puis elle s'obligea à l'oublier. Elle se connaissait suffisamment pour savoir qu'elle était comme un grand livre ouvert et que la moindre émotion ressentie se lisait sur son visage. Alors, quelle que soit l'issue de ce test de grossesse, Anna, Arthur et Daniel se douteraient facilement que quelque chose de spécial se passait. Or, ce soir, il y avait chez elle un souper de fête avec leurs meilleurs amis pour souligner leurs deux ans de mariage, à Daniel et à elle. Ce n'était pas le temps d'être triste ou inquiète, advenant le cas d'une réponse négative. Et si jamais c'était positif, c'était à Daniel que Jacinthe voulait annoncer la nouvelle en premier. Pas à leurs amis ou à la parenté. Elle attendrait donc au lundi suivant pour ouvrir l'enveloppe afin de connaître la réponse, puisque c'était à cette date précise qu'ils s'étaient mariés. Si tout allait pour le mieux, Jacinthe la partagerait tout de suite avec Daniel, quitte à se rendre à son travail, s'il le fallait. Cependant, si le test était encore une fois négatif, elle n'en parlerait même pas. Pourquoi faire inutilement de la peine à son mari, n'est-ce pas ?

Puis, elle irait peut-être consulter le docteur Béland, qui avait suivi sa première grossesse.

* * *

Arthur et Anna arrivèrent à six heures tapantes, ponctuels comme une horloge, selon leur habitude. Daniel, retenu un peu plus tard à son travail par une réparation majeure sur une auto, était dans la salle de bain en train de se «décrasser» les mains, comme il le disait lui-même.

— C'est ben le seul défaut que je trouve à ma *job*… Saudite affaire ! J'ai toujours les ongles noirs.

Et ce soir, il voulait être particulièrement en beauté pour sa Jacinthe. Après tout, ils soulignaient leur deuxième anniversaire de mariage, alors, il tenait à ce que tout soit parfait. Il était même passé à la Régie des alcools du Québec, qu'il continuait d'appeler la Commission des liqueurs, à l'instar de son père. Pour l'occasion, et parce qu'il tenait à faire les choses en grand, Daniel avait acheté un vin mousseux que le commis lui avait chaudement recommandé.

Anna et Arthur avaient les bras encombrés de cadeaux. À un point tel que la petite Caroline en était restée sans voix et les yeux ronds.

— Pour qui les cadeaux, moman ? chuchota-t-elle en fin de compte, la curiosité l'emportant sur la surprise.

La gamine tirait sur le bord de la jupe de sa mère afin d'attirer son attention.

— Je le sais pas, ma cocotte… Pis c'est pas poli de poser une question comme celle-là, répondit Jacinthe sur le même ton retenu, en s'asseyant sur les talons pour être à la hauteur de sa fille.

La jeune femme était aussi déconcertée que sa petite, et elle se sentit rougir d'embarras, parce qu'au moment où elle avait lancé son invitation, elle avait spécifié que le temps passait bien vite, puisque cela ferait bientôt déjà deux ans que Daniel et elle étaient mariés.

— Te rends-tu compte, Anna ? Deux ans, mautadine ! Ça fait déjà deux ans. C'est ben en masse pour organiser un souper un peu *fancy*. Pis ça va faire plaisir à mon Daniel.

Toutefois, Jacinthe n'avait pas invité leurs amis pour recevoir des cadeaux. Puis, il y en avait trop. Un petit présent en guise de cadeau d'hôtesse, comme le faisait régulièrement Anna, aurait été amplement suffisant. Même si c'était leur anniversaire de mariage. Pour Jacinthe, la seule présence de leurs amis lui permettait de se sentir le cœur en fête.

Jacinthe entoura les épaules de Caroline avec son bras et la serra tout contre elle.

— On va commencer par dire à notre visite d'aller s'assire dans le salon, tu veux bien ?

— OK…

— Pis on verra aux cadeaux plus tard… Mais t'as raison, par exemple, de trouver qu'il y en a beaucoup…

Sur ce, Jacinthe leva un regard de reproche amical vers son amie Anna, qui l'observait, toute souriante.

— Pis j'suis sérieuse quand je dis ça. Il y en a beaucoup trop, répéta Jacinthe en se redressant. C'est ma faute aussi ! J'aurais jamais dû te préciser que j'organisais ce souper-là pour fêter nos deux ans de mariage… De quoi j'ai l'air astheure ?

— Tu as l'air et la chanson de quelqu'un qui va se faire gâter un peu, lança Arthur, s'invitant joyeusement dans la conversation. Tu le mérites… Vous le méritez bien, Daniel et toi.

Puis, tournant les yeux vers sa filleule, il ajouta en lui souriant :

— Et il y a un cadeau pour toi aussi, ma belle Caroline ! On ne pouvait pas souligner l'anniversaire de tes parents sans penser à toi, car si on les fête ce soir, c'est parce que tu es là, petit bout de femme !

Caroline fronça le nez, tout en levant les yeux vers sa maman.

— C'est quoi parrain dit ? Un cadeau pour Caro ?

— On dirait ben que c'est ça, ma cocotte.

Daniel, qui sortait de la salle de bain, avait tout entendu.

— Pis t'es chanceuse en saudit, greffa-t-il aux propos de son épouse. Parce que c'est pas ta vraie fête, expliqua-t-il, tout en faisant un clin d'œil à son ami Joseph-Arthur. Astheure, on va tous s'installer dans le salon, pis j'vas nous servir un apéritif. Comme c'est une soirée un peu spéciale, j'ai acheté du mousseux, au lieu de la bière ! Mais pas du Baby Duck comme l'autre fois, par exemple ! Oh que non ! C'était pas buvable. Le vendeur m'a conseillé un vin qui vient de France. Ça s'appelle du Rosé d'Anjou. Juste à entendre le nom, j'ai trouvé que ça faisait chic. C'est peut-être un peu plus cher, mais paraîtrait que c'est ben bon. Attendez-moi, je reviens dans deux minutes… Pis j'vas avoir du jus de pomme pour toi, ma belle Caro. Crains pas, je t'ai pas oubliée. Ah oui ! Pis j'ai acheté des chips pour accompagner tout ça !

À ces mots, Jacinthe tourna un regard furibond vers son mari.

— Daniel Meloche ! Tu sais ce que je pense des chips pour notre fille ! Fais donc comme d'habitude, pis attends plutôt qu'elle soye couchée pour sortir les…

— À soir, c'est la fête pour tout le monde ! l'interrompit Daniel en se tournant vers son épouse. C'est pas de manger des chips pour une première fois qui va la rendre malade.

— Pis si elle s'étouffe, hein ?

— On aura juste à lui donner des petits morceaux, pis on va la surveiller. De toute façon, c'est tusuite qu'on prend l'apéritif, pas tantôt, quand Caroline va être endormie… Non, Jacinthe ! Fais pas tes gros yeux malins. Surtout pas à soir. J'ai envie d'une belle veillée, sans la moindre chicane. Ça sera pas trop long, je prépare tout ça, pis je reviens.

Tandis que Daniel filait vers la cuisine, Anna et Arthur entrèrent dans le salon, suivis par une petite Caroline qui restait dans leur ombre. Ensuite, ils déposèrent leurs colis sur la table à café du salon, une pièce récemment meublée par les parents de Jacinthe, au grand dam de Daniel.

— C'est ben fin de leur part, avait-il admis, mi-figue mi-raisin, quand les livreurs du magasin Brault et Martineau étaient repartis, emportant avec eux l'ancien mobilier. C'est pas mal mieux que le vieux sofa pis les fauteuils ramanchés qu'on avait trouvés à l'Armée du Salut, je peux pas dire le contraire. Mais quand même… Ils auraient pu nous consulter, non? Saudite affaire! On a même pas choisi la couleur des meubles qu'on va avoir dans notre face tous les soirs de notre vie.

— Tu penses pas que t'exagères un peu, toi là?

— Pas tant que ça.

— Pauvre Daniel! Du gris souris, c'est classique, ça va avec à peu près toute, pis on peut pas s'en tanner.

— N'empêche… Comment tu crois que je me sens, moi, là-dedans? C'est comme si j'étais pas capable de bien faire vivre ma famille.

— Ça a rien à voir, pis tu le sais. On a une belle vie. Je passe mon temps à te le répéter, Daniel Meloche! Les meubles, c'est un cadeau…

Devant la mine boudeuse de son mari, Jacinthe s'était emportée.

— Mautadine, Daniel! On est toujours ben pas pour refuser un cadeau! Disons que ça remplace celui que mes parents nous ont pas donné à notre mariage, rapport qu'ils étaient contre… Du moins, ma mère était pas d'accord pour que je me marie obligée. Mon père, lui, je me suis toujours doutée qu'il était ben content, pis soulagé, de voir que tu prenais tes responsabilités. Mais pour en revenir aux meubles, c'est de même que j'ai décidé de voir les choses : notre nouveau *set* de salon, c'est le cadeau de noces de mes parents qui nous arrive en retard, pis tu devrais prendre ça de la même manière que moi.

— Ouais… C'est vrai que vu comme ça…

— Il y a pas d'autres façons de voir ça, mon mari !

Mon mari…

Lorsque Jacinthe l'appelait ainsi, Daniel sentait fondre sa résistance.

— J'aime ça quand tu m'appelles de même.

Ces quelques mots avaient donc clos la discussion, et Daniel n'en avait jamais reparlé, sinon qu'il avait choisi une belle carpette bourgogne pour compléter le tout.

Et quoi qu'il ait pu en dire, Daniel était fier comme un paon de recevoir ses amis dans un logement qui avait belle allure.

Ce fut donc la tête haute qu'il revint au salon avec quatre coupes à champagne et un verre de jus de pomme, posés sur une assiette à tarte à défaut d'un vrai plateau.

— Comme tu vois, ma douce, j'ai vraiment décidé de faire les choses en grand. J'ai même mangé en vitesse, à midi, pour avoir le temps d'aller au Woolworth de la rue Masson pour nous acheter des coupes à champagne.

— Je vois ça, mon Dan, que tu veux faire ton frais, se moqua gentiment Jacinthe. Pour le fla-fla, t'es aussi pire que moi… Ayoye ! Des vraies coupes, on rit pus… Attends, Daniel, attends, avant de donner le jus à la petite… Viens ici, ma cocotte, moman va t'aider à tenir ton verre. T'es pas dans ta chaise haute, toi là, pis ça serait ben fâchant que tu me renverses tout ça sur le tapis du salon que ton père vient tout juste de nous acheter.

Ils trinquèrent donc aux deux ans de mariage de Daniel et Jacinthe ; à Caroline, qui avait insisté pour rester assise à même le plancher, à côté de la table, et qui examinait les cadeaux avec une attention sérieuse, en tenant son verre à deux mains ; et ils levèrent finalement leurs coupes à l'automne, qui était particulièrement beau cette année.

— Et maintenant, s'écria Anna qui devenait volubile et enjouée dès qu'elle prenait quelques gorgées d'alcool, le cadeau pour Caroline ! C'est pas gentil de la laisser se languir comme ça. Pauvre chouette !

— Mais avant, veux-tu ben m'expliquer comment ça se fait qu'il y a autant de cadeaux que ça ? Mautadine, Anna ! C'est pas mêlant, on se croirait au réveillon de Noël. Vous exagérez toujours, vous deux.

Anna et Joseph-Arthur échangèrent un regard de connivence.

— C'est vrai qu'on aime beaucoup gâter ceux qui ont de l'importance à nos yeux, souligna alors la jeune femme. Mais ce soir, c'est à cause de nos parents, si on est arrivés chez vous les bras chargés de paquets.

— Vos parents ? demanda Daniel, visiblement surpris.

Il jeta un regard perplexe à son épouse avant de poursuivre.

— Je comprends pas ce que vos parents viennent faire là-dedans.

— Laisse-moi donner le cadeau à ma filleule, répliqua Arthur, tout en s'approchant de la table. Je vais tout vous expliquer après.

Là-dessus, le jeune homme se laissa tomber sur le sol, aux côtés de Caroline, puis il ramena vers lui une grosse boîte emballée dans du papier fleuri et ornée d'un chou immense dans les tons de rose. Il la soupesa en esquissant toutes sortes de mimiques qui firent sourire la petite fille, puis il lui adressa un clin d'œil qui la fit rougir. Entre Arthur et Caroline, il y avait une belle complicité qui faisait plaisir à voir. Ensuite, le jeune parrain poussa l'encombrant paquet sur la table jusque devant elle.

— Voilà, Caro ! C'est un cadeau pour toi, parce que tu es une petite fille vraiment très sage et que ta marraine et moi, nous t'aimons beaucoup.

Intimidée par le ton solennel employé par son parrain, mais surtout par la grosseur de la boîte, la bambine jeta un regard indécis vers sa maman. Jacinthe l'encouragea d'un sourire.

— Vas-y, ma cocotte… lança-t-elle vivement, tout en récupérant le verre de jus déposé de façon inquiétante, tout juste à côté du paquet. Envoye, déchire le papier !

En agrippant fermement le rebord de la table avec ses deux mains potelées, Caroline se releva pour être à la hauteur de la situation, tant le cadeau était volumineux à ses yeux d'enfant. Puis, délicatement, elle glissa un index dans un pli de l'emballage et elle commença à déchirer le papier tout doucement en le grattant.

— Mautadine, Caro, t'es ben «lambineuse»! C'est la première fois que je vois ça, souligna Jacinthe, après avoir bruyamment soupiré, tout en prenant Anna et Arthur à témoin! C'est pas qu'elle est pas contente, ma fille, mais elle est ben particulière, pis ben délicate dans tout ce qu'elle fait... Je sais pas de qui elle retient ça, mais c'est sûrement pas de moi! Laissez-moi vous dire qu'à ma fête ou à Noël, quand j'étais petite, le papier des cadeaux revolait plus vite que ça! Vas-y, Caro! répéta-t-elle avec enthousiasme. Grouille-toi un peu! T'as pas hâte de voir c'est quoi qui se cache dans une grosse boîte de même?

Ce fut comme si sa mère n'avait rien dit. La petite fille continua son manège et prit tout son temps pour retirer le papier. Puis, aidée par Arthur, elle retourna la boîte pour découvrir un service de vaisselle miniature. En un rien de temps, elle devint aussi rose que les petites assiettes. Caroline leva les yeux vers Jacinthe.

— Regarde le cadeau! Caro a des assiettes comme moman.

— Je vois ben ça, ma cocotte. C'est vraiment beau! Demain, on va les laver ben comme il faut, pis tu pourras manger dedans pour de vrai... Ça te tenterait-tu d'essayer ça?

Un grand sourire fut la plus éloquente des réponses.

Alors, Jacinthe se tourna vers Anna et Arthur, qui se tenaient maintenant l'un à côté de l'autre sur le canapé, les doigts emmêlés. Jacinthe se dit alors, de façon impromptue, qu'ils formaient un beau couple, tous les deux, et qu'elle leur souhaitait d'être heureux ensemble pour toute la vie.

— Il me reste juste à vous remercier, vous deux, déclara-t-elle enfin. C'est vraiment gentil d'avoir pensé à ça… Pis toi, Caroline, qu'est-ce qu'on dit quand on reçoit un beau cadeau comme celui-là ?

— Merci.

— Mais de rien, ma belle, répondit machinalement Arthur. Le reste va suivre à Noël.

— Le reste ? s'écria Daniel, abasourdi. Quel reste ? C'est ben en masse comme ça, voyons donc !

— Ha, ha ! C'est ce que tu crois, mon Dan… Vous verrez bien… Anna et moi, on sait déjà ce qu'on va offrir à notre filleule, et vous n'avez rien à ajouter là-dessus. Et maintenant, si on vous donnait vos cadeaux, à Jacinthe et toi ?

La jeune femme esquissa une moue.

— Si ça te fait rien, Arthur, pour astheure, j'irais plutôt faire manger Caroline, pis la mettre en pyjama, proposa-t-elle avec une lueur d'excuse dans le regard. Une fois qu'elle va être couchée, on va avoir toute la soirée à nous autres, pis j'vas pouvoir en profiter un peu plus.

— C'est comme tu veux. Mais avant, laisse-moi t'expliquer pourquoi il reste trois paquets sur la table.

Comme Anna vous l'a dit, tout à l'heure, c'est à cause de nos parents.

— Ben oui, c'est ben que trop vrai! J'étais en train d'oublier ça... Pis? Qu'est-ce que vos parents viennent faire dans notre anniversaire de mariage?

Tout en parlant, Jacinthe s'était penchée pour prendre sa fille dans ses bras.

— Ils ont décidé de nous donner quelque chose eux autres avec, ou quoi? poursuivit-elle. Parce que si c'est le cas, ça va nous mettre ben gros mal à l'aise. Surtout qu'on les a pas invités à souper avec nous autres... Hein Daniel, que ça nous gênerait?

— C'est sûr.

— Ne craignez pas, ce n'est pas du tout ça, rassura Arthur. Et quand bien même ça aurait été le cas, il n'y aurait pas eu de quoi se sentir gêné. Comme le dit ma mère: vous faites partie de la famille.

— On sait ça, oui! Et ton grand-père ajoute toujours que moi, je fais partie des meubles, souligna Daniel en riant.

— C'est vrai qu'il dit ça, approuva Arthur. C'est sa manière à lui de te faire comprendre qu'il t'aime bien... Non, cette avalanche de cadeaux serait plutôt due à une mésentente sur le sens à donner à votre fête.

Et Joseph-Arthur de raconter que chez les Romano, au deuxième anniversaire de mariage, on célébrait les noces de cuir.

— Alors que chez nous, selon mon grand-père, qui n'a pas l'habitude de parler à tort et à travers, ce seraient plutôt les noces de coton, déclara-t-il. Quand on a entendu ça, Anna et moi, on n'a pas pris de chance, et pour éviter des discussions interminables, on a décidé de donner raison à tout le monde !

— Pourquoi ?

— Parce qu'autant chez les Romano que chez les Picard, le ton peut monter rapidement quand on veut faire valoir son point de vue.

— Donc, si je te suis bien, dans les paquets, il y a des choses en cuir, pis d'autres en coton ? demanda Jacinthe, tout en faisant passer sa fille d'un bras à l'autre.

— Ça ressemble à ça, oui, admit Anna.

— Ben là, j'ai hâte de voir ça... En cuir ? T'es ben sûr de ça, toi, qu'il y a un anniversaire de mariage de cuir ? Je vois vraiment pas ce qu'on peut trouver, à part une ceinture ou des chaussures... ou un sac d'école... Bon ! C'est ben beau tout ça, mais vous allez devoir m'excuser. J'en ai pour une petite demi-heure avec ma fille. Après, on déballera nos cadeaux, Daniel pis moi. On pourra manger tout de suite après, parce que tout est prêt. Je commence à avoir pas mal faim.

Sur ce, Jacinthe quitta le salon, suivie de près par son amie.

— Et ça sent bon ! remarqua Anna, qui avançait dans le corridor les épaules bien droites, son nez de cuisinière pointant devant elle, sensible à toutes les odeurs qui se rapportaient à la nourriture. Il y avait tellement de monde au restaurant, ce midi, que c'est tout juste si j'ai eu le temps d'avaler une soupe… Je suis affamée, moi aussi ! En attendant le repas, est-ce que je peux rester dans la cuisine avec toi et Caroline ?

— C'est sûr, voyons ! Pis pour la senteur que t'aimes, c'est parce que j'ai fait cuire un rôti de porc à l'ail dans le four, mais à feu ben lent, comme dit ma mère. À 250 degrés. C'est sa recette personnelle, pis c'est de celle-là que je me sers toujours. Tu vas voir, Anna, c'est bon rare !

— Si ton rôti est aussi bon que l'odeur qui s'échappe de ta cuisine, je n'ai aucun doute que ça doit être excellent… Même que j'aimerais bien avoir ta recette… Le porc, c'est une viande que les clients du restaurant apprécient.

— Ah oui ? Ben si tu veux, après le repas, j'vas t'écrire tout ça sur un papier, pis…

Ce fut ainsi que la demi-heure passa rapidement. On discuta recettes à la cuisine, puis décoration dans la chambre de Caroline quand elles mirent la petite fille au lit. Pendant ce temps, les deux jeunes hommes, de leur côté, parlaient autos neuves au salon.

— Je pense vraiment que je suis rendu là, disait justement le jeune quincailler, tandis que les jeunes femmes retournaient à la cuisine pour voir aux derniers préparatifs du repas.

— Ben laisse-moi te dire, Arthur Picard, que je te trouve chanceux en saudit ! lança Daniel avec fougue… Crime Pof ! J'en rêve, moi, d'avoir une auto.

Surtout que c'est moi qui vas les tester, une fois qu'on les a réparées, pis que je sais à quel point c'est le *fun* de conduire. Même usagée, en autant que l'auto soye propre, ça ferait mon bonheur. J'en vois passer des pas pires au garage, tu sauras, pis chaque fois, je me dis qu'un jour, ça va être mon tour.

— Peut-être bien que pour toi, ce n'est pas pour tout de suite. Tu es marié, tu as la plus jolie des petites filles, et tout ton argent doit être utilisé pour ta famille. Ce qui est tout à fait normal. Mais dans mon cas…

Tout en parlant, Arthur regardait autour de lui, détaillant la pièce. Il resta silencieux un court moment, puis il reprit, en secouant la tête et en ramenant les yeux sur son ami :

— Pour être franc avec toi, mon Dan, je t'avoue que j'ai hâte d'être chez nous, d'avoir un appartement bien à moi, comme toi. Au début, quand tu t'es marié, j'étais loin d'être certain que j'aurais voulu être à ta place. Mais à vous voir aller, Jacinthe et toi, j'ai changé d'avis. Et si j'avais le choix entre une auto neuve et un appartement, je prendrais probablement l'appartement.

— Qu'est-ce qui t'en empêche, Arthur Picard ? Tu travailles fort, t'as un bon salaire, pis t'es rendu ben assez vieux pour vivre dans tes propres affaires. Je vois pas ce qui pourrait t'interdire d'aller vivre en appartement.

— Ce qui pourrait m'en empêcher ? Ma famille, Daniel, c'est ma famille qui me mettrait sûrement des bâtons dans les roues. Je sais aussi bien que toi qu'en principe, oui, je pourrais me trouver un logement à mon goût. Mais ma famille ne voit pas les choses exactement sous le même angle que moi.

Après une telle confession, Arthur s'attendait de la part de Daniel à des remarques sur ses parents, qui avaient tendance à le couver un peu trop. Les deux amis en avaient souvent parlé entre eux. Cependant, ce ne fut pas le cas. Daniel se contenta de secouer la tête.

— Astheure que j'ai une fille qui a grandi, expliqua-t-il, peut-être, oui, que je peux mieux comprendre tes parents. Nos enfants, tu sais, on veut les avoir à l'œil. Pis j'ai le pressentiment que ça dure longtemps, cette envie de les protéger… Mais au-delà de tes parents, Arthur, t'es pas bien chez vous ?

— Je n'irais pas jusqu'à dire que je ne suis pas bien, ce serait exagéré. Comme on dit : je suis logé, nourri, blanchi, et je ne manque de rien, sinon d'un peu d'intimité avec Anna, mais ça, c'est une autre histoire sur laquelle je n'ai pas du tout envie d'élaborer… Il n'en reste pas moins que c'est lourd, par moments, de vivre avec toute la famille. Notre logement n'est pas tellement grand !

— C'est vrai. Pis ta chambre est minuscule.

— Et ma mère s'imagine que je suis encore un petit gars en culottes courtes, et elle veut toujours savoir où je m'en vais, à quelle heure je compte rentrer, avec qui je vais être… Ce n'est peut-être pas grand-chose, mais ça devient agaçant, à la longue.

Mon père, lui, même s'il ne s'occupe pas vraiment de mes allées et venues, il est de plus en plus entêté en vieillissant. Certains jours, ce n'est vraiment pas drôle d'être obligé de travailler avec lui.

— Qu'est-ce que tu vas faire ?

Devant cette question, Arthur haussa les épaules.

— Que veux-tu que je fasse, à part endurer mon mal ? J'espère seulement que mon père va prendre sa retraite bientôt, et qu'il ne s'incrustera pas dans la quincaillerie, comme le fait mon grand-père. Mais tu connais mon père comme moi, non ? Avec J.A. Picard, on ne sait jamais ce qui nous pend au bout du nez… Des jours, il se lamente qu'il est tanné de toujours tout compter, que c'est « fatigant dans sa tête », mais qu'il n'est pas capable de s'en empêcher, et ces jours-là, il est vraiment de très mauvaise humeur. Par contre, le lendemain, il clame qu'il est heureux d'avoir la quincaillerie, parce que c'est un bon travail. Il ajoute qu'il a été chanceux d'avoir un père vendeur de clous et il prétend que grâce à ça, il ne s'ennuiera jamais de toute sa vie. Comme tu vois, il n'est pas toujours facile à suivre ! Et c'est sans compter toutes ses petites manies bien arrêtées sur ses fichues tablettes. Tu ne peux même pas imaginer le nombre de fois par semaine que je dois aligner les satanés pots de peinture, ou les boîtes de vis, parce que mon père ne les trouve pas assez droits à son goût. Parfois, je serre les deux poings pour canaliser mon impatience, tellement ça me rend fou.

— Pauvre Arthur !

Daniel avait l'air sincèrement désolé.

— Saudite affaire ! Je pensais jamais que c'était aussi pire.

— Comme tu vois, c'est le cas... À toi, au moins, je peux le dire, et ça me fait du bien. Une chose est certaine, cependant : malgré tout ce que je viens de te raconter, je ne peux pas laisser tomber les miens pour me trouver un emploi ailleurs. J'y ai pensé pendant des années, tu sais, et ma décision est irrévocable. Même si je ne suis pas heureux comme j'aimerais l'être, je vais rester là tant et aussi longtemps que mon grand-père va vivre et que mes parents choisiront de travailler. Après, on verra.

Parce que son ami l'avait mis dans la confidence, Daniel fut sur le point de demander à Arthur s'il avait eu des nouvelles de la seconde maison d'édition à qui il avait envoyé le manuscrit d'un premier roman qu'il avait écrit à l'insu de tous, le soir, enfermé dans sa chambre. Cependant, et malgré une curiosité tout à fait normale, Daniel n'osa pas, sachant le sujet sensible. Si Arthur voulait en parler, il en prendrait lui-même l'initiative.

Mais pour l'instant, Arthur n'en avait que contre la quincaillerie, et il continua à se vider le cœur.

— Ça serait le coup de mort pour mon grand-père, si jamais je quittais le commerce familial, était-il justement en train d'expliquer. Tu le sais aussi bien que moi. S'il fallait qu'à cause de mon égoïsme, il arrive quelque chose à ce vieux monsieur, à qui je dois beaucoup et que j'aime plus que tout, je ne me le pardonnerais jamais !

Arthur poussa un profond soupir.

— Tout ce long détour pour en arriver à dire que j'ai bien l'impression que je vais pouvoir déménager mes pénates sans faire de peine à personne uniquement le jour où je vais me marier.

— Justement... Si ça pouvait régler une partie du problème, ça vous tenterait pas, à Anna pis toi, de vous marier ? Depuis le temps que vous sortez ensemble, ça serait une surprise pour personne... À vous deux, avec vos emplois bien payés, vous avez sûrement les moyens de vous offrir un bel appartement.

Sur ce, Daniel regarda autour de lui.

— Je dis pas ça pour me plaindre, mais ça pourrait être mieux qu'ici, en tous les cas, déclara-t-il crûment. Avec juste un peu plus d'argent, ça serait pas difficile de trouver quelque chose de plus neuf, de mieux éclairé. Pis comme je connais ta mère, elle serait heureuse pour toi, ton grand-père aussi, pis comme ça, tu serais plus obligé de vivre chez tes parents.

À ces mots, Arthur échappa un rire amer.

— Je n'aurais rien contre le mariage, tu peux en être certain. Quand je pense à vous deux, à la belle vie que vous semblez avoir, je vous envie. Mais pour danser la valse, il faut être deux, mon pauvre Daniel.

— Danser ? Qui parle d'aller danser ?

Arthur esquissa un sourire. À la longue, la manie de son grand-père avait déteint sur lui, et souvent, le jeune homme parlait en images, comme le disait sa mère Léonie.

— C'est juste une expression, Dan. Ce que je veux dire par là, c'est qu'on n'a pas le choix : pour se marier, il faut être deux ! Et vois-tu, Anna n'est toujours pas prête à faire le grand saut. Ne t'inquiète pas, je sonde le terrain régulièrement, et elle m'a répété, il n'y a pas si longtemps, d'ailleurs, que le mot mariage n'avait pas été inventé pour elle. C'est évident que le jour où elle va vouloir qu'on s'installe chez nous, on va le faire. Mais pour l'instant, Anna n'en voit pas la nécessité. Comme elle nous voit très bien vivre ensemble dans un avenir plus ou moins rapproché, mais sans passer par l'église. Remarque, toutefois, que ce n'est pas encore fait. Comme le dit son père, le pape est italien, ce qui veut dire, dans son langage bien personnel, que la religion est très importante pour les Romano. Mais crois-moi, je me répète : on n'en est pas encore là ! Anna parle plutôt de retourner en Europe pour perfectionner son art, comme elle le dit.

— Pis toi ?

— Quoi, moi ?

— Qu'est-ce que tu dis de ça ?

— Sapristi, Daniel ! Penses-tu sincèrement que j'ai quoi que ce soit à dire là-dedans ? Tu connais Anna comme moi, non ?

— Ouais… C'est vrai qu'Anna est probablement la fille la plus indépendante que je connais… Crime Pof! Des fois, elle est encore plus têtue que Jacinthe, pis ça, c'est vraiment quelque chose… Mais si jamais ta blonde partait vraiment, vas-tu la suivre?

— Avec la quincaillerie?

À ces mots, Daniel se tapa le front avec la paume de la main.

— Où c'est que j'ai la tête, moi, coudonc? Tu viens tout juste d'en parler! Tu peux pas laisser tomber la quincaillerie… J'vas dire comme toi: c'est vrai que c'est compliqué rare, ton affaire!

— D'où l'envie de m'acheter une auto, compléta Arthur, parce que des promenades à pied dans le quartier, pour me calmer les nerfs, je commence à en avoir par-dessus la tête.

— Je comprends très bien ce que tu veux dire. Du temps que je vivais avec ma mère, ça m'arrivait, à moi aussi, d'avoir besoin de m'aérer les esprits.

— Enfin, quelqu'un qui me comprend!

Les deux jeunes hommes échangèrent un sourire. D'avoir trouvé une oreille bienveillante à ses déboires donnait une bouffée d'air frais à Arthur.

— Quand ce sera trop pénible, poursuivit-il, je n'aurai qu'à prétexter une commission importante à faire, n'importe quoi qui peut avoir l'air normal, et j'irai me promener en auto durant une petite demi-heure. Ça devrait me faire du bien. De toute manière, comme je connais mes parents, si j'achète un véhicule, ils devraient me prendre un peu plus au sérieux et me donner du lousse, selon l'expression consacrée de ma mère. Ce sera toujours ça de gagné. Et je suis certain que mon grand-père va être heureux comme un poisson dans l'eau, si je lui propose de faire des balades, le dimanche après-midi. Même que c'est à lui que j'ai l'intention de parler de mon projet en tout premier lieu. Si j'ai grand-père dans mon clan, il va pouvoir m'aider à convaincre les parents que même si je ne suis pas majeur, je suis assez mature pour avoir une auto... Et qu'avoir un véhicule à notre disposition, ça pourrait être utile pour bien des choses, à commencer par ma mère, pour qui je pourrais effectuer quelques livraisons, au besoin, et l'accompagner pour faire son épicerie...

— Bien pensé ! Ta mère est une femme sensée et elle va dire oui. Pis si elle est d'accord avec ton projet, ton père aussi va l'être.

— C'est exactement ce que je me dis. De toute façon, pour être vraiment franc avec toi, ça me tente en câline d'avoir une auto !

Arthur fut sur le point de dire qu'avoir une auto lui donnerait aussi l'occasion de se retrouver seul avec Anna de temps en temps, ailleurs qu'au parc de la Place des Érables. Mais il se retint à la dernière minute. Après tout, ça ne regardait pas Daniel.

— C'est comme si ça allait me permettre de voler de mes propres ailes, poursuivit alors Arthur. Toi, tu t'es marié, et par le fait même, on s'est mis à te voir comme un adulte responsable. Je me dis que de posséder une auto devrait donner le même résultat... À une autre échelle, bien entendu.

— De toute façon, qui aimerait pas ça ? demanda Daniel avec une indéniable pointe d'envie dans la voix.

Arthur leva les yeux et se heurta à un regard brillant de convoitise. Il en ravala son sourire satisfait.

— Sapristi ! C'est pas tellement fin de ma part de te faire miroiter mon désir d'acheter une auto. Je sais très bien que t'en rêves, toi aussi.

— Pis ça ? C'est pas désagréable non plus de rêver à quelque chose, Arthur. Le mariage pis la naissance de Caroline vont m'avoir au moins appris ça. Quand t'as une petite fille comme la nôtre, t'as toujours hâte de la voir faire quelque chose de nouveau. Mais t'as aucun contrôle là-dessus, pis tu dois attendre qu'elle soye prête. Avoir des enfants, ça t'apprend la patience. Dis-toi ben que le jour où j'vas avoir assez d'argent pour m'acheter une auto, j'vas probablement être le plus heureux des hommes, et juste à l'imaginer, ça m'aide à patienter.

— Pourquoi est-ce que tu dois patienter, mon Daniel ? demanda Jacinthe qui entrait justement dans la pièce en compagnie d'Anna. Il y a quelque chose qui va pas à ton goût ?

— Pantoute, ma douce. À tout le moins, rien que tu sais pas. C'est juste qu'on parlait de chars, Arthur pis moi. J'étais justement en train de lui dire comment c'est que j'avais hâte d'avoir une auto, mais que pour astheure, on en avait pas les moyens.

— Ah ça...

Jacinthe haussa les épaules.

— Dans la liste de mes priorités, c'est vraiment pas l'auto qui passe en premier, pis tu le sais, Daniel.

Jacinthe regarda autour d'elle avant de poursuivre.

— On est bien, ici, mais il nous manque encore ben des affaires pour avoir un ménage complet...

— Je le sais, pis ça me dérange pas une miette de mettre nos petits surplus dans ça, parce que j'suis d'accord avec toi ! Malgré le gros plaisir que ça va me faire le jour où j'vas avoir les moyens de payer des mensualités pour une automobile, c'est pas non plus ce qui vient en premier pour moi. Loin de là ! C'est toi pis notre belle Caroline ! Pis votre confort à toutes les deux.

Jacinthe se sentit rougir jusqu'à la racine des cheveux.

— T'es ben fin, Daniel, de dire ça de même, devant nos amis, murmura-t-elle, tout émue.

— Je pourrais même le crier à toute la ville de Montréal, si tu me le demandais, ma belle Jacinthe, parce que c'est vrai... Bon ! Astheure, on regarde les cadeaux tout de suite, ou ben on soupe en premier ?

Les quatre jeunes se consultèrent du regard.

— On va souper, trancha Anna, que la plupart des indécisions agaçaient. Le bol de soupe que j'ai réussi à manger à toute allure ce midi est digéré depuis longtemps. Je meurs de faim !

— Ben d'accord avec toi ! Moi avec, à midi, j'ai avalé mon sandwich tout rond pour avoir le temps de faire mes commissions. J'ai faim en saudit, pis ça sent trop bon pour attendre plus longtemps! Il y a pas à dire, ma douce: tu fais pas mal bien à manger. Chaque soir, quand je reviens de l'ouvrage, je sais qu'un bon souper m'attend, pis c'est en masse pour me donner envie de revenir ben vite vous retrouver, Caro pis toi.

— C'est vrai que côté nourriture, on n'a pas à se plaindre non plus, toi et moi, ajouta précipitamment Arthur, qui savait que le sujet des recettes finissait souvent en querelle entre Jacinthe et Anna, qui ne voyaient pas du tout l'art culinaire de la même façon. Dans une cuisine, Anna ne laisse pas sa place, elle non plus… Je dirais même que ses tartes dépassent en qualité celles de ma mère, ce qui n'est pas peu dire. Alors, Jacinthe, qu'est-ce que tu nous sers aujourd'hui?

— Du rôti de porc à l'ail avec des patates jaunes qui ont cuit dans le bouillon du rôti, pis des carottes dans une sauce blanche… C'est une spécialité de ma mère, pis c'est ben bon. Suivez-moi, on s'en va dans la cuisine. Vous vous «assirez» à vos places habituelles, pis j'vas nous servir!

Le repas fut joyeux, comme on pouvait s'y attendre. Quatre bons amis de dix-huit ans qui philosophent sur la vie comme de vieux compères qui ont déjà roulé leur bosse un peu partout, ça ne peut faire autrement que d'être joyeux. Puis Daniel déclara, le plus sérieusement du monde:

— Je te le dis, Arthur, que j'ai raison : avoir un enfant, ça te fait vieillir définitivement plus vite.

— Ben voyons donc ! Le temps est le même pour tout le monde. Une minute, c'est une minute. Elle dure soixante secondes bien précises, pour toi comme pour moi.

— D'accord avec toi, Arthur, approuva Anna, si on choisit de voir le temps comme une notion mathématique. Une journée, depuis toujours et pour toujours, ça n'aura que vingt-quatre heures.

— C'est exactement ce que je dis !

Anna souleva une épaule en secouant la tête.

— Ça, c'est voir la situation au premier degré. Comme tu fais souvent… En revanche, si on regarde plus loin, je peux très bien comprendre Daniel.

Arthur poussa un soupir sans répliquer.

— Allons donc, Arthur ! Ne viens pas nous affirmer ici que toutes les journées passent au même rythme, tout le temps, lança Anna. Ça serait un peu borné, tu ne crois pas ? Quand on attend, quand on espère un événement, c'est évident que le temps nous semble plus long. Alors à mon avis, ce que notre ami cherche à dire se rapporte plutôt à l'estimation que l'on a du temps qui passe.

— Ça, c'est bien dit, apprécia Daniel en hochant la tête. Je sais pas trop comment tu fais, Anna, mais tu trouves toujours les bons mots, ceux qui expliquent clairement tout ce que j'essaye de dire.

— Pis moi, déclara Jacinthe, qui ne voulait pas être en reste, j'ajouterais que les enfants changent tellement beaucoup, en pas beaucoup de temps, que c'est ça qui donne l'impression que toute va plus vite... Moi, c'est vraiment depuis que j'ai Caroline que je vois plus le temps aller. Attendez d'en avoir à votre tour, des enfants, vous allez comprendre.

À ces mots, Anna gonfla ses joues puis expira bruyamment.

— Oh moi, tu sais... Ce n'est pas demain la veille que je vais pouvoir vérifier tes allégations. J'ai bien des souhaits que je veux concrétiser et des tas de projets à réaliser avant de m'établir, comme le dit mon père. Ce qui fait que moi, au contraire de Daniel, j'ai souvent la désagréable sensation que le temps stagne.

— Je te comprends pas, déclara Jacinthe en hochant la tête... Non, c'est pas tout à fait vrai. Je comprends ton désir d'avoir une belle carrière. C'est juste normal quand on est bonne dans ce qu'on fait, pis c'est le cas avec toi dans une cuisine. Donc, pour toi, avoir de l'ambition, c'est correct, c'est même louable. Mais en même temps, quand tu parles comme tu viens de le faire, on dirait que t'aimes pas ça, les bébés. C'est ça que je comprends moins.

— Mais ce n'est pas ce que je dis, Jacinthe. Ne déforme pas mes paroles, s'il te plaît! Un jour, probablement que je serai prête à avoir un ou deux enfants, je te l'accorde. Et quand je regarde votre fille Caroline, j'en suis tout à fait persuadée. Elle est si mignonne, et toi, tu as l'air si heureuse dans ton rôle de maman. Alors oui, parfois, ça me fait envie. Mais ça ne dure jamais très longtemps, car pour l'instant, j'ai mille choses à faire qui me tiennent à cœur, qui m'attirent plus que de fonder une famille... Et pour commencer, j'aimerais aller à Rome, comme me l'a proposé Felice Mingarelli, l'ami de papa. Il ne me reste que mes parents à convaincre de la faisabilité du projet. Mais comme je les connais, s'ils prennent le temps de tout bien analyser, ils vont finir par être d'accord. Même que ça ne devrait pas être trop compliqué. Après tout, nous avons encore beaucoup de parenté en Italie, des oncles, des tantes et des cousins qui vont accepter gentiment de m'héberger, et je pourrais...

Au fur et à mesure qu'Anna décrivait l'avenir tel qu'elle le voyait, Arthur semblait se renfrogner. S'il y avait un sujet de litige entre son amie et lui, c'était bien celui de leur avenir commun. À un point tel qu'Arthur l'évitait le plus souvent possible, car pour lui, attendre encore cinq ou six ans avant de songer sérieusement au mariage, s'il y avait mariage, bien entendu, lui semblait une éternité, ce qui n'était pas le cas d'Anna. Chaque fois qu'ils abordaient le sujet, le ton montait rapidement.

— Alors on passe au dessert ? demanda Anna, stoppant ainsi la réflexion de son amoureux. J'ai hâte de vous donner vos cadeaux.

— Pis moi, j'ai hâte de les déballer, rétorqua Jacinthe sur un ton joyeux et impatient. Et si on repoussait le dessert à plus tard ? On le prendra avec un bon café filtre après les cadeaux... Depuis que ma mère m'a donné ma belle cafetière en Corning, on boit pas mal plus de café que du temps où on en faisait de l'instantané ! De toute manière, j'ai plus tellement faim pour le moment.

— Et moi non plus ! seconda Anna. Allez, les garçons, debout ! On s'en retourne au salon !

— Oui, grouillez-vous ! renchérit Jacinthe. Je me sens comme une petite fille, le soir du réveillon !

Anna exigea que les fêtés s'installent l'un à côté de l'autre sur le long divan.

— Parce qu'il y a un des cadeaux qui est pour vous deux, expliqua-t-elle. Après tout, c'est votre anniversaire, n'est-ce pas ? Alors, j'aurais envie de commencer par celui-là. Qu'est-ce que tu en dis, Arthur ?

— C'est une excellente idée ! De toute façon, d'ici quelques minutes, les trois paquets vont être déballés, souligna ce dernier avec une pointe de taquinerie dans la voix. Qu'est-ce que tu en penses, Jacinthe ?

— Et comment que je vais vous déballer ça, toutes ces boîtes-là ! Je m'appelle pas Caroline, moi ! Alors, on commence par lequel ? demanda-t-elle d'emblée en promenant avidement les yeux sur la table.

— Par celui-ci !

Arthur déposa une boîte assez longue sur les genoux de Jacinthe, avant de prendre place dans un fauteuil, en face d'elle.

— Voilà ! C'est pour toi et Daniel. Je suis certain que ça devrait vous plaire, parce que vous n'en avez pas, expliqua Arthur. Mais laissez-moi vous dire qu'on a cherché longtemps, Anna et moi, avant de trouver la perle rare. Comme tu l'as dit tantôt, Jacinthe, à part les ceintures et les souliers, et des sacoches, les articles en cuir susceptibles de convenir à un anniversaire de mariage, ça ne court pas les rues. Et nous voulions surtout un objet qui pourrait vous plaire à tous les deux.

— Parce que, voyez-vous, compléta Anna en se tournant vers son amie, Arthur et moi, nous y avions pensé, à votre anniversaire de mariage. Avant même que tu nous invites à souper. Alors, tu n'as pas à te sentir le moindrement gênée devant nos présents. Comme Arthur vous l'a dit, c'est à cause de nos parents s'il y en a autant.

Si jamais Jacinthe s'était sentie mal à l'aise, à l'arrivée de ses invités, sa confusion était maintenant chose du passé ! Le ruban blanc et le papier argenté gisaient déjà sur le plancher, sous la table à café. Agréablement surprise, elle venait de découvrir une boîte bleue à l'effigie d'une bijouterie reconnue, qui faisait aussi office de boutique de cadeaux.

— Wow... Ça vient de chez Birks, murmura Jacinthe, impressionnée. On rit pas...

La jeune femme leva furtivement les yeux vers son mari.

— As-tu vu ? Envoye, Daniel, c'est à ton tour ! Astheure que j'ai enlevé le papier, c'est toi qui vas ouvrir la boîte. Dépêche-toi, par exemple, j'suis curieuse en mautadine !

Taquin, Daniel souleva lentement le couvercle, puis, il écarta le papier de soie afin de jeter un rapide regard sur le contenu de la boîte, et il se permit même de faire une moue d'appréciation à son ami.

— Ouais, c'est pas pire !

D'un coup de coude, Jacinthe repoussa le bras de son mari.

— Hey ! Arrête de niaiser.

D'une main impatiente, Jacinthe enleva prestement le papier, et elle découvrit un plateau en bois verni avec des poignées en cuir repoussé.

— Mais c'est ben beau ! apprécia-t-elle, émerveillée. Je trouve ça vraiment, vraiment beau ! Un gros merci.

Sur ce, la jeune femme leva les yeux vers son amie.

— En plus, ça va ben aller avec la couleur de notre mobilier, pis avec nos jardinières en macramé accrochées devant la fenêtre... C'est comme trop beau pour nous autres.

— Jacinthe a raison, déclara Daniel, en écho aux remerciements de son épouse. C'est un gros cadeau, ça là, pis ça me gêne quand même un peu de recevoir quelque chose de beau de même. Mais en même temps, ça va être pas mal pratique ! Fini le temps de l'assiette à tarte pour servir nos invités. À mon tour de vous dire un gros merci.

— Ça nous fait plaisir... Et maintenant, il vous reste deux cadeaux à ouvrir. Un pour toi, Jacinthe, et un pour toi, Daniel, déclara Anna, tout en tendant un petit paquet à son vieil ami, et un plus gros à son épouse.

Ce fut ainsi que la jeune femme reçut une nappe ivoire parsemée de petites fleurs bleu lavande, avec les serviettes de table assorties, et que Daniel déplia un tablier de chef, roulé sur lui-même dans un sac-cadeau.

— Un tablier pour les jours où tu fais la vaisselle, se moqua Arthur. L'autre soir, tu te plaignais d'avoir taché ton chandail préféré avec de la moutarde.

— Parle-moi-z'en pas ! J'ai gâché le chandail que j'aimais le plus. Jacinthe a tout essayé pour faire partir la tache, mais il en reste encore un peu, comme un petit nuage jaune, juste sur le devant. Ça fait que votre tablier, c'est une saudite de bonne idée ! Ça me tente pas tellement de mettre ceux à fleurs de ma femme, même si elle insiste... En plus, ça va me servir aussi quand j'aide Jacinthe à préparer les repas. Quand j'ai le temps, j'haïs pas ça pantoute cuisiner, vous saurez !

Daniel jeta une œillade à sa douce. Elle était toute rose de plaisir, tandis qu'elle dépliait une des serviettes de table.

— C'est tellement beau !

Ces quelques mots accouplés au sourire heureux que Jacinthe esquissait rejoignirent Daniel.

« Pourquoi pas remettre mon petit paquet tusuite ? », se dit-il à l'instant où Arthur, l'éternel affamé, demandait si l'heure du dessert était arrivée. « Après tout, j'ai un cadeau à donner moi aussi. »

Le jeune homme se tourna vers son ami.

— Je m'excuse, Arthur, mais tu vas devoir attendre encore quelques minutes avant de manger, déclara-t-il en se relevant. Moi avec, j'ai quelque chose à donner à ma femme pour souligner notre anniversaire. Autant en profiter pendant que vous êtes là…

À ces mots, Jacinthe se retourna vivement vers son mari. Elle avait les sourcils froncés de mécontentement.

— Veux-tu ben me dire… Que c'est ça, Daniel ? Il me semble que le mois dernier, on s'était entendus, toi pis moi, pour pas se donner de cadeau. Du moins pas pour cette année. C'est même toi qui as proposé qu'on gâte notre fille, à la place.

— J'sais tout ça, ma douce. Pis j'ai pas changé d'avis. À Noël, on se donnera rien. Surtout pas des « cossins » qu'on a pas vraiment de besoin. Oh non ! Tu sais ce que j'en pense. Mais c'est pas pantoute pareil, en ce moment… Attends-moi, je reviens dans deux minutes. Tu vas vite comprendre de quoi je parle. Au début, je voulais te donner mon cadeau lundi, quand ça va être la vraie date de notre anniversaire, pis tantôt, quand je t'ai vue déballer la grosse boîte, pis la nappe… T'avais l'air tellement heureuse que je me suis dit : pourquoi pas tusuite ? Même qu'avec Arthur pis Anna, ça va faire un peu plus officiel.

Ce fut ce dernier mot qui mit la puce à l'oreille de Jacinthe. Son cœur se mit à battre un peu plus vite.

— Ben là…

Quand Daniel fut de retour de leur chambre, le présent qu'il voulait offrir à Jacinthe tenait dans le creux d'une main. La jeune femme ferma les yeux une fraction de seconde, le cœur battant.

Le petit écrin de velours bleu nuit ne laissait aucune place à l'imagination.

Immédiatement, la jeune femme sentit quelques larmes lui piquer le bord des paupières. Puis, elles se mirent à couler doucement le long de ses joues lorsque Daniel, à genoux devant elle, entrouvrit le petit coffret. Jacinthe avait beau savoir que c'était superficiel et que l'essentiel entre Daniel et elle allait bien au-delà de ce symbole, elle était vraiment heureuse.

Toutes les objections qu'elle avait soulevées depuis ces deux dernières années dès qu'il était question de leurs alliances étaient sincères, soit, mais il n'en restait pas moins qu'elle en avait rêvé, de ce bijou qui rendrait leur union officielle devant tous.

Combien de fois, au juste, Jacinthe avait-elle tendu la main gauche devant elle, plissant les yeux et imaginant un petit diamant tout brillant à son doigt ?

Elle retira délicatement la bague de son écrin. C'était un jonc tout simple, en or, avec un seul diamant bien enchâssé dans quatre griffes en platine.

— La vendeuse a appelé ça « un solitaire », expliqua Daniel. C'était pas le plus gros, c'est ben certain, mais c'est pas le plus petit non plus... Si j'ai choisi ce modèle-là, c'est parce que je l'aimais bien. Je trouve que ça te ressemble. Une bague trop compliquée, me semble que c'est pas faite pour toi. T'es une femme simple, ma douce, pis c'est un trait de caractère que j'apprécie beaucoup… Mais si t'aimes pas la bague que j'ai choisie, ajouta-t-il promptement, on peut l'échanger, tu sais. La vendeuse me l'a assuré.

La réponse de Jacinthe fusa sans la moindre hésitation.

— Ben voyons donc, Daniel ! Une bague de même, que t'as choisie expressément pour moi, parce qu'on s'aime tous les deux pis qu'on se connaît de mieux en mieux, j'ai pour mon dire que ça s'échange pas. De toute façon, crains pas, je la trouve ben belle.

Alors, avec une infinie douceur dans le geste, Daniel reprit la bague et il la glissa au doigt de Jacinthe.

— Comme je l'aurais fait à l'église si on avait eu les moyens de s'offrir des alliances au matin de notre mariage, murmura-t-il, ému, encore surpris aujourd'hui que la belle Jacinthe Demers l'ait choisi, lui, Daniel Meloche, à travers tous les beaux gars de Montréal. Je te donne cette bague-là pour dire à quel point je t'aime.

— Pis moi, je l'accepte parce que je t'aime plus que tout au monde, répondit Jacinthe sur le même ton, avec un trémolo dans la voix, oubliant pour un instant qu'ils n'étaient pas seuls dans la pièce. Avec notre petite Caroline, ben sûr.

— Ça, ma douce, t'as pas besoin de le préciser, je le sais. Pis c'est pareil pour moi. Notre fille, c'est ce qu'on a de plus précieux.

Jacinthe esquissa un fragile sourire à travers les larmes de bonheur qui continuaient de couler sur ses joues. Elle était émouvante au point où même Anna, qui ne croyait pas vraiment à ce qu'elle appelait les «simagrées» du mariage en fut attendrie. Durant quelques instants, elle envia son amie. Jacinthe avait l'air si sereine, si paisible, elle qui était en temps normal une sorte de boule d'énergie. Pourtant, fidèle à ses principes et sans souscrire à une politesse qui ne serait que façade, Anna ne manifesta aucune envie d'admirer la bague. De toute façon, Jacinthe n'avait pas besoin de ses minauderies en ce moment.

Les doigts d'Arthur frôlèrent le bras d'Anna au même instant, et la jeune femme tressaillit, négligeant aussitôt la curieuse émotion qu'elle venait de ressentir. Elle tourna les yeux vers son amoureux et elle plongea son regard dans le sien. Tout cet emballage était-il vraiment nécessaire pour être heureux?

Anna haussa subrepticement les épaules, tandis qu'Arthur lui faisait un clin d'œil, accompagné d'un petit sourire. Anna le lui rendit, curieusement apaisée.

L'attachement qu'ils ressentaient l'un envers l'autre et leur complicité leur suffisaient amplement, à Arthur et à elle, pour apprécier la solidité de leur union. La confiance absolue que son amoureux lui inspirait, sa délicatesse et son respect envers elle étaient autant de preuves d'amour aux yeux de la jeune femme. Quand, entre deux baisers, Arthur lui glissait parfois à l'oreille qu'il l'aimait, le bonheur éprouvé était sans compromis, et ces mots tout simples, répétés probablement depuis la nuit des temps par tous les amoureux du monde, permettaient à Anna d'attendre sereinement le jour où ils seraient prêts à unir leurs destinées officiellement en choisissant de vivre ensemble. Y aurait-il un mariage? Pour l'instant, Anna espérait que tout cet apparat ne serait pas nécessaire. Arthur et elle n'avaient nul besoin de bijou ou de papier pour officialiser leur union ou pour savoir que leurs sentiments étaient sincères.

— Veux-tu que je te dise, Daniel? lança alors Jacinthe, interrompant ainsi la réflexion d'Anna. J'suis contente qu'on aye attendu pour la bague. Ouais, j'aime mieux ça comme ça, entre nous deux. Dans le fond, ce qui se passe entre toi pis moi, ça regarde pas vraiment le curé... ni personne d'autre, d'ailleurs.

Anna glissa alors sa main dans celle d'Arthur. Ces quelques mots de Jacinthe lui semblaient rassurants. Malgré de nombreuses différences dans l'expression de leur attachement envers leur amoureux respectif, son amie et elle pensaient exactement la même chose: ce qui se vivait intensément entre deux personnes ne regardait qu'elles.

Toujours aussi rose de bonheur et de fierté, Jacinthe se releva, ne pouvant s'empêcher de jeter un long regard sur la bague qui brillait de mille feux dans la lumière du plafonnier. Puis, elle tourna la tête vers son ami.

— Merci, Arthur, merci de ta patience pour le dessert… Pis merci d'être ici pour partager un moment important dans notre vie à deux. Quand j'ai dit que ça regardait personne, je parlais pas pour toi pis Anna… Quand vous êtes là, ça fait juste nous rendre un peu plus heureux, Daniel pis moi… Bon ben, là c'est vrai, c'est l'heure du dessert. Pis tu vas être content, Arthur, parce que j'ai pensé à toi. À matin, j'ai fait le gâteau au chocolat que t'aimes tant.

— Mais moi avec, je l'aime, ton gâteau, protesta Daniel.

— Je le sais, mon Dan, pis j'ai pas de doute non plus sur la qualité de mon gâteau. C'est vrai que je le réussis pas mal bien. Mais toi, tu peux en manger plus souvent qu'Arthur. Astheure, suivez-moi, on s'en retourne dans ma cuisine.

Tout en regagnant le couloir, Jacinthe pensa au papier de la pharmacie, caché sous une pile de chandails. En fin de compte, elle non plus n'attendrait pas au lundi pour savoir ce que le pharmacien y avait inscrit. Tout à l'heure, quand ils se retrouveraient en tête à tête, elle le lirait avec Daniel. Comment avait-elle pu vouloir en faire un secret ? C'était franchement ridicule ! Après tout, Daniel était tout autant concerné qu'elle, n'est-ce pas ?

Même s'il ne faisait aucun doute pour Jacinthe que son mari serait fort déçu devant une réponse négative, elle ne le voyait plus comme quelque chose d'aussi dramatique. Ils seraient deux pour vivre cette déception, et cela aussi faisait partie de leur vie familiale, de leur vie de couple. À deux, comme le disait si bien Daniel, tout était plus facile. Alors, elle pourrait lui confier aussi sa crainte de se retrouver avec un bébé qu'elle avait peur de ne pas aimer suffisamment, après avoir connu un amour sans bornes pour leur petite Caroline.

En revanche, si la réponse était positive, le jeune papa serait fou de joie, et peut-être bien qu'ils feraient l'amour ensemble, avec cette douceur intense qui était la leur dans les moments d'intimité.

Jacinthe jeta furtivement un coup d'œil vers son mari, et elle sentit son cœur fondre.

Son Daniel, son homme, le père de sa merveilleuse petite fille.

Un frisson parcourut alors le dos de la jeune femme, depuis la nuque jusqu'au creux des reins. Il lui tardait maintenant que leurs amis s'en aillent pour vérifier le papier de la pharmacie. Cependant, comme elle l'avait appris au cours de bienséance à l'école, elle n'en laisserait rien paraître. Une maîtresse de maison se doit d'être souriante en tout temps, et Jacinthe se piquait d'être de surcroît une excellente hôtesse.

— Je mets de l'eau à bouillir dans la bombe pour faire le café, lança-t-elle avec sa bonne humeur habituelle. Ensuite, j'arrive avec le gâteau au chocolat, pis les petites assiettes…

Sur ce, jetant un regard à la ronde sur les convives attablés, Jacinthe ajouta gaiement :

— Mautadine que c'est une belle veillée ! C'est ben agréable quand vous venez nous visiter !

Chapitre 3

« Je me lève
Et je te bouscule
Tu ne te réveilles pas
Comme d'habitude
Sur toi je remonte le drap
J'ai peur que tu aies froid
Comme d'habitude
Ma main caresse tes cheveux
Presque malgré moi
Comme d'habitude
Mais toi tu me tournes le dos
Comme d'habitude »

~

Comme d'habitude,
Gilles Thibaut / Claude François / Jacques Revaux

Interprété par Claude François, 1967

Le lundi 9 décembre 1968, dans le salon de coiffure d'Agathe Langevin

— Soda Agathe ! Veux-tu ben me dire ce qui se passe avec toi ? Tu réponds même plus au téléphone !

Debout devant la porte de la cuisine qu'elle avait refermée sur la matinée glaciale, Mado dévisageait son amie, qui se contenta de soupirer devant cette entrée pour le moins intempestive.

Depuis le jour où son fils Rémi avait été condamné par le juge à quatorze mois de détention à Boscoville, Agathe avait la sensation que sa présence n'était plus vraiment utile à qui que ce soit.

— Pour reprendre votre vie en main, jeune homme, et vous donner tous les outils nécessaires afin de devenir un citoyen modèle, vous allez poursuivre vos études, avait déclaré le vieil homme à la mine sévère, après un long discours moralisateur.

Le sermon avait été débité sur un ton doctoral, sans que le magistrat accorde le moindre regard d'empathie à la pauvre mère éplorée qui pleurait silencieusement toutes les larmes de son corps.

Agathe avait alors entendu que derrière les mots se cachait une réprobation à son égard, et elle avait vu dans l'attitude volontairement indifférente et froide de l'imposant personnage la montagne de reproches qui lui étaient adressés.

— À quinze ans, un jeune ne court pas les rues sans surveillance. Il va à l'école, comme il se doit, avait conclu le juge.

Tout à fait d'accord avec ce principe, Agathe était retournée chez elle avec la conviction profonde d'avoir complètement échoué dans son rôle de mère. Quoi d'autre pouvait expliquer l'attitude frondeuse de son garçon qui, même au tribunal, avait gardé son petit sourire narquois ?

Et Rémi ne lui avait même pas adressé un banal signe de la main quand il avait quitté la salle, escorté par les policiers.

Malgré cela, malgré l'immense déception ressentie, Agathe aimait son fils plus que tout au monde. Elle lui avait consacré son existence sans la moindre hésitation et elle lui avait donné le meilleur d'elle-même, en partageant avec lui les valeurs qui lui semblaient essentielles. Affectueuse, Agathe avait été présente de façon quotidienne depuis le premier pleur de Rémi, et elle avait espéré en faire un homme dont elle serait fière un jour.

Malheureusement, jusqu'à maintenant, il y avait encore très loin de la coupe aux lèvres ! Une simple bande de petits voyous avait eu raison de l'éducation qu'elle avait essayé tant bien que mal d'inculquer à son fils.

Où donc s'était-elle trompée ?

— On peut pas trop aimer, voyons ! ne cessait-elle de se répéter depuis le matin fatidique qu'elle avait passé à la Cour du bien-être social.

C'était donc la mort dans l'âme qu'Agathe était ressortie du tribunal.

Accablée, humiliée, n'ayons pas peur des mots, Agathe Langevin avait alors décidé de fermer son salon de coiffure pour toute une semaine, incapable de s'imaginer en train de sourire à ses clientes comme si de rien n'était. Elle devait à tout prix reprendre un certain contrôle sur ses émotions afin de trouver en elle le cran dont elle aurait besoin pour affronter le public, et pour cela, elle avait besoin de temps pour se réconforter.

Pour se réconcilier avec elle-même.

Une semaine ! C'était à la fois fort peu pour se remettre d'une telle émotion, mais aussi beaucoup pour Agathe, qui n'avait jamais pris de vacances. Elle comptait donc mettre tout ce temps à profit pour que la poussière puisse retomber un peu sur l'événement, ce qui jouerait en sa faveur. Du moins, l'espérait-elle. En effet, depuis ces sept derniers mois, depuis que l'histoire du vol de médicaments à la pharmacie avait fait le tour du quartier à une vitesse stupéfiante, alimentée on ne savait trop par qui, la coiffeuse attitrée de la plupart des femmes et des jeunes enfants de la Place des Érables avait la déroutante sensation que des regards désapprobateurs la suivaient dès qu'elle mettait un pied hors de chez elle. Même les clientes qui fréquentaient son salon depuis des années avaient moins de conversation qu'auparavant. Que se passerait-il, maintenant que la culpabilité de son fils avait été reconnue et que celui-ci avait été condamné à être incarcéré durant quatorze longs mois ?

Dans l'état d'esprit qui était le sien, il n'était pas difficile pour Agathe d'imaginer que ce serait probablement encore pire. À force d'y penser, elle en avait conclu qu'elle n'avait pas du tout envie de vivre ça, et encore moins d'être obligée de raconter comment cela s'était passé à la cour. Elle condamnait l'attitude de son garçon sans aucune hésitation, bien entendu, mais Rémi restait tout de même son fils et elle l'aimait. On allait donc devoir le comprendre et l'accepter autour d'elle.

Tout comme on avait dû accepter qu'elle soit une mère célibataire !

En revanche, et malgré l'envie qu'elle avait de voir Rémi, Agathe avait été incapable d'aller le visiter la veille, comme elle en avait le droit tous les dimanches après-midi. Elle était persuadée que se présenter à Boscoville pour pleurer devant son garçon, durant une heure qui leur paraîtrait probablement interminable à tous les deux, ne l'avancerait guère. Rémi détestait la voir pleurnicher, comme il le disait. Alors, le jour où elle visiterait son fils, Agathe Langevin serait capable de se tenir droite, et surtout, elle parviendrait à le regarder droit dans les yeux sans ciller.

Et pour ce faire, elle avait besoin d'un peu de temps.

La propriétaire du salon de coiffure avait donc préparé un court billet qu'elle avait collé dans la vitre de la porte de son commerce, celle qui donnait sur la rue bordant le parc.

«Le salon est fermé pour cause de maladie», avait-elle écrit sur la feuille, pour que les dames qui avaient déjà un rendez-vous ne viennent pas frapper à la porte de sa cuisine, espérant que pour elles, juste pour elles, la coiffeuse ferait une exception. Puis, Agathe avait camouflé le téléphone sous la double épaisseur de deux grandes serviettes de bain, de celles qu'elle utilisait lorsqu'elle lavait les cheveux de ses clientes.

Pour Agathe, quand on était malade au point de ne pas travailler, c'était qu'on était obligé de garder le lit. Tout le monde devrait le comprendre et ne pas insister.

Malheureuse comme les pierres, il n'était pas question pour Agathe de répondre au téléphone, ni de se faire déranger par qui que ce soit. Si elle ne se manifestait d'aucune façon, on en conclurait qu'elle était vraiment malade, ce qui n'était qu'un demi-mensonge, puisqu'elle avait le cœur en miettes.

Aux yeux d'Agathe Langevin, une peine d'amour maternel valait à elle seule toutes les maladies qu'elle pourrait inventer.

Au lendemain du procès, parce qu'il ne restait plus de lait ni de pain, elle avait donc choisi de faire livrer son épicerie. De toute façon, sa commande ne serait pas très grosse, car elle n'avait pas tellement faim.

Et la semaine avait passé. Cachée dans une cuisine aux rideaux fermés, elle avait sursauté chaque fois que quelqu'un avait sondé la porte du salon de coiffure, puis soupiré d'agacement entremêlé de curiosité chaque fois qu'elle avait entendu la sonnerie étouffée du téléphone.

Depuis le vendredi précédent, seul le silence l'avait accompagnée tout au long de trois interminables journées où elle n'avait rien fait, sinon penser à son fils, essayant de se l'imaginer de retour dans une salle de classe, lui qui détestait l'école. Comment voulez-vous, dans de telles conditions, qu'un jeune, révolté comme l'était Rémi, acquière de bonnes habitudes? Si le juge s'était donné la peine de la consulter avant de donner la sentence, Agathe lui aurait sans doute souligné que d'obliger Rémi à étudier n'était pas une très bonne idée.

Mais Agathe n'avait rien eu à dire.

Alors, pour apaiser sa colère et son chagrin, elle avait tenté de revoir en boucle les années de l'enfance de Rémi, alors que la vie coulait doucement et sans soucis, d'un lundi de congé à un autre lundi de congé, à travers ses rires d'enfant, ses petits chagrins sans gravité, et les baisers mouillés que le petit garçon égarait sur les joues de sa maman, le soir venu, quand elle allait le border. Certes, Agathe avait beaucoup travaillé, durant ces années-là, et elle n'avait eu que les lundis et les jours fériés en guise de congés, mais cela lui importait peu. Le dimanche, au sortir de la messe, elle mangeait au casse-croûte de son amie

Rita avec son fils, et cela lui suffisait comme loisir. Une sortie au cinéma avec son garçon, de temps en temps, tenait lieu de voyage, car elle pouvait s'évader de son quotidien à travers les images qui l'emmenaient loin de chez elle, et grâce à l'histoire qui lui était racontée.

La veille, en fin d'après-midi, une visite de son propriétaire venu chercher le loyer de décembre l'avait sortie de sa torpeur pour un instant.

— J'étais inquiet, avait expliqué le petit homme chauve resté sur le perron.

Visiblement mal à l'aise de se voir obligé de venir quémander le loyer, il triturait une vieille tuque de laine grise qu'il avait retirée par politesse, malgré un vent du nord sournois qui sifflait depuis le matin dans les arbres dénudés.

— C'est ben la première fois en quinze ans que vous êtes pas venue me porter votre chèque le premier du mois... Est-ce que je peux faire quelque chose pour vous ?

Non, il ne pouvait rien pour elle. Agathe s'était tout de même confondue en excuses, promettant que cela ne se reproduirait plus, et elle avait refermé la porte sur le froid hivernal avant de retourner à ses souvenirs, et à la boîte à chaussures où elle avait rangé les quelques photos qui ponctuaient le passage du temps depuis la naissance de son fils.

La présente visite de Mado, en ce lundi tout aussi froid que la veille, achevait de compléter son retour à la réalité. La coiffeuse de la place ne pouvait rester malade pour le reste de ses jours, elle venait de se l'admettre à elle-même.

— Soda Agathe ! Veux-tu ben me dire ce qui se passe avec toi ? Tu réponds même plus au téléphone.

Le bout du nez rougi et les yeux larmoyants, Mado venait de faire une entrée bruyante dans la cuisine de son amie.

Agathe soupira. Puis, elle haussa les épaules.

— Tu parles d'une question plate, Mado Champagne ! Tu dois ben te douter de ce qui se passe, non ?

Mado soupira à son tour avant de reprendre, sur un ton plus doux.

— Ben oui, voyons, je me doute de ce que tu vis, ma pauvre toi ! C'est justement pour ça, si j'suis venue te voir avant de rentrer travailler. Ça doit être dur sans bon sens, avaler une affaire de même. Soda ! Apprendre que son garçon va se retrouver en maison de redressement pour plus qu'une année, ça doit te revirer une mère aussi dévouée que toi. Ça, je le comprends facilement. Mais ta vie à toi, ma pauvre Agathe, elle s'est pas arrêtée pour autant... Il me semble, du moins.

Pour soutenir ses dires, Mado fut sur le point de parler de sa propre existence, qui avait connu un dérapage déterminant, et de toute évidence définitif, le soir où elle s'était rendue à la pharmacie de Valentin Lamoureux pour plaider la cause de Rémi. Le pauvre homme, celui qu'elle n'appelait désormais plus son fiancé, en fait, elle n'en parlait même plus, le pauvre homme, donc, n'avait pas donné de ses nouvelles depuis cette ultime rencontre catastrophique. Alors, Mado aurait pu parler, elle aussi, de sa grande désillusion devant un être tristement décevant et lâche, comme l'avait été le pharmacien, à ce moment-là. Elle aurait pu confier aussi sa profonde lassitude devant un quotidien qui, finalement, ne connaîtrait probablement aucun changement notoire avant que le grand âge ne l'oblige à tirer sa révérence.

Pas de jolie maison aux allures de manoir ; pas de voyages en perspective vers les Vieux Pays, comme le lui avait promis le pharmacien en guise de voyage de noces ; plus de soupers fins au restaurant ni de dimanche après-midi au cinéma, à deux, la main dans la main, avec un gros sac de *pop-corn* au beurre à partager, coincé entre eux...

Mado Champagne, la *waitress* du casse-croûte Chez Rita, resterait *waitress* jusqu'à sa mort, à moins d'attraper une maladie de vieux, comme la tremblote, ce qui l'empêcherait de travailler. Auquel cas elle serait bien embêtée, puisqu'elle n'avait pas vraiment d'économies. C'est tout cela que Mado aurait pu raconter pour que son amie se sente un peu moins seule.

Mais le temps d'un soupir tout léger, la serveuse se passa la remarque qu'elle n'était pas venue voir Agathe pour s'apitoyer sur elle-même, et que, de toute façon, le malheur des uns ne réconfortait pas nécessairement le chagrin des autres.

Mado redressa alors les épaules, déboutonna son manteau, fit un pas de plus vers la table, tira une chaise pour s'asseoir à côté de son amie, puis elle pencha la tête, se disant qu'il n'y avait rien de mieux que les petits soucis du quotidien pour oublier les grands malheurs.

— Regarde-moi le fond de la tête, Agathe... Tu vois-tu ce que mon miroir me montre tous les matins ?

Sans attendre de réponse, Mado se redressa.

— Va falloir que tu me fasses ma teinture, pis ça presse ! déclara-t-elle d'une voix autoritaire. On dirait que le Miss Clairol que je prends d'habitude entre deux teintures dans ton salon marche plus comme avant. Depuis qu'ils ont changé la couleur de la boîte, j'ai l'impression que leur produit est de moins bonne qualité. Ça se pourrait-tu, ça ? En tous les cas, avec moi, ça a pas marché comme de coutume, pis j'ai pas pantoute envie que les clients du restaurant voyent qu'en réalité, j'ai les cheveux gris comme le dos d'une souris. C'est-tu assez laid un peu ! J'ai ben tenté de me débrouiller toute seule, mais à force de me crêper la tignasse pour essayer de cacher ma repousse, j'suis en train de me massacrer le fond de la tête. Regarde !

Et Mado de repencher la tête, espérant que cette fois-ci, Agathe lui répondrait. Devant un silence persistant, elle enchaîna.

— En plus, ça pique comme c'est pas possible...

Puis, se redressant pour de bon, Mado planta son regard dans celui de son amie.

— Tu peux-tu me recevoir au salon dans pas trop longtemps, même si c'est encore fermé, ou ben va falloir que je pense sérieusement à m'en aller voir ailleurs ?

Agathe resta prostrée durant quelques secondes, le temps que l'impact de ces derniers mots la rejoigne, puis elle se frotta les yeux pour ne pas avoir à regarder son amie tout de suite.

Mado était-elle vraiment en train de lui dire qu'elle avait l'intention de se faire coiffer ailleurs que dans son salon ?

C'était impensable !

Agathe retint son souffle, catastrophée.

Si Mado Champagne, sa meilleure amie, songeait réellement à changer de coiffeuse, qu'en serait-il pour toutes ses autres clientes ?

Agathe commença par tressaillir, imaginant son destin sans son salon, sans ses clientes... Et peut-être aussi sans son fils, allez donc savoir ce que l'avenir lui réservait !

La coiffeuse secoua alors vigoureusement la tête comme si elle répondait à Mado par un grand geste de négation. Pas question de perdre sa clientèle, il était grand temps qu'elle se ressaisisse !

Agathe ouvrit enfin les yeux et se heurta aussitôt au regard inquisiteur de son amie.

— Donne-moi quelques heures, proposa-t-elle d'une voix ferme, après avoir longuement inspiré. Juste le temps de faire un brin d'époussetage dans le salon, de passer mes grandes serviettes dans la sécheuse pour qu'elles sentent bon, pis de vérifier mon stock parce que je t'avoue que j'ai pas ben ben pensé à mon travail durant la dernière semaine... Par contre, si je me rappelle bien, du noir *aile de corbeau*, j'en ai, j'suis presque sûre... Si tu peux prendre congé, viens me revoir durant l'après-midi. J'vas te régler ton problème de repousse avec plaisir...

La menace de changer de coiffeuse avait porté fruit !

Mado se détourna un instant pour cacher sa satisfaction.

— Pis si je te disais que ça m'adonnerait mieux vers sept heures à soir ? demanda-t-elle en ramenant les yeux sur Agathe. Ça pourrait-tu te convenir pareil ?

Agathe était déjà debout et elle s'étira longuement, comme si elle venait d'être tirée d'un profond sommeil.

— Pas de trouble, Mado, accorda-t-elle. Je dirais même que ça va être encore mieux comme ça. Ça va me laisser tout le temps nécessaire pour me préparer ben comme il faut. Pis j'vas commencer par une bonne douche chaude, pis un *brushing* !

— Si c'est de même, compte sur moi, j'vas être là à sept heures pile... Pis tu m'attendras pour souper, tiens ! J'vas nous apporter une pizza *all-dressed* avec deux canettes de Coke.

— Ben là... T'es pas mal fine de penser à moi comme ça... C'est vrai que ça va être bon, de la pizza... On mangera ensemble le temps que ta teinture prenne. Une chose est sûre, par exemple, c'est que ça va me changer de la soupe en enveloppe...

Et sur une moue un peu triste, Agathe ajouta :

— Il y a surtout que je serai pas toute seule pour manger. Ça avec, tu sais, je trouve ça pas mal *rough,* même si mon Rémi était pas le plus jasant depuis un boutte. Au moins, il était là. J'avais une face devant moi, au lieu de la porte du frigidaire, pis je me disais que c'était mieux que rien... Quand mon gars trouvait ça bon, il me le disait... À chaque fois, ça me faisait plaisir.

— Je te comprends... Ouais, je comprends ce que tu veux dire, rapport que manger toute seule, j'ai fait ça plus souvent qu'autrement, durant ma vie, constata Mado, sur un ton navré. Mettons qu'à soir, on va être deux à trouver ça moins *heavy*... Moi non plus, je sors pas les grosses recettes quand je me retrouve toute seule dans mon appartement. Les soirs où j'ai pas eu le temps de manger à la *job,* je me fais juste des *toasts* au beurre de *peanut* avec une soupe en canne... Bon ! C'est ben beau, tout ça, mais faut que je te laisse. Rita doit ben se demander ce que j'ai à lambiner comme ça, à matin... On se revoit tantôt !

Mado fit quelques pas vers la porte, tout en reboutonnant son manteau. Puis, relevant son col en fausse fourrure jusqu'à hauteur d'oreilles, elle lança joyeusement, en se retournant :

— Soda que j'suis contente ! On va passer une belle veillée ensemble, Agathe, compte sur moi ! Pis demain, quand j'vas travailler, je serai pas obligée de faire toutes sortes de «sparages» pour pas avoir à me pencher devant les clients, parce que j'vas avoir les plus beaux cheveux en ville, pis que j'aurai pus la maudite ligne grise de mouffette dans le fond de la tête !

Cette remarque arracha enfin un sourire à Agathe.

— C'est ben toi, ça ! Toujours vouloir être sur son trente et un !

— Ben voyons donc ! C'est sûrement pas à une coiffeuse qu'il faut dire que c'est important d'être *swell* quand on travaille dans le public ! Si j'étais dépenaillée, pas sûre, moi, que ça attirerait de la clientèle au casse-croûte.

— Tant qu'à ça, t'as ben raison... Moi avec, je me maquille tous les matins avant de traverser dans mon salon... Pis je me mets un peu de parfum pour cacher les odeurs d'ammoniaque de certains de mes produits.

Les deux femmes échangèrent un sourire.

— T'as vraiment eu une bonne idée d'arrêter en passant, reconnut alors Agathe, redevenue sérieuse.

— C'est à ça que ça sert, une amie. À sonner les cloches quand quelqu'un qu'on aime en a besoin.

— C'est vrai... Merci, Mado, merci d'être là quand c'est nécessaire. Il était temps que je me réveille... Pis juste de même, au cas où ça adonnerait, si jamais tu vois de mes clientes au casse-croûte, dis-leur donc que le salon va rouvrir demain matin. À neuf heures, comme d'habitude.

— J'y manquerai pas…

— Merci ben… Pis moi, si j'ai un peu de loisirs durant l'après-midi, j'vas appeler quelques-unes de mes bonnes clientes. De celles qui ont besoin de leur teinture, comme toi, pis qui me sont fidèles depuis des années.

— Bonne idée. À ce soir, Agathe !

— À ce soir…

Agathe regarda autour d'elle, soulagée de ne plus se sentir seule.

— Bigoudi que ça va me faire du bien d'avoir un peu de compagnie, Mado ! D'avoir ta compagnie. Bon ben… Astheure, file à ton travail pendant que j'vas m'occuper des serviettes ! Faut ben que je commence en quelque part !

Quand la serveuse se présenta à la cuisine du casse-croûte, elle était tout essoufflée d'avoir couru pour traverser le parc. Sans regarder autour d'elle, Mado se dirigea vers la patère au fond de la pièce pour y accrocher son manteau.

— Soda que j'haïs ça, des journées comme aujourd'hui ! lança-t-elle sans saluer qui que ce soit. Des froids de canard quand la neige est pas encore tombée, je trouve que c'est encore pire qu'une journée de soleil à moins vingt, au beau milieu de l'hiver… À matin, le vent est tellement « frette » qu'il pinçait les joues. J'ai même pas pu fumer ma cigarette en m'en venant.

— Des grands froids, c'est pire *qué* tout, *madémoiselle* Mado, argumenta le *signore* Romano, occupé à préparer la pâte à pizza. Vous avez bien raison. *Jé* déteste *lé* froid ! Dire *qué* dans mon pays, il n'y a jamais d'hiver.

La voix grave du chef cuisinier fit se retourner une Mado aux yeux écarquillés, tandis qu'à tâtons, elle déposait son sac à main au bout du long comptoir.

— Ben voyons donc, vous ! Voulez-vous ben me dire ce que vous faites ici à matin, m'sieur Romano ? Le lundi, vous êtes pas supposé être en congé ?

— Si... *Normalmente ! Lé* lundi, *jé* reste à la maison avec ma Maria, parce *qué jé* travaille *lé* dimanche pour donner congé à Anna. Mais *cé* matin, ma fille s'est *lévée* avec un gros mal *dé gola*, expliqua le chef en se pointant la gorge. Et elle faisait *dé* la fièvre. Ma femme a décidé qu'il n'était pas raisonnable *qué* notre fille vienne porter sa maladie au restaurant.

— Pour ça, votre femme a pas tort... Ma mère l'a toujours dit : quand on est malade, on reste chez nous pour pas donner nos microbes à tous ceux qu'on rencontre ! Mais j'y pense... L'an dernier, quand j'ai eu mon gros mal de gorge, moi avec, Valentin m'avait conseillé une sorte de pastille qui m'avait fait pas mal de bien. Voulez-vous que je...

Mado ne termina pas sa phrase. Rouge comme un coquelicot, elle se détourna et attrapa par la courroie le sac à main qu'elle venait de déposer. C'était la première fois depuis des semaines qu'elle prononçait le nom du pharmacien à voix haute, devant témoin, et cela la mettait mal à l'aise.

En effet, pour Mado, sa relation avec le pharmacien était chose du passé. Le soir où elle s'était présentée à la pharmacie pour tenter de le convaincre d'aider Rémi, elle avait été trop meurtrie par l'attitude du pharmacien, par son silence et son manque de courage, pour avoir envie de le relancer. Mais cela ne voulait pas dire pour autant qu'elle ne pensait plus du tout au grand homme distingué. Malgré l'immense déception qu'elle ressentait face à Valentin Lamoureux, son cœur battait toujours aussi fort quand, par inadvertance, son nom lui traversait l'esprit.

Comme présentement !

Cherchant fébrilement dans son sac à main, la serveuse prit une gomme Juicy Fruit, qu'elle déballa rapidement pour la mettre dans sa bouche, croyant ainsi justifier son brusque silence. Mais peine perdue, car le *signore* Romano approchait déjà, essuyant ses mains enfarinées avec un coin de son long tablier blanc, qui lui tenait lieu de serviette quand il cuisinait.

— Il *né* faut pas avoir honte d'avoir *dé* la peine, vous savez, déclara-t-il gentiment, tout en posant une main sur l'épaule de Mado. Moi aussi, vous savez, j'ai pleuré dans ma vie. *Sovente !*

— C'est pas exactement ce que mon silence veut dire, voyons ! J'ai jamais eu honte d'être triste, expliqua Mado, sans oser cependant lever les yeux vers le cuisinier. C'est normal d'avoir du chagrin, des fois, là-dessus, j'suis ben d'accord avec vous... Pis si c'était juste de la peine que je ressentais, ça me dérangerait pas pantoute que le monde s'en aperçoive. Mais il y a de la colère, aussi, dans mon cœur. Ben gros, pis pour ben des affaires. Pis ça, voyez-vous, je trouve que c'est pas mal moins chic de le montrer.

— *Dé* la colère? *Perché*?

— Pourquoi? Soda, m'sieur Romano, il me semble que c'est facile à comprendre, non? Si Valentin avait voulu m'écouter, aussi, le fils de mon amie Agathe serait probablement pas en prison, au moment où on se parle, pis je serais pas choquée après lui ni après sa mère.

— Le fils *dé* votre amie est en prison à cause du pharmacien?

— Pas vraiment en prison, mais oui, Rémi, est en maison de redressement, si vous préférez... On en a déjà discuté avec Rita, le jour où mon amie m'a appelée pour me parler de la décision du juge... Mais peut-être que c'était Anna qui travaillait ce jour-là... Je me rappelle plus. Toujours est-il que le Rémi dont je parle a peut-être mérité ce qui lui arrive, il a quand même volé des médicaments dangereux à la pharmacie pour faire de l'argent en les revendant, mais j'ai pour mon dire qu'on aurait pu régler ça autrement... À mon avis, c'est pas en enfermant un cheval rétif qu'on va réussir à en faire un animal docile.

L'image sembla plaire au chef, car il esquissa un sourire sous sa moustache tombante poivre et sel.

— C'est un peu vrai, *cé qué* vous dites, approuva-t-il.

— Ben sûr que c'est vrai ! En fin de compte, le pauvre garçon se retrouve pogné à vivre dans une bâtisse d'où il peut pas sortir... C'est pas mal ridicule de s'imaginer que c'est comme ça qu'on va améliorer le caractère de quelqu'un qui a l'air d'en vouloir au monde entier... Ça, c'est pas moi qui le dis, c'est mon amie Agathe, la mère de Rémi, qui a ben plus de peine que moi, pis qui sait plus à quel saint se vouer pour aider son garçon. En tous les cas, si jamais ça m'était arrivé à moi, pis que j'aurais été enfermée à la journée longue, ça m'aurait rendue folle.

— Allons donc, mademoiselle Mado ! Ça *né* pourrait jamais vous arriver, *una* chose comme celle-là, parce *qué* vous êtes une bonne personne, respectueuse des lois et des gens autour *dé* vous.

À ces mots, Mado secoua la tête, en faisant une moue qui avait l'air d'une grimace.

— Ouais, peut-être ben que j'suis une bonne personne, comme vous dites, mais il m'arrive à moi aussi d'avoir des pensées qui ont pas trempé longtemps dans l'eau bénite... On dirait, des fois, que j'oublie la charité chrétienne, vous saurez... Tout ça pour en arriver à dire que si Valentin m'avait écoutée, au lieu de ramper devant sa folle de mère... Oh ! Excusez-moi, m'sieur Romano, les mots m'ont échappé... C'est pas le diable poli de parler d'une vieille femme comme ça... Parce qu'elle a beau se pomponner comme une jeunesse, on voit ben que c'est une vieille femme, la mère du pharmacien... Une vieille femme mauvaise, en plus... Soda ! Pour dire la vérité vraie, c'est ce que j'ai pensé quand je l'ai rencontrée, au printemps dernier, à la pharmacie. La mère de Valentin a rien de quelqu'un de gentil. Vous voyez ben, m'sieur Romano, que moi avec, j'suis capable d'être pas fine... Mais c'est de la faute à madame Lamoureux, aussi ! Elle était... comment dire ? Elle était arrogante. J'sais pas trop si c'est le bon mot pour dire que quelqu'un est « fantasse », pour expliquer que quelqu'un se prend pour un autre, mais c'est vraiment l'impression que j'ai eue. Sauf votre respect, chez nous, quand j'étais jeune, on appelait ça quelqu'un qui pète plus haut que le trou... C'est pas mêlant, Valentin pouvait à peine parler, tellement sa mère avait une opinion sur toute, pis une opinion ben arrêtée, en plus ! Pendant ce temps-là, moi, j'avais juste envie que Valentin dise à sa mère de se taire, au lieu d'être méchante. Pis là encore, comme vous voyez, quand je parle d'elle, c'est moi qui deviens méchante.

— Mais c'est normal *dé* sentir la colère bouillonner quand on rencontre des imbéciles.

— Ah ouais ? Vous êtes vraiment sincère en disant ça ?

— Et comment, *madonna mia* ! Alors imaginez maintenant comment doit *sé* sentir un homme comme monsieur Lamoureux, toujours poli, toujours gentil, devant une telle furie ? *Che dramma*... Quel drame pour lui d'être affublé d'une mère omnipotente !

— Une mère «omni» quoi? Je vous suis pas, m'sieur Romano! Qu'est-ce que j'suis censée comprendre là-dedans, moi?

— Qu'une femme comme celle *qué* vous venez *dé mé* décrire, c'est comme une sorte *dé* tyran, *dé* dictateur.

— Ah ça! Pour être le *boss*, c'est ben certain que c'est la mère de Valentin qui était le *boss* de notre conversation...

— Et si vous, vous étiez en colère, même avec raison, j'en conviens, monsieur Lamoureux, lui, devait être bien malheureux.

— Malheureux? C'est pas pantoute ce qu'il m'a laissée supposer... Mal à l'aise, oui, mais pas malheureux, rapport qu'il disait rien, soda! Il me semble qu'il aurait dû prendre ma défense, non? J'avais rien demandé de ben compliqué, moi là... Ouais, Valentin aurait pu au moins se donner la peine de m'écouter ben comme il faut. Mais c'est pas pantoute ce qu'il a fait, ou si peu, précisa Mado qui, malgré sa déconvenue, avait bien de la difficulté à donner tous les torts à son ancien amoureux. Il arrêtait pas de compter ses maudites pilules, pis de recommencer.

— Hé! Avait-il *lé* choix?

Mado allait rétorquer que dans la vie, on a toujours le choix, à l'instant précis où Rita entrait dans la cuisine. La serveuse retint alors ses paroles, ne voulant surtout pas que cette conversation à deux ne devienne un sujet d'intérêt général.

— Ah t'es là, toi! Je t'ai même pas vue arriver.

La propriétaire du casse-croûte revenait de la salle à manger avec un plateau en mélamine rose rempli de tasses sales.

D'un seul regard, Mado fit comprendre au chef Romano que leur conversation venait de se terminer. Puis, elle se tourna vers sa patronne pour lui offrir un sourire éclatant.

— Ben oui, j'suis là. J'viens tout juste d'arriver. Imagine-toi donc que je me suis arrêtée chez Agathe pour voir comment elle allait. Depuis l'autre jour, quand elle m'a appelée en revenant de la cour, je l'avais pas revue. Soda ! Elle répondait même pas au téléphone.

— Pis ?

— Pis j'ai vite compris que ça allait pas tellement fort.

— Comment ça ?

— Devine ! C'est à cause de son garçon, voyons ! Quand j'suis entrée dans sa cuisine, Agathe était assise à la table devant un café fumant, pis elle bougeait pas plus qu'une statue. Les rideaux étaient encore fermés, pis même si c'est ben ensoleillé aujourd'hui, la pièce était sombre comme une caverne. Rien pour rendre de bonne humeur ! C'est là que je me suis dit que c'était juste normal qu'une mère soye un peu découragée devant un garçon pas trop fiable qui s'est faite prendre à voler... Mais la vie continue pareil, hein ? Ça fait que je me suis assise avec Agathe, pis d'une chose à l'autre, j'ai réussi à y arracher un sourire, pis la promesse de me recevoir à soir vers sept heures pour ma teinture... Ça va-tu aller pour toi, si je pars pour cette heure-là?

— Pour remonter le moral de notre amie Agathe, c'est sûr que ça me convient. De toute façon, avec le froid de loup qu'on a aujourd'hui, j'ai l'impression qu'on aura pas tellement de monde pour le souper. J'en parlais justement avec Mario quand j'suis allée chercher mon pain.

— Comment c'est qu'il va, lui?

— Pas trop mal... Tu devrais avoir la chance de le voir, toi avec, parce qu'il m'a dit qu'il viendrait manger ici vers six heures. À matin, il s'est réveillé avec l'envie d'une bonne pizza... Dommage que tu soyes obligée de partir. On aurait pu souper tous les trois ensemble.

— Ça aurait été le *fun*, t'as ben raison, mais on va se reprendre une autre fois, si tu le veux bien. Ma teinture est plus que due!

— J'avais cru remarquer, oui.

— Ça paraît tant que ça? demanda Mado, subitement affolée. Soda! Que c'est que le monde va penser? Pourtant, je me néglige pas, d'habitude.

— Calme-toi, Mado, ordonna Rita avec fermeté, amusée par la réaction de son amie. Un, ça paraît pas tant que ça, comme tu dis... En fait, ça paraît juste un peu, pis seulement quand on est ben attentif. Pis deux, le monde a rien à redire là-dessus, rapport que c'est pas ça qui t'empêche d'être souriante pis ben avenante avec nos clients.

— Bien parlé, madame Rita, approuva le chef, tout en regagnant sa place devant le comptoir. Si toutes les personnes se mêlaient un *pétit* peu plus *dé* leurs oignons, *lé* monde s'en porterait mieux !

— Vous avez tout à fait raison, m'sieur Romano, lança Rita tout en faisant un clin d'œil à son chef. Pis si c'est de même, on va arrêter de bavasser comme des commères, pis on va se préparer pour le dîner. Les pâtés chinois sont-ils rendus dans le fourneau, m'sieur Romano ?

— Bien sûr.

— Parfait ! J'ai l'impression qu'on va en servir pas mal, à midi. Ça réconforte, un bon morceau de pâté chinois avec du ketchup.

— Comme tu dis, Rita ! approuva vigoureusement la serveuse. Ça nous réchauffe l'intérieur, pis c'est comme rien que tout le monde a besoin de ça, quand il fait froid comme aujourd'hui, souligna-t-elle, tout en attachant dans son dos les cordons de son tablier blanc, garni de dentelle.

Puis, machinalement, Mado plaça son calepin de factures dans la poche du tablier avant de glisser un crayon au-dessus de son oreille droite.

— Bon ben, j'suis greyée pour m'atteler à mon service. Un saut au petit coin, pis je commence à monter la salle.

— Et moi, j'ai pris la liberté *dé* mettre le gros pouding au pain à réchauffer dans *lé* petit fourneau, ajouta monsieur Romano, tout en étirant la pâte pour une grande pizza.

— Ben là, vous me faites plaisir ! lança Mado, qui se dirigeait déjà vers la porte. Il y a rien de mieux que du pouding au pain arrosé de sirop d'érable comme dessert. Ça fait du bien par où ça passe, pis c'est devenu un vrai plaisir pour moi d'en préparer au besoin pour le restaurant.

L'heure du repas fila rapidement, comme tous les jours, quand il y avait une belle affluence dans le casse-croûte. Puis ce fut le calme plat de l'après-midi. Mado, debout à côté du comptoir, finissait le plat du jour à même la lèchefrite, où il ne restait que quelques bouchées.

— Je m'ennuie du temps où m'sieur Picard venait faire son tour, souligna-t-elle en grattant consciencieusement le plat. J'aimais ça m'asseoir avec lui pour prendre mon dîner.

— Et moi, j'aimais bien discuter avec *cé* gentil monsieur, en sirotant un bon café fraîchement passé. *Cé* vieil homme *mé* fait penser à un *dé* mes oncles que j'aimais beaucoup. *Jé* riais souvent avec mon oncle Claudio, comme avec *lé signore* Picard. Les deux hommes non seulement *sé* ressemblent beaucoup, mais ils ont aussi *lé* même genre d'humour.

— Ah ouais ? Coudonc... J'ai déjà entendu dire qu'on a tous un sosie quelque part dans le monde, ça doit être vrai... Si vous vous entendiez bien comme ça avec votre oncle, il devait être content en soda de vous voir, quand vous avez fait votre voyage en Italie ! Ça faisait quand même un méchant boutte que vous pis votre famille étiez partis.

— Oh ! Ça *né* changeait pas grand-chose pour lui, vous savez, répondit le chef en esquissant un sourire un peu triste. Mon oncle est décédé durant la guerre. Dans *lé* bombardement qui a rendu ma femme sourde.

— Oh ! Je m'excuse, m'sieur Romano. C'est ben moi, ça, de parler sans trop réfléchir !

— Mais non, vous *né* pouviez pas savoir... *È la vita*... Que voulez-vous, c'est la vie !

— Quand même... Je m'excuse encore... Mais pour changer de sujet... pourriez-vous me préparer une pizza *all-dressed,* avant de partir ? Pas besoin de la faire cuire au complet, on va s'en occuper chez mon amie, pendant qu'elle va me faire ma teinture.

— Alors ça *mé* fait deux pizzas toute garnie à préparer sans trop les cuire... Madame Rita aussi *mé* l'a demandé... Pour son souper avec *lé* boulanger.

— Ben là... Ça va vous faire encore ben de l'ouvrage avant de pouvoir vous en aller... Je peux peut-être prendre une pizza dans le congélateur. Comme ça, vous seriez pas obligé...

— *Per niente !* Pas du tout ! Au contraire, ça *mé* fait plaisir *dé* voir *qué* vous aimez ma pizza.

— Comme si vous le saviez pas ! rétorqua Mado sur un ton taquin.

Ces quelques mots firent rougir le cuisinier.

— *Si*... C'est vrai *qué jé lé* sais... Mais ça fait tout *dé* même plaisir *dé sé lé* faire dire *dé* temps en temps. Ça *mé* donne même l'idée *dé* faire *tre pizze,* avec beaucoup *dé pepperoni. Commé* ça, Maria non plus n'aura pas à préparer *lé* repas. C'est tellement meilleur quand elles sont fraîchement faites.

— C'est ce que je pense, moi aussi !

Ce fut donc en chantonnant que Gepetto Romano entra dans la réserve pour aller chercher les tomates en conserve afin de faire un peu de sauce pour les pizzas, car les provisions étaient épuisées.

Une demi-heure plus tard, le chef saluait Mado et Rita.

— Il n'y a plus qu'à finir *dé* cuire les pizzas, comme vous l'avez demandé. *Jé* vous souhaite une belle soirée à toutes les deux. Moi, *jé* vais *mé* battre contre *lé* vent pour retourner chez moi. *Madonna mia qué jé* déteste l'hiver !

* * *

Il n'était pas cinq heures quand la noirceur tomba rapidement, comme si un grand drap noir tendu dans le ciel occultait brusquement les dernières clartés, vite remplacées par la lueur des réverbères.

Tel que prédit par Rita, le casse-croûte se vida promptement.

— Je pense que j'vas mettre l'affiche qui dit qu'on est fermés jusqu'à demain, annonça-t-elle, après avoir bâillé bruyamment. Malgré le froid, on a quand même fait une bonne journée. On mérite bien une soirée de repos.

— Moi, à ta place, j'attendrais jusqu'à six heures avant de mettre ta pancarte, conseilla Mado. Le temps que tout le monde rentre chez eux, pis que m'sieur Mario vienne te rejoindre. On sait jamais, on pourrait vendre quelques pizzas congelées ou encore des frites. Ça demanderait pas vraiment d'ouvrage, pis ça rendrait la soirée un peu rentable.

— Ciboulette, Mado ! À t'entendre parler, on dirait vraiment que c'est toi la patronne.

— Ben voyons donc, Rita ! Pourquoi tu me dis ça ? Je voulais surtout pas t'offenser... J'suis donc « nonote », des fois ! Ça m'apprendra aussi à pas réfléchir avant de parler... Mais en même temps, ajouta Mado, tout hésitante, c'est un secret pour personne que j'suis ben attachée à ton casse-croûte.

— Oh oui, je le sais... Je voulais te taquiner un peu, mais on dirait ben que j'ai raté mon coup. Dans le fond, t'as pas tort : on va attendre jusqu'à six heures avant d'annoncer qu'on est fermés...

Rita fit quelques pas, s'arrêta, resta songeuse un instant, puis lentement, elle se tourna vers Mado qui, vaguement intimidée par le silence de sa patronne, en avait oublié de mâcher son éternelle gomme Juicy Fruit.

— Oublie jamais, Madeleine Champagne, que sans toi, j'y arriverais tout simplement pas, avoua Rita d'une voix grave. Pis là, c'est vraiment pas une blague que je fais.

— C'est fin de dire ça... C'est comme si je me sentais importante, tout d'un coup. C'est un peu fou, mais ça me fait du bien.

— Mais t'es importante, Mado ! Faut jamais que tu doutes de ça une seule seconde. On entend parfois dire que personne est irremplaçable, mais dans ton cas, c'est pas vrai. Sans toi, j'aurais dû fermer boutique quand mon mari est mort.

— « Youhou », il y a quelqu'un ?

La voix joyeuse de Léonie interrompit ce moment de discussion rempli d'émotion. Mado et Rita se sourirent un instant, puis la serveuse recommença à mâcher sa gomme de bon cœur, tout en se dirigeant vers la salle à manger.

— Soda, Léonie ! Veux-tu ben me dire ce que tu fais ici à une heure pareille ? Tu viens souper ou quoi ?

— Salut Mado... Non, je viens pas souper... Oh ! Allô, Rita. Comment ça va ?

— Ça va comme une femme qui va bientôt fermer son restaurant.

— Comment ça ?

— À cause du froid... Pis à cause d'un peu de fatigue aussi, je l'avoue. Une soirée toute à moi, ça va me faire du bien. Pis en plus, mon voisin vient souper ici. Ça me tente pas de manger avec lui à la sauvette, à cause des clients. Ça va être agréable d'être tranquilles, pour une fois. On fait des grosses journées tous les deux. Un peu de repos, ça fera pas de tort. En plus, on s'entend bien, lui pis moi... Pis ? Qu'est-ce qu'on peut faire pour toi ? Parce que je me doute un peu que t'es pas venue jusqu'ici juste pour nous faire la jasette.

— Oui… pis non ! En fait, je me suis sauvée de la maison, parce que j'en pouvais plus d'entendre le beau-père se lamenter. Cheez Whiz, qu'il est pas facile à endurer par les temps qui courent ! Un rien le met en beau fusil. Je sais plus quoi inventer pour y faire plaisir, pis ramener sa bonne humeur.

— Ciboulette ! Qu'est-ce qui se passe avec le vieux monsieur Picard ? Il me semble, au contraire, que c'est quelqu'un d'agréable compagnie. Mon chef arrête pas de dire qu'il le voit pas assez souvent.

— Pis moi, ajouta Mado, j'aimais ça dîner avec lui de temps en temps, quand il venait prendre un café vers une heure et demie. Il savait que c'était juste le bon moment pour moi.

— Vous avez raison toutes les deux. C'était quelqu'un de ben agréable jusqu'à ce que son fichu mal de jambe empire avec le froid. Depuis un mois, je dirais, c'est ça qui l'empêche de faire tout ce qu'il veut. Tu pourras dire à monsieur Romano que mon beau-père aussi s'ennuie de leurs discussions. Il le répète souvent. Il dit aussi qu'il est ben tanné de tourner en rond dans le logement.

— Soda ! Il a juste à descendre dans la quincaillerie. Ça devrait le désennuyer un peu.

— Justement… Il est là, le problème : mon beau-père est plus capable d'emprunter les escaliers. Les genoux lui font trop mal.

— Comment il fait pour marcher, d'abord ?

— Pour marcher, ça va. Il se traîne les pieds, pis il arrive à avancer sans trop de problèmes. C'est quand vient le temps de plier les genoux que ça va plus pantoute... Ça lui fait un mal de chien, comme il dit, et à cause de ça, il a peur de tomber.

— Il devrait consulter un docteur, non?

— Ben oui! Pour ça avec, j'suis d'accord avec toi. Je passe mon temps à lui radoter ça sur tous les tons. Mais il veut rien savoir d'une consultation! Il dit que s'il va voir le médecin, il va lui trouver toutes sortes d'autres bobos... Comme si de faire appel à un docteur faisait apparaître les maladies! Pauvre lui! Des fois, je me dis que le père pis le fils se ressemblent plus qu'on pense.

— Ah oui?

— Hum hum... J.A. non plus aime pas les médecins, ni tout ce qui l'empêche de faire sa petite routine. Mais pour en revenir au beau-père, c'est vraiment pas drôle de l'entendre chicaner pour des niaiseries. Des fois, avec le ton qu'il prend pour nous parler, on dirait qu'Arthur pis moi, on est responsables de son sort.

— Pis ton mari, lui? Qu'est-ce qu'il dit de ça?

— J.A.? Tu le connais, non? À première vue, comme ça, on dirait que l'humeur de son père le dérange pas. En autant que toute roule dans le magasin, il est heureux de son sort, pis il passe pas de remarques sur le reste... Encore une chance! S'il fallait que lui avec se mette à être de mauvais poil, encore plus que de coutume, il nous resterait plus qu'à s'enfuir de la maison, mon fils pis moi... Heureusement, la télévision existe, pis le beau-père a encore toute sa tête. Ça fait qu'il est toujours capable de lire ses gros bouquins, pis de suivre les émissions. Sinon, je donnerais pas cher de sa peau. C'est pas des farces, s'il avait pas les livres qu'Arthur va lui chercher à la bibliothèque, je pense qu'il se laisserait mourir.

— Voyons donc, toi ! Ça se fait pas ça, se laisser mourir ! déclara Mado, le plus sérieusement du monde. On l'a appris à l'école dans le p'tit catéchisme : c'est le Bon Dieu qui décide quand c'est que notre heure est venue d'aller le retrouver dans Son Ciel.

Léonie esquissa une moue en secouant la tête.

— J'ai beau aller à la messe tous les dimanches, pis être une bonne chrétienne, du moins, je le pense, j'suis pas sûre de ce que t'avances, Mado... En revanche, j'ai pour mon dire qu'à la grosseur qu'il a, si le beau-père décide de plus manger, il fera pas long feu.

— Tant qu'à ça... Ben coudonc ! J'vas dire comme toi, ça doit pas être drôle tous les jours.

— Pas pantoute, non. C'est pour ça que tu me vois ici. J'aurais pu envoyer Arthur, comme d'habitude, mais je me suis dit que ça me ferait du bien de m'éventer les idées un peu. Même si on gèle ! Ça fait que je voudrais quatre casseaux de frites. Pour aller avec mes *hot chicken*. Le beau-père devrait être content. Il aime ça, des frites... Surtout les tiennes, Rita !

— Comment ça, surtout les miennes ? Ciboulette, Léonie ! Serais-tu en train de me dire que tu vas des fois acheter des frites ailleurs qu'ici, toi là ?

— Jamais de la vie ! Qu'est-ce que tu vas penser là, Rita Bellehumeur ? Je ferais jamais ça à une bonne amie comme toi. Non, c'est juste que l'autre jour, j'ai acheté un sac de patates congelées à l'épicerie. Je me disais que ça pourrait me dépanner quand on est pressés de manger.

— Ouais pis ?

— Ah, pour dépanner, ça dépanne ! Quinze minutes plus tard, mon bol de frites était déjà sur la table. Ça m'avait pris trois fois moins de temps que de venir jusqu'ici. Mais c'était pas ben bon. C'était comme qui dirait un peu « mollasse ». En tous les cas, ça avait strictement rien à voir avec tes patates ben croustillantes. Même que le beau-père a dit que c'était pas mangeable. Fin de l'histoire, pis fin des frites congelées chez les Picard. Ça fait que... T'aurais-tu le temps de me préparer mes quatre casseaux, avant de fermer ?

— Sans problème !

— Tant mieux ! Tu vas faire un vieux monsieur content... Pis non, mets donc cinq casseaux, à la place ! Avec Arthur pis son grand-père qui mangent comme quatre, ça sera pas de trop.

— Le temps de réchauffer mon huile, pis je te fais ça. J'vas même te prêter l'espèce de sac matelassé que je prenais pour faire la livraison du poulet, le dimanche soir, du temps de monsieur Toussaint.

Comme ça, tes patates frites vont rester chaudes. Tu me le ramèneras quand tu reviendras.

— Merci, c'est gentil d'y avoir pensé… Mais en parlant de monsieur Toussaint, sais-tu ce qu'il est devenu ?

— Non, pas vraiment. Ça doit faire quasiment un an que je l'ai pas vu. La dernière fois qu'il est passé pour manger une pointe de tarte, il avait toujours aussi mal à ses jambes… C'est fou ce qu'un accident d'auto peut faire.

— Pauvre homme ! C'est ben dommage qu'il soye plus là parce qu'il faisait du Cheez Whiz de bon poulet ! J'ai beau essayer de l'imiter en variant les épices, j'arrive pas à faire exactement comme lui.

— À chacun ses spécialités ! Toi pis Anna, c'est les tartes ; le chef Romano, c'est la cuisine italienne ; pis m'sieur Octave, c'était le poulet… pis la soupe aux légumes. On m'en parle encore souvent, de sa soupe ! Bon ben… si tu veux continuer à jaser, Léonie, va falloir me suivre dans la cuisine, sinon, c'est pour déjeuner demain matin que tu vas avoir tes patates !

C'est en riant que les trois femmes changèrent de pièce.

Ainsi, pendant que les frites commençaient à grésiller dans l'huile bouillante, Mado en profita pour parler du salon de coiffure, comme Agathe le lui avait demandé.

— En fin de compte, elle va rouvrir son salon demain, expliqua-t-elle après avoir dit qu'elle avait vu la coiffeuse le matin même. Quand j'suis passée la voir, avant de venir travailler, j'ai promis à Agathe d'annoncer la réouverture du salon, si jamais je voyais de ses clientes au restaurant. Comme t'es une de ses meilleures clientes, je pouvais pas passer à côté !

— Merci pour le message, mais je le savais déjà. Agathe m'a téléphoné après-midi, en plein durant le cours que je donnais dans mon coin cuisine du magasin. Comme j'étais due depuis une grosse semaine pour ma permanente, j'en ai profité pour prendre un rendez-vous tout de suite pour demain.

— Ça me surprend, ce que tu dis là !

— Quoi ? Que j'vas me faire friser demain matin ?

— Ben non ! C'est plutôt le fait que tu donnes encore des cours. T'as pas dit, il y a pas si longtemps de ça, que ça te tentait moins ?

— J'ai dit ça, oui, pis c'est vrai. Avec le beau-père qui demande de plus en plus d'attention, j'ai pas mal moins de liberté qu'avant. Pis je l'avoue, j'ai moins de patience aussi. Mais ça m'arrive encore, de temps en temps, de remplacer Anna quand elle peut pas se présenter à son cours. Normalement, le lundi, elle travaille pour le restaurant, comme tu dois le savoir, pis elle se pointe chez nous pour le cours de trois heures. Mais aujourd'hui, elle était malade.

— On sait ça. C'est son père qui l'a remplacée ici, compléta Rita. Le lundi, c'est toujours une grosse journée.

— À la quincaillerie, aussi... À croire que le monde s'ennuie de nous autres, le dimanche ! Mais dis-moi donc, Mado… Si t'es allée chez Agathe, tu dois ben avoir de ses nouvelles à nous donner. Tout à l'heure, c'est à peine si j'ai eu le temps d'échanger trois mots avec elle, rapport que j'avais six élèves qui attendaient après moi… Comment elle va, la pauvre femme, depuis que… que…

De toute évidence, Léonie était mal à l'aise.

— Depuis que son garçon a été emprisonné, coupa Mado. Faut pas avoir peur des mots, parce que c'est ça qui est ça ! Disons, d'après ce que j'ai vu à matin, qu'elle va pas fort, notre amie.

— Ça se comprend, non ? Moi, ça me rendrait folle !

— Mettons que ça ressemble à ça pour elle aussi… J'ai ben l'impression qu'Agathe s'est laissée aller durant toute la semaine passée. Elle avait les traits tirés, pis la tignasse en bataille… C'est un peu pour cette raison-là que j'vas souper avec elle. Pour ma teinture, comme de raison, avant que j'aye l'air d'une vraie de vraie mouffette, pis pour la désennuyer un peu. J'suis justement sur mon départ. J'avais promis d'être là à sept heures. Mais comme Rita a décidé de fermer le restaurant de bonne heure, j'vas partir avant.

Léonie resta songeuse un instant, pendant que Rita secouait le panier de frites, pour égoutter l'excédent d'huile, avant de les vider sur une plaque de métal afin de les saler. Puis, cette dernière prit un sac de papier brun sur la tablette sous le comptoir et se mit à le remplir avec des frites dorées à souhait.

— Je voudrais pas déranger personne, commença Léonie avec sa délicatesse habituelle, tout en levant les yeux vers Mado, pis tu me le diras si c'est mieux que je reste chez nous, mais ça me ferait plaisir de voir Agathe avant de la retrouver dans son salon, parce qu'elle risque d'avoir ben du monde, après une semaine d'absence, pis qu'on pourra pas vraiment jaser, elle pis moi. Quand ma vaisselle va être faite, je pourrais aller vous rejoindre avec une belle tarte, toute fraîche d'après-midi... Qu'est-ce que t'en penses, Mado ?

— J'en pense juste du bien, Léonie, juste du bien... Pis toi avec, Rita, tu pourrais venir chez Agathe, d'autant plus que Mario est un couche-tôt, à cause de sa boulangerie... Qu'est-ce que tu dis de ça ? Ça nous ferait une belle soirée entre femmes.

Puis, sans attendre une réponse qu'elle devinait favorable, Mado revint à Léonie, et elle demanda :

— Elles sont à quoi tes tartes ?

Ce fut ainsi que vers huit heures, les quatre amies se retrouvèrent attablées chez Agathe, en train de faire honneur à une belle tarte aux pommes. La soirée était glaciale, et les arbres du parc grinçaient sinistrement à chaque rafale de vent. Léonie et Rita avaient traversé la Place des Érables quasiment au pas de course, en pouffant de rire comme des gamines, tant l'atmosphère était lugubre.

En ce moment, la cuisine d'Agathe sentait bon le café et la cannelle, et comme liées par un accord tacite, les quatre amies ne parlaient que de choses agréables.

— Vous rendez-vous compte qu'on se connaît, toutes les quatre, pis qu'on s'apprécie vraiment, depuis proche vingt ans !

— C'est ben vrai... Ciboulette que le temps passe vite !

— Dommage que la vie nous aye tenues occupées sans bon sens durant toutes ces années-là. Le pire, dans tout ça, c'est qu'on l'est toujours autant, même si on vieillit toutes.

— Pourquoi tu dis ça, Mado ?

— Parce que des soirées comme celle d'aujourd'hui, on a pas eu l'occasion d'en connaître des tas... Justement à cause de notre travail. Il me semble que j'aurais aimé ça, savoir que je vous reçois chez nous, pour souper ou pour une veillée. À quatre, on aurait pu jouer à la Dame de pique, comme dans ma famille, quand j'étais jeune. Mais non ! La plupart du temps, on faisait juste se croiser à notre *job* parce qu'on travaillait presque tout le temps.

— Ou bien on se parlait dans la cour d'école à la rentrée, en haussant le ton des fois, parce que les enfants criaient trop fort autour de nous autres, renchérit alors Agathe.

— Ou sur le perron de l'église, après la messe de dix heures, le dimanche matin, ajouta Léonie.

— Tout ça pour dire que la vie a passé sans qu'on puisse vraiment en profiter, compléta Rita en soupirant.

Les quatre femmes échangèrent un regard consterné.

— J'suis un peu d'accord avec vous, glissa alors Léonie. Ça aurait été plaisant de se voir plus souvent. Mais d'un autre côté, être occupé, ça permet de pas trop se morfondre, pis j'estime que c'est mieux comme ça...

— Mais pour astheure, maintenant qu'on est presque vieilles, comme le prétend Mado, même si moi, j'suis quand même un peu plus jeune, précisa Rita en faisant un clin d'œil de connivence à sa serveuse, il y a rien qui nous empêche de commencer à se voir régulièrement.

— Ouais... Surtout qu'à part Léonie, on est toutes des femmes libres. On a pas de permission à demander à personne, souligna Mado, tandis que le nom de son ancien amoureux lui traversait l'esprit.

Ce cher Valentin ! Quand donc cesserait-elle de penser à lui pour un oui ou pour un non ? Mado poussa un soupir silencieux, se disant que le pharmacien devenait un tantinet encombrant. S'ils étaient pour ne plus se fréquenter, aussi bien l'oublier tout à fait, n'est-ce pas ?

— M'en vas t'en faire, moi, des permissions ! lança Léonie, les sourcils froncés, se tournant vivement vers Mado, qui sursauta. Je voudrais ben voir ça, moi, être obligée de quêter l'approbation de mon mari ou de mon beau-père, à chaque fois que j'ai envie de sortir... Ils savent toujours où je suis, en cas d'urgence, pis c'est ben en masse de même... En plus, comme Arthur va avoir une belle auto neuve dans moins d'une semaine, j'vas même avoir un chauffeur à ma disposition.

— Ah oui ? Vous allez avoir un char chez vous ?

— Comme je te dis ! C'est sûr que l'auto va appartenir à Arthur, vu que c'est lui qui va la payer, parce que J.A. voulait rien savoir d'une dépense de plus pour la quincaillerie. Par contre, moi, j'vas l'aider un peu à chaque mois, parce qu'il m'a promis de faire certaines livraisons, pis il a dit aussi qu'il va m'emmener à l'épicerie, une fois par semaine...

— T'es ben chanceuse, toi !

— Je le sais... Pis en même temps, je me demande si j'essayerai pas d'apprendre à conduire, moi aussi. Avec l'auto de mon garçon que je pourrais utiliser, ça devrait pas être trop compliqué.

— À ton âge ?

Cette petite question innocente fit se redresser Léonie. Elle n'aimait pas qu'on lui rappelle son âge, elle qui dépassait maintenant les cinquante-cinq ans.

— Ouais, j'ai envie d'apprendre à conduire. À mon âge, comme tu dis... De toute façon, qu'est-ce qu'il a, mon âge ? demanda Léonie, visiblement sur la défensive. Je m'appelle pas encore Joseph-Alfred, à ce que je sache.

— Oh là ! Je voulais surtout pas t'insulter... C'est juste qu'on a quand même plus vingt ans et que dans le quartier, les femmes de notre génération qui conduisent sont plutôt rares.

La serveuse semblait sincèrement désolée. Le regard navré qu'elle posa sur Léonie fit retomber aussitôt la colère de celle-ci.

— T'as raison, Mado... Excuse-moi, je voulais surtout pas partir de chicane. Pis j'suis pas vraiment insultée...

Sur ces mots, Léonie inspira bruyamment, puis elle esquissa un sourire contrit à l'intention de son amie.

— C'est tout simplement l'accumulation de toutes sortes de frustrations, mélangées avec un peu de fatigue qui me font la mèche courte, expliqua-t-elle, de toute évidence penaude. J'aurais pas dû lever le ton comme je viens de le faire. Encore une fois, je m'excuse, Mado.

— C'est beau, Léonie. Il faut pas que tu t'en fasses avec ça. Je le sais, va, que t'es jamais choquée pour de bon... Depuis le temps que je te connais, je sais très bien que la méchanceté pis toi, ça fait deux. C'est juste pas dans ta nature. Pis ça arrive à tout le monde d'être plus à pic, certains jours, non? En tout cas, j'suis de même, moi avec. Tu demanderas à Valentin, pour voir ce qu'il en... Soda! Qu'est-ce que j'ai aujourd'hui? Ça fait deux fois que je parle du pharmacien, pis un paquet de fois que je pense à lui, même si on se fréquente plus.

— Comme ça, c'est vrai, ce qu'on raconte?

— Qu'est-ce qu'on raconte? demanda Mado, méfiante.

— Que le pharmacien pis toi, c'est bien fini.

Un long soupir bruyant fit glisser la déception de Mado dans la cuisine.

— Ça m'en a tout l'air… La dernière fois qu'on s'est parlé, lui pis moi, ça s'est pas tellement bien passé, expliqua Mado sans entrer dans les détails.

Détails que seule Agathe connaissait jusqu'à maintenant, et Mado avait bien l'intention d'en rester là.

— Je lui ai dit, à Valentin, que s'il avait l'intention de me revoir, il savait où me trouver. Mais il s'est jamais pointé le bout du nez. Ni chez nous ni au restaurant. Soda ! En sept mois, il m'a même pas téléphoné. Ça fait que oui, je pense ben que c'est fini pour de bon entre nous deux… Pis j'aimerais qu'on en parle plus. OK ?

— C'est ben certain que j'en parlerai plus si c'est ça que tu veux ! Je voulais pas faire ma commère ni ma curieuse… Alors, qu'est-ce que vous en pensez ? On essaye-tu de se voir plus souvent ?

— Moi, j'suis partante pour vous inviter à souper chez moi, lança Mado avec un enthousiasme qui n'avait rien de forcé. Depuis que j'ai compris que j'aimais ça, faire à manger, je me cherche du monde à inviter. C'est là que je me suis rendu compte que des amies, j'en avais pas tant que ça… C'est curieux qu'il aye fallu que j'arrive à mon âge pour m'en apercevoir.

— On a peut-être pas beaucoup d'amies, fit remarquer Agathe, sur un ton solennel, mais celles qu'on a, même si on les voit pas souvent, elles comptent pour beaucoup.

Tout en parlant, la coiffeuse promena son regard de l'une à l'autre de ces femmes qui ne l'avaient pas jugée et qui lui étaient restées fidèles, malgré les canailleries de son fiston.

— Merci d'être venues me voir, poursuivit-elle en leur adressant un petit sourire. Ça m'a fait du bien d'arrêter de penser à mes malheurs, pis ça va me donner le courage d'affronter mes clientes demain... Pis toi, Léonie, précisa-t-elle en se tournant vers son amie, j'suis vraiment contente que tu viennes demain matin. Ça va peut-être m'éviter des remarques désagréables.

— Que j'en voye une te dire des choses pas fines ! rétorqua Léonie. C'est certain qu'elle va avoir affaire à moi... Pis ? On s'organise-tu un souper ? Avec Noël pis le jour de l'An qui s'en viennent, c'est juste normal de planifier des réceptions. Si vous êtes comme moi, vous allez avoir des réserves pour nourrir une armée. J'ai déjà commencé mes provisions pour le temps des Fêtes.

— Moi aussi, glissa Agathe. Par contre, j'sais pas trop pourquoi je fais ça, rapport que j'vas être toute seule cette année. J'irai t'en porter, Rita. Je le sais que tu cuisines pas beaucoup, pis ça va te changer de la nourriture du restaurant. Pis peut-être que j'vas pouvoir en donner à mon Rémi.

Un petit malaise se glissa comme un courant d'air, puis Mado reprit, forçant un peu la note de l'enthousiasme.

— Pis pour ce qui est de notre repas à quatre, c'est moi qui vous reçois, répéta Mado, les yeux brillants d'expectative. Pendant que vous allez en discuter pour trouver une date, moi, j'vas aller me mettre la tête en dessous du séchoir. Comme ça, Agathe, tu vas pouvoir m'enlever les rouleaux dans pas trop longtemps.

— Bonne idée ! Moi avec, je veux me coucher pas trop tard. J'ai toute une journée qui m'attend demain. Veux-tu que j'aille t'installer ?

— Pas besoin. Ça fait un bail que j'ai compris comment ça marchait, ces machines-là !

— Mets la minuterie pour une quinzaine de minutes. Ça devrait suffire.

— Pis moi, j'vas faire un bout vers chez nous, annonça Rita, tout en se levant en même temps que Mado. Vous connaissez mon horaire aussi bien que moi. Le soir où ça m'est plus facile de me libérer, c'est le dimanche. Pis si on veut faire ça avant Noël, il en reste pas ben ben, des dimanches.

— Pis si on mettait ça entre Noël pis le jour de l'An ? proposa Agathe. C'est toujours une période un peu creuse pour tout le monde.

Les trois autres femmes comprirent alors que la coiffeuse voyait venir avec anxiété ce Noël sans son garçon, et que d'être un peu occupée à autre chose que son salon allait lui faire un bien appréciable.

— Pourquoi pas ? enchaîna Léonie sans la moindre hésitation. C'est vrai qu'entre Noël pis le jour de l'An, c'est pas mal plus calme à la quincaillerie. Dans mon coin cuisine, surtout.

— Ben là-dessus, je vous souhaite une bonne fin de soirée, déclara Rita tout en attachant son manteau... Votre décision sera la mienne... Oublie pas, Mado, que demain, tu rentres un peu plus de bonne heure que d'habitude, pour nous faire ton pouding au pain. J'ai acheté deux pains aux raisins, juste pour ça.

— C'est vrai ! T'as ben fait de me le rappeler.

— Ciboulette ! Il est tellement bon, ton pouding, que finalement, on a toute mangé l'autre sur l'heure du dîner !

Sur ces mots, Mado se rengorgea un instant, puis elle traversa dans le salon de coiffure.

Partie 2

Hiver 1968

~

1969

Chapitre 4

«Sous aucun prétexte
Je ne veux
Avoir de réflexes
Malheureux
Il faut que tu m'expliques
Un peu mieux
Comment te dire adieu
Mon cœur de silex
Vite prend feu
Ton cœur de pyrex
Résiste au feu
Je suis bien perplexe
Je ne veux
Me résoudre aux adieux»

~

Comment te dire adieu, Jack Gold / Arnold Goland /
Adaptation française par Serge Gainsbourg

Interprété par Françoise Hardy, 1968

Le vendredi 20 décembre 1968, dans la cuisine de Léonie, avec Joseph-Alfred qui tourne en rond

Joseph-Alfred ne se possédait plus. Non seulement le vieil homme n'avait pu faire ses emplettes des Fêtes lui-même, faute de mobilité, c'était Joseph-Arthur qui s'en était chargé, mais surtout, il n'arrivait plus à se convaincre qu'un jour viendrait où il pourrait enfin sortir du logement pour aller plus loin que la galerie. Une telle constatation le déprimait. De plus, avec le froid qui sévissait depuis maintenant une longue semaine, les moments où il pouvait marcher sur le balcon afin de changer d'air étaient rares et très éphémères.

— Et Basewell, on n'est même pas encore rendus à Noël… C'est peu dire que je vais devenir complètement maboul avant l'arrivée du mois de mars.

Assis à la table de la cuisine, le vieillard tenait entre ses mains noueuses une tasse de thé qui avait eu amplement le temps de refroidir. Le patriarche des Picard méditait encore une fois sur le sens profond de l'existence, un sujet de réflexion qui lui venait machinalement et de plus en plus souvent, signe inéluctable, selon lui, que la fin, que SA fin, n'était plus très loin.

— La vie arrive à nous tout d'un coup, dans un grand cri et dans les pleurs, murmura-t-il, son regard vague effleurant l'horloge en forme de tasse, accrochée au mur devant lui, alors qu'il revoyait en pensée la naissance de son propre fils. Puis elle s'affole, la vie, elle se démène tant et si bien qu'on n'a pas vraiment le temps de la saisir à bras-le-corps, de la goûter pleinement comme elle le mériterait. Et avant qu'on ait la chance de dire ouf !, la vie nous quitte par petites touches sournoises, sans qu'on ait pu les voir venir, soupira-t-il, sincèrement angoissé à l'idée que tout ce qu'il connaissait de ce monde allait bientôt disparaître, et que tous ceux qu'il aimait tant continueraient leur route sans lui.

— On a tous une date d'expiration, souligna-t-il découragé. Pour ne pas dire de péremption, comme une pomme de laitue en train de brunir dans le fond du frigidaire, et la mienne se situe incontestablement dans un avenir assez rapproché.

Le vieil homme poussa alors un grand soupir.

Dans son cas, c'étaient les genoux qui avaient flanché les premiers, preuve flagrante de son grand âge. Cela faisait déjà bon nombre d'années que ces deux articulations se rappelaient à son esprit par toutes sortes de tiraillements désagréables. Régulièrement le matin au réveil, et souvent après avoir longuement marché, la raideur s'installait. Toutefois, jusqu'à l'été précédent, c'était encore tolérable.

— Au diable la douleur ! se disait-il, puisqu'il avait gardé sa liberté d'agir.

Quand la famille était à la quincaillerie et que personne ne pouvait l'observer, car sa fierté en aurait pris un coup, Joseph-Alfred descendait l'escalier de la cour, en prenant tout son temps, une seule marche à la fois, bien arrimé à la main courante. Ensuite, il contournait la maison. Arrivé sur le trottoir, il prenait de longues inspirations pour retrouver son souffle, il redressait les épaules le plus possible, puis il partait à petits pas prudents pour une promenade qui le menait un peu partout dans le quartier. Souvent, goguenard, il saluait au passage son fils ou sa belle-fille par la grande baie vitrée du magasin. Hélas, l'humidité de l'automne avait empiré son mal, et depuis plus d'un mois, il se voyait condamné au logement qui, depuis ce jour-là, lui paraissait avoir rétréci comme une peau de chagrin. Il faut dire qu'il y avait peu à voir du salon à la cuisine et encore moins de gens à rencontrer. Alors, la lassitude s'en était mêlée. Malgré les aspirines qu'il croquait comme des bonbons, gardant secrètement l'espoir d'une certaine amélioration, il n'arrivait plus à vaincre la douleur.

Et ce n'était pas tout !

Maintenant qu'il avait toute latitude pour lire à satiété, à défaut de pouvoir se promener à volonté, c'était la vue qui avait commencé à faire des siennes. Oh ! Le vieil homme ne s'en plaignait pas, car on l'aurait sûrement menacé de la visite d'un quelconque médecin. Il n'en restait pas moins que sa vision était de plus en plus embrouillée ; il ne pouvait lire que quelques pages à la fois, tant l'effort demandé était grand. Il avait beau étirer les bras, qu'il avait toujours eus plutôt longs pour sa grandeur, ou rapprocher le livre au bout de son nez, ça n'y changeait rien. C'était une véritable persécution pour celui qui, tout au long de sa vie, avait pu rester des heures durant sans bouger, un livre à la main, plongé dans des aventures toutes plus merveilleuses ou rocambolesques les unes que les autres. Il y avait même parfois passé des nuits entières, oubliant le temps qui tournait à l'horloge, et l'endroit où il se trouvait.

En vérité, c'était depuis son adolescence que Joseph-Alfred s'intéressait aux livres. La lecture avait été la planche de salut du jeune garçon plutôt vilain dont les amis se moquaient, puis de l'homme disgracieux que les femmes boudaient… ou fuyaient, tout bonnement.

Sauf dans le cas de son Eulalie, bien entendu.

Malheureusement, alors que les astres semblaient vouloir enfin s'aligner pour son plus grand bonheur, le Ciel lui avait ravi son épouse à la naissance de son fils unique, Joseph-Armand. Un bébé qui s'était rapidement avéré un enfant particulier, demandant une attention de tous les instants. Finalement, par commodité, Joseph-Alfred avait élevé son garçon dans la quincaillerie, dans une sorte de petit enclos derrière la caisse, quand il n'était qu'un nourrisson, puis accroché à ses basques quand il avait été en âge de marcher.

Ce fut ainsi, de fil en aiguille, que la lecture était devenue sa plus fidèle compagne, le soir, quand son fils dormait à poings fermés.

Pour lui, et assez rapidement d'ailleurs, les livres avaient donc remplacé l'école pour le savoir ; ils avaient fait office de vacances pour la détente ; et ils s'étaient métamorphosés en loisir pour le désennui. Voilà pourquoi, depuis ces dernières semaines, la peur de finir son existence dans la peau d'un vieil aveugle rabougri tirait parfois Joseph-Alfred de son sommeil, le laissant pantelant durant de longues minutes.

Comme la nuit dernière.

Alors, en ce moment, il se sentait bougon. Le vent qui sifflait à la corniche ajoutait à sa maussaderie, et à chaque bourrasque un peu plus forte, le vieil homme frissonnait.

— Basewell d'hiver ! Ce n'est facile pour personne, je le concède, mais à mon âge, quand on n'est même pas certain de se rendre au printemps suivant...

Cette dernière supposition l'affola. Venue à son esprit de façon machiavélique, elle lui fit prendre une longue goulée d'air, une main sur la poitrine, question de calmer son cœur en émoi.

— Et comme si cela ne suffisait pas, maugréa-t-il en repoussant finalement la tasse de thé qu'il n'avait pas bue, j'ai à vue de nez un véritable supplice de Tantale.

Il se leva de table et s'approcha de la fenêtre qui donnait sur la cour et le minuscule carré de pelouse qui avait survécu à l'agrandissement de la quincaillerie, réalisé quelques années auparavant.

Elle était là, sa tentation, juste au bas des marches, comme pour le narguer. Une vraie merveille, toute noire, avec des chromes rutilants.

— Décidément, Joseph-Arthur a bien fait les choses, murmura-t-il avec une curieuse intonation dans la voix, faite d'admiration et de tristesse entremêlées. J'aurais tellement aimé être avec lui quand il l'a magasinée, cette auto-là, mais bon...

C'est qu'au cours de sa vie, Joseph-Alfred avait souvent songé à se procurer un petit camion qui aurait été fort utile à un commerce comme le sien. Il l'avait toujours imaginé peint en rouge, avec de belles lettres blanches sur la cabine, annonçant la quincaillerie.

Mais qui aurait pu le conduire ?

Sûrement pas J.A., qui regimbait régulièrement devant les nouveautés, et qui prenait un temps infini à assimiler les moindres changements.

Quant à lui, il devait rester au magasin s'il voulait que tout fonctionne normalement, malgré la présence d'un fidèle employé, Fernand Gladu, qui avait peiné à ses côtés durant de nombreuses années, et qui, la retraite arrivée, était devenu un ami sincère. Un ami qu'il n'aurait plus vraiment l'occasion de côtoyer, maintenant, à moins que celui-ci ne vienne le visiter.

En fin de compte, Joseph-Alfred avait un jour calculé qu'en tout et partout, cela avait pris plus de vingt ans pour que son fils Joseph-Armand soit capable de se débrouiller sans lui, et cela, uniquement à temps partiel. Comment voulez-vous, dans de telles conditions, imaginer que ce même garçon aurait pu apprendre à conduire ?

— C'est à la fois très long et très bref dans la vie d'un homme, vingt ans, observa alors le vieillard.

Une façon comme une autre de constater que tout allait beaucoup trop vite, ce qui le fit grincer des dents !

Aujourd'hui, si le vieux quincailler pouvait enfin se reposer, c'était bien parce que son petit-fils avait pris la relève.

— Enfin ! s'écria-t-il aux armoires de la cuisine. Mais jamais je n'aurais pu imaginer que je serais voué à tourner en rond dans ce tout petit logement, le jour où je quitterais le magasin. Vous parlez d'une retraite ennuyeuse ! Si ça continue encore longtemps, je vais devenir gâteux !

Puis, le vieil homme revint à la belle auto de son petit-fils, qu'il se mit à contempler et à analyser dans les moindres détails, activité qui l'occupait au moins une heure par jour depuis l'achat. C'était toujours ça de gagné sur ces heures interminables qui s'enfilaient les unes derrière les autres, de son réveil à son coucher !

La belle voiture d'Arthur était entrée dans leur famille, si on peut l'exprimer ainsi, la semaine précédente, par une fin de matinée sombre, sous un crachin maussade. Au coup de klaxon que le jeune homme s'était amusé à faire entendre pour signaler son arrivée, J.A. avait haussé les épaules. Monté à l'étage pour se changer, car il avait taché sa chemise avec de la peinture, il avait marmonné que c'était de l'argent dépensé pour rien. Puis il était redescendu au magasin. Léonie, pour sa part, avait aussitôt mis une veste bien chaude et elle avait pris un parapluie pour filer dans la cour afin de voir la voiture de plus près. Elle était enthousiasmée comme une gamine.

— Pis dire que mon garçon a promis de m'emmener dans son auto pour faire l'épicerie à toutes les semaines, s'était-elle joyeusement écriée avant de quitter la cuisine. Cheez Whiz que ça me fait plaisir ! Surtout avec le fichu hiver qui commence.

Pour réaliser cette promesse, il y aurait tout de même un petit problème à régler, dont on n'avait pas encore parlé, mais Léonie préférait ne pas y penser. En effet, si Joseph-Arthur et elle étaient pour quitter le commerce ensemble, il n'y aurait plus personne à la quincaillerie pour aider J.A. afin de voir à la clientèle. Le choix du moment pour faire l'épicerie deviendrait donc important, et peut-être qu'il faudrait demander à J.A. de choisir le jour et l'heure, pour éviter bien des cris de désaccord.

Quant à Joseph-Alfred, il s'était contenté d'admirer l'acquisition à distance, depuis la fenêtre de la cuisine, un brin frustré, n'ayons pas honte de le dire.

Le dimanche suivant, toute la famille avait eu droit à une promenade dans le quartier, avant de se rendre à l'église afin d'assister à la messe dominicale. Sauf Joseph-Alfred, comme de raison, puisque ce dernier ne pouvait plus descendre les escaliers pour assister à l'office. Sans oser l'avouer ouvertement, il se fichait un peu de ne pouvoir aller à la messe, car depuis quelque temps, il s'y endormait durant le sermon d'un curé grandiloquent, certes, mais un tantinet répétitif. Toutefois, manquer une balade en auto, c'était autre chose !

Pour le vieil homme, il y avait là une réalité autrement plus déprimante que de rater le sermon du curé !

— Basewell ! Même J.A., qui déteste les autos, s'est laissé tenter par la balade dans le quartier.

Et de plus, en ce satané dimanche, Joseph-Armand avait eu le culot de tourner le fer dans la plaie, annonçant à son père, dès son retour de la messe, que finalement, ce n'était pas si pire que cela de se promener assis.

— Même si c'est un peu stupide de faire une promenade quand on est assis, pis qu'on a deux jambes qui fonctionnent. C'est ben de valeur que vous pouviez pas l'essayer, avait ainsi déclaré J.A. en entrant dans la cuisine, quelques instants après son épouse et son fils. Avec vos genoux fatigués, c'est bien certain que ça serait utile pour vous. Tabarslac, papa, vous auriez dû voir ça ! Tout le monde nous regardait, sur le perron de l'église... Mais quand même, moi, j'aime pas mal mieux utiliser mes jambes pour me déplacer. En plus, j'ai pas besoin de me chercher une place pour me stationner. Ça fait que j'suis revenu de l'église à pied. Ça m'a fait du bien de prendre de l'air, comme vous dites, des fois.

Joseph-Alfred n'avait rien répondu, consterné. Il n'allait tout de même pas se mettre à pleurer de rage et de déception comme un bébé devant toute sa famille réunie pour le dîner, n'est-ce pas ?

En revanche, sans le dire à qui que ce soit, hier, par un matin de grand soleil, alors que toute la famille était à la quincaillerie, Joseph-Alfred avait tenté de descendre l'escalier menant à la cour, donc à l'auto.

— Basewell ! C'est toujours bien pas une volée de marches qui va avoir raison d'un homme comme moi.

Il se disait qu'une fois l'obstacle de l'escalier surmonté, il n'aurait plus qu'à demander à son petit-fils de l'emmener faire une balade.

Déterminé, le vieillard avait donc mis son manteau le plus chaud, choisi ses gants doublés de laine et enfilé ses chaussures les plus confortables, celles qui avaient d'épaisses semelles en caoutchouc, car il était tombé une petite neige folle durant la nuit. Il se doutait bien que les marches devaient être quelque peu glissantes et il n'avait surtout pas envie de dégringoler l'escalier, comme le petit bonhomme de la ritournelle qu'il fredonnait à son petit-fils quand celui-ci était encore un enfant.

Ainsi accoutré, Joseph-Alfred avait agrippé la rampe à deux mains, puis il avait amorcé la descente.

Trois marches avaient eu raison de sa témérité.

Il s'était arrêté, en sueur. Le vieil homme tremblait de la tête aux pieds, et ses genoux mis à mal ripostaient par des élancements plus intenses que jamais.

Avec une infinie précaution, les yeux mi-clos sur l'effort à fournir pour réussir à poser un geste d'une banalité affligeante, Joseph-Alfred avait pivoté sur lui-même. Ensuite, plus lentement encore qu'à la descente, il était retourné sur le balcon, accompagnant chacun de ses pas d'une grimace de douleur on ne peut plus éloquente.

Une fois arrivé sur le balcon, le pauvre homme avait poussé un long soupir. Son cœur battait la chamade, et il s'était alors demandé pourquoi sa «patate» s'affolait ainsi. À cause de la déception, de la douleur, de la colère, ou du simple soulagement d'avoir réussi à remonter jusqu'à la galerie sans tomber?

— Sans doute une bonne soupe de tout ça! grogna-t-il.

Voilà à quoi le vieillard pensait encore en ce moment, alors qu'il regardait distraitement l'auto de Joseph-Arthur, depuis son poste habituel. Allait-il continuer à vivre ainsi, comme s'il était au théâtre, et qu'il assistait à une représentation où il n'était plus qu'un simple spectateur?

Une larme ronde et pleine comme celle d'un enfant parut au coin de sa paupière fripée. Elle descendit le long de sa joue, empruntant le chemin d'une ride qui sillonnait son visage jusqu'au menton. Agacé par le chatouillis, Joseph-Alfred l'essuya distraitement du revers de la main, se disant, tout aussi machinalement, qu'il faudrait bien qu'il se décide à sortir le rasoir. Sa joue était toute râpeuse.

En revanche, comme son ouïe, elle, fonctionnait aussi bien qu'au matin de sa naissance, il tressaillit en entendant au loin le faible tintement de la petite cloche qui carillonnait dès que l'on ouvrait la porte de la quincaillerie. Ce devait être un client. Tant mieux ! Au moins de ce côté-là, tout allait rondement. Cependant, l'instant d'après, ce fut la porte avant du logement qui s'ouvrit et se referma. Alors Joseph-Alfred se ravisa.

C'était plutôt Léonie, venue pour préparer le repas du midi, qu'ils mangeraient seul à seule tous les deux, tandis que J.A. et Joseph-Arthur resteraient au magasin et se contenteraient d'un goûter.

Le vieil homme se dépêcha de renifler discrètement pour effacer les stigmates de son chagrin. Sa belle-fille n'avait pas besoin de connaître ses états d'âme et encore moins de savoir qu'il était affligé aux larmes, parfois, de voir sa vie s'étioler comme une fleur qui se fane, sinon elle s'inquiéterait sans bon sens. Puis selon son habitude, Léonie se mettrait à s'agiter bruyamment, et il en entendrait parler pendant longtemps. Elle le surveillait déjà suffisamment pour qu'il n'ait pas envie d'en rajouter. Néanmoins, il resta à son poste pour que l'on comprenne qu'il était tout de même grandement déçu de ne pas pouvoir utiliser l'auto, lui aussi. Ça, il n'avait pas besoin de le cacher, on s'en doutait quand même un peu.

— Grand-père ?

Un simple appel de son nom, et les nuages sombres se dispersèrent aussitôt, comme sous l'effet d'une baguette magique. Un sourire bref, mais sincère illumina le visage fatigué du vieil homme.

— Ah! C'est toi, Joseph-Arthur... Je croyais que c'était ta mère qui venait nous préparer à dîner. Je suis à la cuisine.

Le jeune homme arriva aussitôt dans l'embrasure de la porte, impatient d'annoncer à son grand-père ce qu'il voyait comme une bonne, comme une excellente nouvelle. Il eut cependant un serrement de cœur en voyant le vieillard, et il s'arrêta un instant, interdit.

L'homme toujours bien mis et soucieux de sa personne qu'avait été Joseph-Alfred Picard n'était plus qu'une mauvaise copie de lui-même, comme une sorte de photo délavée de ce qu'Arthur chérissait comme étant l'un de ses plus beaux souvenirs d'enfance. En effet, le dimanche, quand la température le permettait, hiver comme été, son grand-père mettait sa plus belle cravate et, après s'être rasé de près, il tapotait ses joues d'une lotion après-rasage qui semblait sublime aux narines du petit garçon de l'époque. Lui-même devait peigner ses cheveux, malgré les épis qui lui donnaient l'air d'un petit hérisson, et il se lavait consciencieusement les mains, en portant une attention particulière à ses ongles. Puis, tous les deux, main dans la main, ils remontaient l'avenue en direction du casse-croûte pour manger une crème glacée avant que son grand-père quitte la maison pour l'après-midi, afin de rejoindre son ami Fernand. Les deux hommes avaient l'habitude d'occuper leurs dimanches après-midi en jouant ensemble aux dames, aux dominos ou aux échecs.

Aujourd'hui, pantalon avachi, chandail élimé sur une chemise grisâtre, et de vieilles pantoufles aux pieds, son grand-père, le fier quincailler de la Place des Érables durant une bonne cinquantaine d'années, n'était plus que l'ombre de lui-même.

Mais ce vieillard restait son grand-père, n'est-ce pas ?, et Arthur l'aimait toujours autant. Il fit donc un pas en direction de la table.

— Venez vous asseoir, grand-père, il faut que je vous parle.

— T'as l'air bien sérieux, mon garçon... Quelque chose ne va pas à ton goût au magasin et tu veux en disuter avec moi ?

— Non, de ce côté-là, tout va plutôt bien. Avec maman qui suit mon père à la trace ou presque, pas de danger qu'il fasse de bévues, alors oui, tout roule comme sur des roulettes. On est débordés, mais rien qui ne sorte de l'ordinaire pour une semaine avant Noël. Toutefois, ce que j'ai à vous dire est tout de même important. Asseyez-vous, je vais tout vous expliquer.

— J'arrive !

À petits pas pressés, Joseph-Alfred traversa la cuisine, la seule pièce de dimension respectable de leur appartement, puis il se laissa tomber lourdement sur une chaise, directement en face de Joseph-Arthur. Il était tout heureux de cet interlude dans une journée qu'il trouvait déjà longue, alors que l'avant-midi n'était pas encore terminé. Il se disait, en même temps, que si son petit-fils avait pu consacrer régulièrement une partie de ses journées à discuter avec lui, le vieillard inutile qu'il était devenu ne s'ennuierait plus jamais. Et surtout, il n'aurait pas suffisamment de loisirs pour se perdre en vaines ruminations sur cette vie qui avait passé trop vite. Un peu de télévision pour compléter le tout, et ce serait parfait.

— Alors, jeune homme? De quoi allons-nous jaser, aujourd'hui? De ton prochain livre? Ce serait, je crois, un sujet important, non?

— Oui, vous avez raison, je suis tout à fait d'accord avec vous, mais non, nous n'en parlerons pas. Je sais très bien que je dois en commencer un deuxième, je m'y suis engagé, mais ça se fera uniquement après le temps des Fêtes. Je suis trop occupé au magasin pour me concentrer sur une histoire à inventer. Pour le moment, du moins. Mais n'ayez pas peur, je vais m'y mettre dès que la folie du magasinage de Noël sera derrière nous, et je vous en parlerai le moment venu, promis! Mais pas aujourd'hui. Pour une fois, je ne serai pas le sujet de notre conversation. En fait, c'est de vous dont je veux parler!

Le vieillard ouvrit deux grands yeux ronds.

— Pardon? Tu veux parler de moi? Tu n'es pas sérieux, j'espère, quand tu dis vouloir parler d'un petit vieux comme moi.

— Tout à fait ! Même que je n'ai pas été souvent aussi sérieux que je le suis en ce moment.

— Basewell, Joseph-Arthur ! Tu me fais peur... Et j'avoue que je ne comprends pas vraiment. Il n'y a rien de bien intéressant à raconter sur un vieil homme esquinté !

Le jeune quincailler-écrivain, comme il se plaisait à se surnommer lui-même dans le secret de ses pensées, esquissa un sourire chaleureux.

— Justement. Il est vieux, ce monsieur dont je veux vous entretenir, précisa-t-il avec affection. Très vieux même, bien qu'il soit en bonne santé, et je me doute un peu de ce qui le fatigue autant.

— Ah bon... Comme ça, tu trouves que j'ai l'air fatigué ?

— Depuis quelques semaines, je dirais que oui.

— Et toi, d'après ce que je peux comprendre, tu saurais pourquoi ?

— En effet, je crois avoir deviné... Je vous connais bien, vous savez.

— Ah oui ? Tu ne te trouves pas un tantinet prétentieux d'oser dire que tu connais tous les méandres d'un vieux cœur comme le mien ?

Rien ne plaisait autant au vieil homme que ces discussions où Joseph-Arthur et lui se renvoyaient la balle, pour savoir qui aurait le dernier mot. Comme il le disait si bien parfois à sa belle-fille Léonie, ces petites joutes oratoires l'aidaient à garder l'esprit vif.

— Comme ça, tu crois bien me connaître ?

— Et comment ! Rendez-vous compte, grand-père ! Ça va faire dix-neuf ans dans quelques jours que je vous observe attentivement. Ça fait beaucoup d'heures et de minutes, ça !

— Dix-neuf ans ? répéta Joseph-Alfred comme s'il était vraiment surpris, alors qu'il pensait à l'anniversaire de son petit-fils depuis une bonne semaine au moins, se désespérant de ne pouvoir aller lui acheter un cadeau. Dix-neuf ans ? répéta-t-il sur un ton interrogatif, tout en fronçant les sourcils comme s'il doutait de la chose. Tant que ça ? Tu es bien certain de ton coup ?

— Eh oui ! Le neuf janvier prochain, je vais avoir dix-neuf ans. C'est amplement suffisant, je crois, pour bien connaître quelqu'un. Vous ne pensez pas, vous ?

— C'est sûr que ça te donne un certain avantage sur bien des gens... Et maintenant, si tu en venais au fait...

— C'est vrai que je ne suis pas ici pour discuter de mon âge. Alors, voilà... Je crois que ça va vous plaire.

Joseph-Arthur, s'il était le fils légitime de Joseph-Armand, était surtout le digne petit-fils de Joseph-Alfred. Il aimait la lecture tout autant que lui, et ce, depuis qu'il était un tout petit garçon. Il avait même écrit un roman d'aventures, pour le simple plaisir de jouer avec les mots. C'était tout dire ! Et contre toute attente, son manuscrit avait été retenu pour publication, et on en avait fait un bouquin qui, ma foi, avait belle allure, sur la tablette de la librairie Chez Lulu, parce que cet endroit poussiéreux, mais rempli de mille trésors appartenait à un certain Lucien. Il tardait à Arthur d'y emmener son grand-père pour qu'il puisse admirer son livre par lui-même, et pas uniquement sur la photo qu'il avait prise à son intention. En fait, l'histoire qu'il avait écrite avait tellement plu à l'éditeur que celui-ci avait demandé qu'il en écrive un autre. Arthur s'était donc engagé à produire un deuxième roman avant la fin de l'été. Alors, oui, le jeune homme savait raconter de belles histoires. Et c'est exactement ce qu'il s'apprêtait à faire, en dévoilant le cadeau qui serait celui de son grand-père, à l'occasion de Noël. Tout était bien ficelé, les rendez-vous étaient pris, ses parents étaient d'accord, même son père, et lui, il en avait fait un petit conte pour enfant, sachant à l'avance que cela plairait infiniment à son grand-père. Ce matin, il lui offrirait donc un peu de féerie pour qu'il puisse oublier la monotonie de la saison, tout en espérant son cadeau.

— Êtes-vous bien assis ?

— Le plus confortablement que je puisse l'être avec des fesses aussi plates que des galets, confirma le vieil homme en se dandinant sur sa chaise.

— Grand-père !

— Quoi ? C'est le mot « fesse » qui t'indispose ? Il fait partie du dictionnaire, à ce que je sache, et je ne dis que la vérité. J'ai les fesses plates comme une crêpe, que veux-tu que j'ajoute à cela ?

— Absolument rien ! Oublions ça, voulez-vous... Alors, si vous êtes bien assis, je vais vous raconter mon histoire.

Tel qu'escompté par Arthur, les yeux du vieillard se mirent à briller de plaisir, comme un gamin à qui l'on vient de promettre une récréation prolongée.

— J'adore les histoires ! Surtout celles que l'on me raconte.

— Je le sais.

— Et de quoi ton histoire va-t-elle nous parler ?

— Si vous arrêtez un peu de jacasser et que vous me laissez continuer, vous allez l'apprendre.

— D'accord, je ne dis plus rien. Je vais même fermer les yeux pour ne pas être tenté de t'interrompre.

— Merveilleux ! Alors mon histoire va comme suit, et je vais la commencer comme le faisait la Tante Lucille de mon enfance.

À ce nom, Joseph-Alfred entrouvrit les yeux.

— Ah oui, je m'en souviens ! C'était à la radio, le samedi matin, n'est-ce pas ? Tu t'installais ici, dans la cuisine, l'oreille collée sur l'appareil, persuadé qu'ainsi, la bonne dame ne racontait son histoire que pour toi.

À ce souvenir, Joseph-Alfred secoua sa tête dégarnie avec énergie. Son petit-fils avait toujours été curieux de nature et doté d'une imagination débordante. Un bon point pour lui !

— Allons, vas-y, Joseph-Arthur ! Là, c'est promis, je ne dis vraiment plus rien et je referme les yeux.

Le jeune homme toussota.

— Cric, crac, croc, mon histoire va commencer.

Se prêtant au jeu, Joseph-Alfred avait effectivement baissé les paupières, et un vague sourire flottait sur ses lèvres, adoucissant les rides de son visage.

— Il était une fois un vieux papa oiseau, qui, par un beau matin d'automne, se réveilla avec deux ailes paresseuses qui refusaient de s'ouvrir, commença donc le jeune homme. C'était bien embêtant pour un merle, de ne plus pouvoir compter sur ses ailes. Comment ferait-il, désormais, pour aller chercher sa nourriture? Les moucherons ne tomberaient certainement pas tout droit dans son bec. Et les vers de terre ne monteraient pas jusqu'à lui en grimpant sur le tronc de l'arbre qui abritait son nid. Il lui fallait donc trouver une solution dans les plus brefs délais. Mais il eut beau chercher et chercher, monsieur le merle ne trouva aucun remède à son problème. Au bout de deux jours, il avait sérieusement faim, car les gouttes d'eau déposées par la rosée sur les feuilles au-dessus de sa tête ne suffisaient pas à le nourrir. De plus, même s'il était plutôt menu pour son espèce, il commençait à se sentir à l'étroit dans son nid. À sa défense, il faut cependant reconnaître que c'est vraiment minuscule, un nid d'oiseau, quand on a passé sa vie à voler en plein ciel…

Tremblant d'émotion, Joseph-Alfred écoutait son petit-fils qui, avec sa délicatesse coutumière, qui ressemblait tant à celle de sa mère, racontait l'histoire d'un oiseau qui aurait très bien pu s'appeler

Joseph-Alfred. Oui, c'était son histoire à lui que Joseph-Arthur racontait joliment en ce moment. Oh ! Le vieil homme aurait pu se choquer, traiter ce jeune galopin d'insolent ou de polisson, parce que les larmes s'étaient remises à couler et qu'un grand-père n'est pas supposé pleurer devant son petit-fils. Mais voilà ! Le vieux monsieur n'avait pas du tout envie de l'interrompre. Lorsque les histoires sont intéressantes et que le conteur a du talent, on veut à tout prix en connaître le dénouement.

— … C'est alors que son voisin le geai bleu l'interpella, poursuivit Joseph-Arthur, imperturbable. Il était curieux de savoir pourquoi son voisin le merle ne sortait plus de chez lui. En quelques mots, l'oiseau affamé raconta sa triste histoire. Le geai bleu l'écouta attentivement, il demanda conseil à madame l'hirondelle, et finalement, il fut décidé, au conseil des oiseaux, qu'avec des brindilles, on construirait une échelle pour permettre au merle de se déplacer comme avant, sans avoir à utiliser ses ailes… Voilà ! C'est l'histoire que j'avais à vous raconter, grand-père.

Joseph-Alfred entrouvrit un œil.

— C'est tout ?

— Oui, pourquoi ?

— Parce qu'il n'y a pas de vraie conclusion à ton histoire… Une fin qui ressemblerait à… je ne sais pas moi… Comme des ailes qui auraient pu guérir par magie, lança le vieillard, en haussant les épaules. Dans les contes, il y a souvent de la magie, et j'aime ça. À mon avis, c'est justement ce qui en fait la beauté... J'ai bien vu où tu voulais en venir, avec ton papa oiseau... Et j'apprécie ta gentillesse, quand tu essaies d'adoucir les angles de ma vie par le biais d'une fable. Mais où veux-tu que j'aille avec une échelle ? C'est encore pire qu'un escalier, Basewell !

— Je sais. Mais vous, vous avez des jambes au lieu des ailes.

— J'espère bien... Et alors ?

— Alors, dans votre cas, on va ménager vos jambes en vous permettant de monter et de descendre comme un oiseau !

À ces mots, le grand-père soupira de découragement tout en secouant encore une fois les quelques mèches rebelles qui tenaient bon sur sa tête dégarnie.

— Tu me prends pour un imbécile ou quoi ? demanda-t-il avec humeur. À moins que tu sois convaincu que je suis retombé en enfance.

— Ni l'un ni l'autre !

— Alors, je ne vois pas où tu veux en venir. Pourtant, je la trouvais jolie, ton histoire... Jusqu'à ce que tu me parles d'une échelle. Elle m'a même tiré les larmes.

— Je sais, j'ai vu. Mais pour la fin de mon histoire, je me suis fié à ce que vous me dites souvent.

— Et qu'est-ce que je dis tant que ça ?

— Qu'il ne faut pas nécessairement toujours voir les choses au premier degré.

— C'est vrai. Mais là, je ne vois pas de second degré pour remplacer une échelle. Alors je trouve que tu exagères.

— Pas du tout.

— Et moi, je te dis que oui. En fin de compte, elle n'a aucun sens, ta fable avec les oiseaux.

— Laissez-moi poursuivre encore un peu. Si mon histoire est terminée, il lui manque tout de même quelques explications.

— Ah ! Tu vois bien qu'elle n'est pas finie, ta fable ! J'avoue que j'aime mieux ça comme ça.

— D'accord ! Je vais dire comme vous, si ça peut vous faire plaisir... Parce que pour vous aussi, l'histoire peut se dénouer joyeusement et sans avoir recours à la sorcellerie... Franchement, grand-père ! Vous n'aviez quand même pas imaginé que j'étais devenu magicien ?

Arthur était exalté, et il se sentait un tantinet mutin, sachant à l'avance le grand plaisir qu'il s'apprêtait à faire à son grand-père. Même ses parents avaient applaudi devant son idée, sa mère plus fort que son père, comme d'habitude, mais ce n'était pas si important, après tout. C'était dans la normalité de leur famille que les choses se passent ainsi.

— Je ne suis ni sorcier ni magicien, reprit-il, mais en contrepartie, j'ai une solution. J'ai consulté, moi aussi. Comme le geai bleu de mon histoire.

— Autrement dit, le geai bleu, c'est toi.

— Si on veut, oui.

— C'est logique.

— Comment ça ?

— Parce que le geai bleu est souvent beaucoup plus grand que le merle. Comme toi, qui as l'air d'un géant à côté de moi.

L'image suscitée par les propos de Joseph-Alfred fit sourire le jeune homme, tout en l'émouvant.

— Là c'est vous, grand-père, qui jouez avec les mots.

— Comme on dit, la pomme tombe souvent près du pommier... Allez, jeune homme, continue.

— D'accord ! Donc, j'en ai parlé avec mes parents, qui m'ont écouté avec beaucoup de sérieux. Ensuite, j'ai pris le téléphone, et j'ai questionné des tas de gens compétents. Je me suis même déplacé pour voir par moi-même de quoi il retournait, et c'est faisable.

— Et qu'est-ce qui est faisable, comme ça ? Allez, aboutis !

Malgré cet ordre, et emporté par son enthousiasme, Arthur laissa volontairement planer un petit silence. Quand il vit son grand-père tapoter impatiemment la table du bout de l'index et ouvrir la bouche pour reprendre le dialogue, il lui coupa l'herbe sous le pied, et il lança :

— On a décidé de faire construire un ascenseur, grand-père ! Un ascenseur qui va monter et descendre entre le logement et le magasin. Comme un oiseau qui vole !

Un mot, un seul, et pouf ! la fable avait disparu, et la magie avait suivi dans son ombre.

Un mot, un seul, et Joseph-Alfred venait de retomber brutalement dans son affligeant quotidien.

Le vieil homme soupira tristement, car à ses yeux, le projet de Joseph-Arthur n'avait ni queue ni tête... Ah, la jeunesse, qui prenait souvent ses désirs pour des réalités !

Un ascenseur entre sa quincaillerie et ce logement exigu... Quelle drôle d'idée qui n'avait comme mérite que l'intention louable de le faire rêver ! Théâtral, le vieillard leva alors les deux bras au ciel.

— Grands dieux ! Mon petit-fils est devenu fou... Et tu vas engager un valet vêtu d'une livrée et ganté de blanc afin de manœuvrer la cabine pour moi ? Savais-tu que j'ai toujours rêvé d'être millionnaire et d'avoir des tas de serviteurs ? s'écria alors le vieillard, sur un ton sarcastique.

— Là, c'est vous qui exagérez, grand-père.

— Je ne crois pas, moi !

— Alors donnez-moi jusqu'à ce soir pour vous prouver que j'ai raison.

— Pourquoi attendre à ce soir ? Ce serait une perte de temps. À mon avis, il est tout à fait inutile de gaspiller plus d'énergie à concocter un projet qui doit coûter une fortune.

— Pas tant que cela... Du moins, ça coûte moins cher qu'une auto, et il y a des plans de financement, vous savez. Comme pour les autos.

En vieil habitué des chiffres et des opérations mathématiques, l'ancien quincailler resta silencieux un instant. Arthur avait l'impression d'entendre les rouages de son cerveau crépiter comme une machine à calculer. Puis, Joseph-Alfred lui jeta un regard en coin.

— Ah oui ? Moins cher qu'une auto ?

— Est-ce que j'ai l'habitude de vous mentir, grand-père ?

— Non. C'est vrai...

Second silence, un peu plus bref, cependant.

— Et ton père, dans tout ça ? Tu sais à quel point mon J.A. a horreur des changements.

À ces mots, Arthur comprit que le projet commençait à faire son petit bonhomme de chemin dans l'esprit de son grand-père. Il retint un sourire qui aurait pu paraître moqueur aux yeux de ce dernier. N'empêche que la partie était presque gagnée !

— Effectivement, approuva-t-il avec conviction. Il faut que ce soit raisonnable sous tous les rapports pour que mon père consente à une modification. Lui aussi, je le connais bien, vous savez. Ça n'a pas été facile, je vous l'avoue, mais quand je lui ai démontré qu'il serait gagnant, qu'on serait tous gagnants, si vous remettiez les pieds au magasin de temps en temps, sans que ses tablettes soient modifiées, bien entendu, il a été d'accord. Ajoutons, pour être bien franc, que ma mère m'a grandement soutenu dans ma croisade en faveur de l'ascenseur. En fin de compte, hier soir, avant de fermer le magasin, papa a même dit qu'avec mon idée un peu exagérée, vous arrêteriez peut-être d'être de mauvaise humeur, et que pour ça, ça valait la peine d'essayer.

— De mauvaise humeur ? Moi ?

— Très ! Depuis le mois d'octobre, vous n'êtes pas à prendre avec des pincettes.

Sans insister, Joseph-Alfred s'inclina, beau joueur.

— D'accord… J'avoue que je suis de mauvais poil depuis quelque temps, parce que je déteste m'ennuyer. Ça déteint sur mon caractère, je n'y peux rien. Mets-toi à ma place, Joseph-Arthur ! Il est très difficile pour un homme comme moi d'accepter de se retrouver réduit à l'inactivité, dans un logement grand comme un mouchoir de poche, après avoir passé une vie à courir partout.

— Comme le merle de mon histoire, et d'où mon désir de trouver une solution à votre mal de genoux… D'autant plus que la lecture n'est plus vraiment une alternative à l'ennui.

— Mais qu'est-ce que c'est que ça, maintenant ? J'aime toujours autant la lecture, mon garçon, riposta d'emblée le vieil homme, effarouché de voir qu'on l'avait aussi bien observé depuis toutes ces dernières semaines.

— Je n'ai aucun doute que les livres resteront toujours vos meilleurs amis, concéda le jeune homme. Et je n'ai jamais voulu insinuer qu'ils ne vous intéressaient plus. Mais j'ai des yeux pour voir, et aux simagrées que vous faites quand vous avez un livre ouvert devant vous, je me doute un peu que vos yeux aussi auraient besoin d'un petit ajustement.

— Qu'est-ce que l'ascenseur a à voir avec mes yeux ?

— Tout, grand-père ! L'ascenseur a tout à voir avec la vie que vous pourriez mener, si vous arriviez à descendre un escalier. À commencer par être en mesure de vous asseoir dans mon auto, et ensemble, nous pourrions aller consulter un optométriste.

Cette perspective était assurément trop tentante pour que l'homme âgé la repousse du revers de la main !

— Disons que tu as un peu raison, déclara le vieillard d'une voix hésitante. Je dois avoir besoin de lunettes, tout simplement. À mon âge, c'est peut-être tout à fait normal.

À ces mots, le jeune homme comprit à quel point l'inquiétude devait ronger son grand-père. Il tendit une main ferme et chaude et la posa sur celle du vieil homme, constatant avec une certaine tristesse que la peau de cette main était devenue aussi fine, aussi fragile que le papier de soie que sa mère utilisait parfois quand on lui demandait un emballage cadeau.

— C'est sûr que j'ai raison, grand-père. La majorité des gens de votre âge portent des lunettes de lecture. Mais pour ça, il faut consulter un spécialiste, et pour consulter, vous devez vous déplacer.

— Ouais... Tu es bien certain que ça ne nous mettra pas sur la paille, ton idée de fou ?

— Sûr et certain. Et vous allez vous en rendre compte par vous-même dès cet après-midi.

Joseph-Alfred fronça les sourcils.

— On installe l'ascenseur cet après-midi ?

Arthur éclata de rire devant la mine de son grand-père, qui avait l'air à la fois inquiet et ravi.

— Mais non, voyons ! Toutefois, un représentant vient nous rencontrer aux alentours de deux heures pour vérifier la faisabilité du projet.

— Deux heures... Comme je n'ai rien à l'horaire, ça me convient.

Joseph-Alfred avait repris machinalement le ton qu'il employait quand il était quincailler.

— Je vais donc l'attendre impatiemment, ton représentant. Je suis on ne peut plus curieux de voir ce qu'il a à nous proposer.

— Moi aussi... Mais avant, j'aurais peut-être une petite faveur à vous demander, grand-père.

— Ah oui ? Laquelle ?

Joseph-Arthur avait l'air mal à l'aise. Il prit une longue inspiration puis, sachant qu'il n'avait pas le choix, car sa mère avait souligné que pour elle, c'était très important, il demanda :

— Pourriez-vous vous changer et faire un brin de toilette ? Depuis quelque temps, on dirait que vous vous négligez un peu.

— Tu trouves ? Je fais ma toilette tous les jours, pourtant, même si j'ai un peu boudé la douche... J'ai toujours été propre de ma personne, tu sauras. À défaut peut-être d'être un bel homme, je n'ai jamais vraiment creusé la question. Mais pourquoi ferais-je l'effort d'une tenue soignée pour me promener entre la cuisine et le salon ? Les rencontres s'y font plutôt rares, tu sais !

— Ne serait-ce que pour nous, grand-père. Et pour vous aussi, chaque fois que vous croisez votre reflet dans un miroir. Ça ne doit pas aider votre moral de vous voir... comment dire ? De vous voir ainsi accoutré ?

Joseph-Alfred baissa les yeux sur son vieux pantalon brun et sa chemise défraîchie. Joseph-Arthur n'avait pas tort. Il ne pouvait décemment recevoir un représentant dans cette tenue, s'il voulait être pris au sérieux. Il allait au moins enfiler une chemise propre et passer un petit coup de rasoir sur ses joues.

Et peut-être s'asperger d'un peu d'eau de toilette.

Maintenant qu'il y avait une éclaircie devant lui, Joseph-Alfred ne voulait surtout pas voir revenir les nuages noirs de l'ennui. Si ça ne prenait qu'une petite mascarade pour plaire à tous les membres de sa famille, il allait sauter à pieds joints dans leur jeu. Ce ne serait pas trop cher payer pour retrouver ne serait-ce qu'un peu de liberté. Il se redressa sur sa chaise.

— S'il le faut, je prendrai une douche après le dîner, déclara-t-il gravement. Tu as raison, jeune homme, je me suis quelque peu négligé, et il est vrai que ça mine le moral, de se laisser aller.

— Merci, grand-père. C'est maman qui va être contente. Vous la connaissez, n'est-ce pas ? Elle a déjà prévu de mettre sa jolie robe du dimanche pour accueillir le représentant.

— Alors je porterai ma chemise à fines rayures bleues pour lui faire plaisir. Léonie a toujours dit qu'elle m'allait bien.

— Parfait ! Il ne me reste plus qu'à descendre au magasin pour annoncer à mes parents que le représentant sera le bienvenu. Ça va leur faire plaisir.

— Tant mieux. Mais j'y pense… Je pourrais me passer de mon vieux fauteuil dans ma chambre.

— Pourquoi ?

Curieusement, Arthur avait l'air méfiant. Avec Joseph-Alfred, on pouvait s'attendre à tout.

— Voulez-vous bien me dire ce que votre antiquité de fauteuil vient faire dans notre discussion ?

— Il me semble que c'est facile à comprendre ! On pourrait faire installer l'ascenseur dans le coin de la pièce, là où se trouve mon antiquité, proposa-t-il avec une candeur désarmante. Après tout, c'est moi qui vais l'utiliser, n'est-ce pas ?

— Oui, pour l'instant, se hâta de mentionner Arthur. Mais qui ne nous dit pas qu'un jour, ça pourrait servir aussi à mes parents, hein ? Avez-vous songé à ça, grand-père ? Ils ne rajeunissent pas, eux non plus, et le matin où ils sentiront le besoin d'utiliser un ascenseur à la place de l'escalier est peut-être plus proche qu'on pourrait le croire.

— C'est vrai, admit d'emblée le vieil homme. Tu as tout à fait raison… Pour une vieille chose comme moi, tout le monde a l'air jeune. Alors que faire ? Où va-t-on pouvoir installer la cabine ?

Inquiet, Joseph-Alfred regarda autour de lui. L'idée était probablement excellente, il n'en était pas encore aussi certain que son petit-fils, mais cela méritait tout de même réflexion.

Toutefois, était-ce vraiment réalisable ?

Le représentant allait peut-être déchanter devant l'exiguïté des lieux, car le logement qui abritait la famille Picard était vraiment très petit.

— On verra à tout ça cet après-midi, d'accord ? suggéra alors Joseph-Arthur d'une voix évasive pour conclure la discussion.

Ce qu'il voulait à tout prix garder pour lui, c'était qu'il avait bien l'intention de proposer sa chambre comme vestibule accessible à toute la famille. L'endroit serait parfait, car il n'empiéterait pas sur les pièces communes, et à l'étage du dessous, on arriverait dans le fond du magasin, côté quincaillerie, là où il serait relativement facile d'accommoder un espace adapté à un certain va-et-vient, sans déborder sur ce que son père considérait comme son espace vital.

Par la suite, grâce à ce stratagème, le jeune homme n'aurait plus le choix de se trouver un petit logement pas trop loin, où il pourrait, à l'occasion, recevoir la jolie Anna, et ainsi, avoir un peu d'intimité avec elle, sans risquer les foudres de sa mère.

Sa chère maman ! Bien que son fils ne soit plus un enfant, elle se sentait toujours une âme de poule couveuse !

Voilà pourquoi il ferait sa proposition devant un étranger. Il osait croire qu'ainsi, il éviterait bien des discussions interminables, et des torrents de larmes. Sa mère n'avait pas son pareil pour manipuler les gens avec ses chagrins inconsolables jusqu'à ce que l'on dise comme elle. En revanche, en présence d'un vendeur, elle n'oserait probablement pas sortir l'artillerie lourde.

Chose certaine, quoi qu'il puisse arriver, Arthur était déterminé : il allait tenir son bout.

Depuis le temps qu'il courtisait la jeune Anna, le jeune homme rêvait de ces moments à deux qui se faisaient si rares à cause de leurs emplois respectifs qui grugeaient bien des heures, et des parents, tant les Romano que les Picard, d'ailleurs, qui les voyaient encore comme des enfants ! À très bientôt dix-neuf ans, Arthur commençait à en avoir assez, même si Anna, de son côté, semblait fort bien s'accommoder de la situation. Elle disait apprécier les soirées en famille et ne regimbait jamais quand il était question de faire du travail supplémentaire.

— J'ai besoin d'argent pour mon voyage en Italie, argumentait-elle quand Arthur s'insurgeait devant toutes les heures supplémentaires que la jeune fille acceptait avec plaisir.

Au point où Arthur, plus souvent qu'autrement, avait la nette impression de passer en second dans la vie de son amoureuse.

En vérité, soyons francs, s'il n'en avait tenu qu'à lui, Arthur serait déjà marié avec Anna, question de rendre leur union officielle, et une semaine sur deux, le vendredi après l'ouvrage, ils recevraient à souper Jacinthe, Daniel et la petite Caroline.

Mais invariablement, quand il se faisait pressant en ce qui concernait leur avenir, la jeune femme rétorquait qu'elle n'était pas encore prête.

— Quand nous aurons édifié les assises d'une existence confortable, nous penserons à faire vie commune, Arthur. Pas avant ! J'ai trop vu mon père se tuer à l'ouvrage pour avoir envie de suivre ses traces. Commence par écrire ton deuxième livre, et laisse-moi partir étudier en Italie. Nous en reparlerons à mon retour.

Un retour qui se situait dans un avenir encore bien flou, ce qui rendait Arthur de plus en plus impatient !

* * *

Si le jeune Picard avait eu l'idée d'un ascenseur, et même si cette idée était en grande partie intéressée, il n'en resta pas moins que ce fut sa mère qui eut le dernier mot, et ce, avant même que le jeune homme ait pu proposer sa chambre pour y installer la cabine.

— Et si on utilisait le garde-manger ? avait donc proposé Léonie, d'une voix qui laissait facilement entendre que la proposition n'était pas du tout improvisée, et qu'au contraire, elle avait été longuement examinée sous toutes ses coutures.

Le représentant, un peu découragé devant l'exiguïté du logement, avait aussitôt opiné du bonnet.

— Le garde-manger ? Puis-je le voir ?

Peut-être bien finalement qu'il allait pouvoir faire sa vente ! À quelques jours de Noël, son patron serait content, et il espérait ainsi mériter un petit bonus qui lui permettrait de gâter son fiston.

Il avait donc pris mesure sur mesure, avait fait plusieurs calculs, était descendu au magasin et remonté trois fois, pour finalement déclarer qu'un monte-charge, un peu plus petit, pouvait en effet être installé dans la dépense de la cuisine. Il ferait tout aussi bien l'affaire et coûterait même un peu moins cher qu'un ascenseur.

— Eh bien ! Que le diable m'emporte, me voilà devenu un paquet ! s'était écrié Joseph-Alfred, tout guilleret.

— Justement, avait alors glissé Arthur, qui voyait avec désespoir son rêve d'indépendance s'envoler en fumée. Un monte-charge, grand-père, c'est quand même moins chic qu'un ascenseur. Et si, à la place du garde-manger, on utilisait ma...

— Moins chic peut-être, mais c'est moins cher, avait alors tranché le vieil homme sur ce ton autoritaire qui avait toujours coupé l'inspiration à Joseph-Arthur. Monsieur le représentant, ici présent, vient de nous l'affirmer. Je considère donc que ta mère a eu une excellente idée !

Ensuite, le patriarche des Picard qui, malgré son grand âge, avait toujours tenu les cordons de la bourse familiale, s'était tourné vers sa belle-fille.

— Tu viens de régler le problème, Léonie. Dieu soit loué !

Puis, il était revenu au représentant.

— Vendu ! s'était-il alors exclamé, affichant son inimitable sourire édenté. Même si un monte-charge est moins glorieux qu'un ascenseur, comme le prétend mon petit-fils, il sera tout aussi efficace... Ne reste plus qu'à obtenir ton approbation, Léonie. Même si l'idée vient de toi, j'estime que tu as le droit d'y repenser sérieusement, à la lumière de tout ce que le représentant nous a précisé. Après tout, c'est de ta dépense dont on parle ici.

— Et alors ? Cheez Whiz, m'sieur Picard ! J'y ai longuement réfléchi, vous savez. Et j'en suis arrivée à la conclusion que j'aurais en masse de place dans mon coin cuisine du magasin pour ranger les affaires moins essentielles. Celles que j'utilise pas vraiment souvent. Quand j'en aurai de besoin, j'aurai juste à descendre par le monte-charge, moi avec. Si je me trompe pas, il devrait aboutir en bas, juste à côté de la porte qui donne sur les tablettes de chaudrons. Selon moi, ça va être parfait. Quant aux denrées alimentaires, je trouverai bien un petit coin dans mes autres armoires de cuisine... Si ma solution vous convient, elle me convient à moi aussi, m'sieur Picard.

Après une dernière vérification faite au rez-de-chaussée devant un J.A. visiblement inquiet, la décision avait donc été confirmée.

— Vous êtes sûr que ça dérangera pas la quincaillerie ?

Le regard que J.A. avait lancé au représentant était rempli de doute.

— Sûr et certain.

— Dans ce cas-là, avait répondu le quincailler en haussant les épaules, vous pouvez ben faire ce que vous voulez !

Puis, il était retourné à son poste derrière la caisse.

Le contrat avait été rédigé dans l'heure, et depuis que Joseph-Alfred l'avait paraphé et signé, il flottait sur un petit nuage rose.

— Vous rendez-vous compte, m'sieur Picard ? Dans moins d'une semaine, vous allez enfin pouvoir sortir du logement, déclara Léonie dès le départ du représentant, alors qu'elle commençait déjà à faire le tri dans les denrées diverses et les articles de cuisine plus ou moins utilisés qui encombraient le garde-manger.

— Oh que oui, je m'en rends compte ! Le mieux, dans tout cela, c'est que je n'aurai pas eu à rapetisser une chambre déjà exiguë...

— De quelle chambre parlez-vous ?

— De la mienne, voyons ! Jamais je n'aurais osé penser à celle que tu partages avec mon fils. Pas plus qu'à celle de Joseph-Arthur, d'ailleurs. Où aurait-il dormi, le pauvre enfant ? Toutefois, imagine-toi donc que j'avais songé à installer l'ascenseur dans le coin de ma chambre... Là où j'ai mon fauteuil. C'était ridicule, j'en conviens, et ton garçon n'a pas eu à insister longtemps pour que je le comprenne. En fin de compte, on a trouvé une solution nettement plus acceptable. Grâce à toi, Léonie ! Ouais, c'est grâce à toi, tout ça. Je t'en remercie, du fond du cœur... Basewell, que je suis un homme heureux, aujourd'hui !

Chapitre 5

«Hello, I love you, won't you tell me your name?
Hello, I love you, let me jump in your game
Hello, I love you, won't you tell me your name?
Hello, I love you, let me jump in your game
She's walking down the street
Blind to every eye she meets
Do you think you'll be the guy
To make the queen of the angels sigh?»

~

Hello, I love you, Jim Morrison / Robby Krieger /
Ray Manzarek / John Densmore

Interprété par The Doors, 1968

Le samedi 21 décembre 1968, toujours dans la cuisine des Picard, à l'heure du déjeuner, au lendemain de la visite du représentant

Si la veille en après-midi, le grand-père avait instantanément retrouvé la bonne humeur, et semblé rajeunir d'au moins dix ans, le petit-fils, lui, avait démontré un enthousiasme plutôt mitigé devant le projet. Pourtant, c'était son idée qui était en voie de réalisation, il aurait dû être heureux, non?

Mais non, il ne l'était pas du tout...

Le jeune homme avait manifesté juste ce qu'il fallait d'enthousiasme pour ne pas soulever de questions, et il était retourné travailler à la quincaillerie. Puis, le soir venu, il s'était éclipsé dès le souper terminé.

— Je vais lire dans ma chambre.

Au matin du samedi, Joseph-Alfred surveillait la porte de la chambre d'Arthur, l'humeur remise au beau fixe. Il se frotta les mains dès qu'il aperçut le battant qui s'ouvrait.

— Ah te voilà! Je ne te remercierai jamais assez, Joseph-Arthur, d'avoir eu une si riche idée, répéta donc le vieil homme, à l'instant où son petit-fils mettait un pied dans la cuisine.

— Tant mieux, grand-père. Je suis content pour vous.

Arthur esquissa même un petit sourire forcé pour accompagner le tout, car intérieurement, le jeune homme était toujours aussi profondément déçu.

Adieu veau, vache, cochon, couvée, ce n'était pas demain que Joseph-Arthur Picard verrait se réaliser son rêve d'avoir un pied-à-terre bien à lui, et sa déconvenue était immense.

Sans rien ajouter, le jeune homme se servit un café.

Quand, un peu plus tard durant le repas, sa mère parla du réveillon, déclarant qu'elle aimerait bien inviter ses amies Mado et Agathe, qui allaient se retrouver toutes seules après la messe de minuit, elle obtint sans difficulté l'accord de son beau-père :

— La bonne idée ! Ça va mettre un peu d'entrain. Madame Mado me fait bien rire avec ses observations parfois acerbes, mais toujours pertinentes, qu'elle lance à tout vent, sans se gêner. Quelle belle journée j'avais passée avec elle à l'Expo 67 !

Ensuite, Léonie eut droit à un vague haussement des épaules de la part de son mari en guise d'approbation, ce qui était à prévoir.

— Tu fais comme tu veux, marmonna-t-il en repliant soigneusement le journal du matin, dans lequel il venait de consulter les résultats sportifs. C'est mon père qui le dit tout le temps : c'est toi qui mènes pour ces affaires-là. Moi, je m'en vais ouvrir le magasin, c'est l'heure.

Quant à son fils, elle n'avait pas vraiment besoin de son assentiment, puisqu'il ne serait pas des leurs. Malgré cela, quand elle se tourna vers lui pour retirer son assiette, Léonie se heurta à un regard mauvais. Elle en fut surprise. En quoi l'invitation qu'elle voulait lancer à ses amies pouvait-elle déranger Arthur, puisqu'il ne serait même pas là ?

Mais comme son beau-père continuait de babiller à propos du monte-charge, elle décida de lui donner gaiement la réplique, et d'attendre de se retrouver seule avec son fils pour approfondir la question.

Ce qu'elle fit, un peu plus tard, à la quincaillerie, tandis qu'Arthur l'aidait à mettre en étalage plusieurs boîtes assez lourdes contenant des services de vaisselle ornée de motifs de Noël, afin de remplacer toutes celles qui avaient trouvé preneur. Cette année, pour le temps des Fêtes, bien des familles du quartier mangeraient dans des assiettes identiques !

— Mais qu'est-ce qui se passe avec toi, Arthur ? demanda-t-elle tout en alignant soigneusement les boîtes. Quand j'ai parlé du réveillon, tantôt durant le déjeuner, on dirait que ça t'a mis de mauvaise humeur.

— Pourquoi vous dites ça ?

— Parce que depuis ce moment-là, t'as ton air de petit garçon qui boude... Pis dis-moi pas que je me trompe, je te croirai pas. Je te connais comme si je t'avais tricoté, pis j'sais très bien que j'ai raison... Alors ? Ça te dérange si j'invite mes amies ?

— Pas du tout… Au contraire, même. De toute façon, comme papa l'a dit : c'est vous qui décidez, admit-il sur un ton bourru. C'est juste que moi, je ne serai pas là.

Léonie accusa le coup tout en secouant la tête et en haussant les sourcils.

— Pas là ? Je comprends pas. Justement, tu seras pas là. Mon envie d'inviter mes amies peut pas t'incommoder…

Arthur resta silencieux, ce qui agaça Léonie.

— Des fois, toi, t'es difficile à suivre, mon pauvre Arthur ! Si tu dis que ça te dérange pas justement parce que tu vas être absent au réveillon, change d'air, mon garçon !

Arthur se contenta de soupirer. Devant ce manque évident de bonne volonté, Léonie s'impatienta.

— Cheez Whiz, Arthur ! Tu te vois pas la face… On dirait que t'as trois ans pis que je viens de t'enlever ton camion préféré parce que t'es tannant.

— Je crois que vous exagérez quand même un peu !

— À peine.

Un second long soupir poussé par Arthur interrompit la discussion, puis il reprit, de toute évidence à contrecœur.

— Je viens de vous le dire que je suis désappointé… Un peu… Mais je ne suis pas de mauvaise humeur.

L'occasion d'avouer franchement ce qui causait réellement sa déception n'aurait pu être plus belle.

Avouer tout bonnement qu'à son âge, il rêvait de se retrouver chez lui, dans un petit logement qui lui ressemblerait. Toutefois, Arthur ne sauta pas sur l'occasion, persuadé qu'il était de voir sa mère s'effondrer en larmes.

— Ah bon, fit celle-ci sur un ton interrogateur... Va falloir que tu me dises pourquoi t'es «désappointé» à ce point-là, parce que moi, je persiste à dire que ça se peut pas, avoir une allure de condamné à mort simplement pour une petite contrariété.

— C'est juste que d'habitude, quand on revient de la messe de minuit, on prend un petit bouillon de dinde avec des biscuits soda, puis tout le monde va au lit tout de suite après. Un vrai réveillon, avec de la dinde, de la farce, pis des patates, comme chez mes amis, on n'a jamais fait ça.

— Ouais, pis après? Je te l'ai dit cent fois! À cause de ma grand-mère qui était née aux États-Unis pis qui habitait chez nous quand j'étais petite, j'ai été élevée à l'américaine, pis j'ai toujours célébré Noël au matin du 25. Quand je me suis mariée, j'ai voulu poursuivre la tradition, c'est tout. En plus, ton père pis ton grand-père étaient d'accord avec moi, à cause du magasin qui reste ouvert jusqu'à cinq heures, le vingt-quatre décembre. Ce soir-là, on est tous ben fatigués.

— Je sais tout ça! Chez nous, les cadeaux de Noël viennent après le déjeuner, et on a droit à un gros souper le soir.

— En plein ça ! Pis jusqu'à présent, ça semblait pas te rendre si malheureux que ça, d'attendre au matin pour fêter.

— C'est vrai. Toutefois, ça me fâche un peu que vous ayez choisi précisément l'année où je ne serai pas là pour organiser un réveillon qui a un peu plus de panache.

— Franchement ! Un vrai bébé... En quoi ça peut te bouleverser autant que j'ajoute des petits sandwichs pas de croûte, de la salade aux patates, pis un aspic aux tomates à mon traditionnel bouillon ? De toute façon, t'aimes même pas ça, l'aspic.

— Ça me dérange pas, je vous l'ai dit !

— Ben si c'est de même, change d'allure, Joseph-Arthur Picard ! T'as surtout pas raison de te plaindre de quoi que ce soit, cette année.

Un silence maussade suivit ces quelques paroles. Le mettant sur le compte d'une petite crise d'enfant gâté, Léonie poursuivit avec humeur.

— Mon pauvre Arthur ! Il y a des fois, toi, où on sait vraiment pas par quel bout te prendre. Voyons donc ! À ton âge, on fait pas la baboune pour une niaiserie pareille. Surtout avec la belle invitation que t'as reçue. Ça faisait des années que tu l'espérais.

Si Léonie croyait dérider son garçon de cette façon, elle s'était bien trompée. Ce fut à peine s'il jeta un regard dans sa direction.

— Bon, si c'est comme ça, m'en vas te mettre les points sur les « i », jeune homme, pis après ça, on en parlera plus !

À genoux devant l'étagère pour placer les boîtes sur la tablette du bas, Léonie se redressa sensiblement et elle se laissa tomber sur ses talons.

— C'est pas vrai que j'vas endurer une face de carême quand c'est le temps des Fêtes qui approche, pis que tout le monde est supposé être de bonne humeur… Ça fait depuis que tu fréquentes Anna que tu nous serines les oreilles à chaque année avec le fait que t'es jamais invité au réveillon des Romano, pis que ça te déçoit… C'est vrai ce que je dis là, ou c'est pas vrai ?

Tout en posant cette dernière question, Léonie leva les yeux vers son fils.

— C'est vrai, approuva-t-il dans un murmure.

— Bon ! Il me semblait aussi…

Le ton était impatient, certes, mais en même temps, un peu sarcastique. Léonie expira bruyamment avant de poursuivre.

— Mais v'là-tu pas que cette année, monsieur Romano lui-même te dit que tu serais le bienvenu à leur réveillon, pis tu trouves moyen de rechigner encore ? C'est ridicule, si tu veux mon avis. Pis pas mal enfantin. Ça fait que non, je te comprends pas, Arthur !

Sachant qu'il n'aurait pas le dernier mot, parce que dans un sens, sa mère n'avait pas vraiment tort, le jeune homme se dépêcha de répondre, espérant en finir au plus vite avec cette discussion qui le mettait mal à l'aise et qui, vue de l'extérieur, ne rimait à rien.

— Laissez tomber, maman, soupira-t-il avec une certaine exagération. Vous avez raison quand vous dites qu'il n'y a pas grand-chose à comprendre dans tout ça... De toute façon, vous me connaissez, non? Ça va finir par passer. Bon, maintenant, vous allez devoir m'excuser, mais j'ai promis à papa que j'irais le rejoindre dès que vos tablettes seraient bien garnies.

Et là-dessus, Arthur tourna les talons et passa rapidement du côté de la quincaillerie afin d'aider son père. Malgré l'heure matinale, comme on était à quelques jours à peine de Noël et que, de surcroît, on était samedi, il y avait déjà de nombreux clients dans le magasin. Le grand jeune homme fut suivi par le regard accablé de Léonie qui, effectivement, ne comprenait pas grand-chose à l'attitude de son garçon. Ce qu'elle appréhendait, en revanche, c'était qu'à cause de cela, elle se ferait du mauvais sang durant toute la journée. Malgré la joyeuse foule des clients qui se pressaient dans le magasin, surtout de son côté cuisine, elle se doutait que pour elle, le temps passerait à pas de tortue.

Quand elle se releva pour aller au-devant d'une fidèle cliente, elle le fit lentement, en grimaçant et en se frottant le bas du dos. Allez donc comprendre pourquoi l'inquiétude lui avait toujours procuré des malaises au dos!

Et chaque fois que son fils avait l'air malheureux et qu'il inventait mille et un prétextes pour se justifier, Léonie ne se sentait jamais très bien.

En fait, il n'y avait qu'Arthur lui-même qui pouvait comprendre ce qu'il ressentait. Il avait hâte que la journée finisse afin de se retrouver seul dans sa chambre. Heureusement qu'on était samedi, le magasin serait donc fermé en soirée. Cela faisait un certain moment qu'il n'avait pas écrit dans son journal, ce cahier à reliure spirale qu'il appelait son cahier de confidences, mais en ce moment, l'envie d'y raconter les derniers événements et tout ce qui s'y rattachait se faisait pressante.

Mais c'était sa faute, aussi, uniquement la sienne, s'il prenait conscience en ce moment que le plaisir d'écrire lui manquait.

En fait, depuis la parution de son roman, il avait réussi à se convaincre que dorénavant, il n'aurait plus vraiment besoin d'épancher ses émotions sur le papier. C'était bon pour le gamin d'hier qui avait envie d'écrire, mais qui ne savait pas exactement ce qu'il voulait confier au papier. Alors, bien sérieusement, tous les soirs avant de se coucher, pendant quelques années, il s'était plu à raconter ses journées dans un cahier d'écolier.

Puis, quelques années plus tard, Anna était entrée dans sa vie de façon plus personnelle.

À elle, il pouvait tout dire, n'est-ce pas?

Presque.

Or, présentement, c'était ce «presque» qui pesait lourd dans sa grande déception de ne pas déménager, et il le confierait à son cahier.

En fin de compte, il s'était bien trompé en reléguant ce cahier aux coins écornés au fond d'un tiroir. Sinon, à qui pourrait-il ouvrir son cœur ? À qui pourrait-il dire que plus le temps passait et plus il avait envie de découvrir tous les sens de l'amour avec sa belle Anna ? Cela faisait plusieurs mois maintenant qu'il avait compris ce que son ami Daniel cherchait à expliquer quand il lui avait avoué, sous le couvert de la confidence, que sa belle Jacinthe le rendait fou, parfois.

Oh oui, Arthur comprenait ! Quand il était aux côtés d'Anna, à certains moments, il en tremblait, tant il se sentait fébrile.

On les appelait peut-être les amoureux, Anna et lui, mais dans leur cas, ce n'était qu'une appellation comme une autre. À tout le moins aux yeux d'Arthur. On aurait pu dire qu'ils n'étaient que de bons amis, et cela aurait été plus conforme à la réalité. Les baisers échangés étaient de moins en moins fréquents, et Anna n'appréciait pas vraiment les étreintes.

— Tu me serres trop fort, Arthur, disait-elle en le repoussant, avec parfois un sourire contrit. J'ai l'impression que je vais étouffer.

Cette phrase trop souvent entendue revenait fréquemment à l'esprit d'Arthur, et elle le rendait malheureux. Il n'arrivait pas à en saisir le sens profond. Allons donc ! Quand on aime quelqu'un, être dans ses bras ne nous opprime pas. Bien au contraire. En revanche, Anna lui disait aussi, et très régulièrement, du reste, qu'elle l'aimait beaucoup. Ensemble, ils faisaient souvent des projets d'avenir. Ils avaient même décidé que leur cuisinière serait de ce « vert avocado », à la dernière mode. Tout comme le réfrigérateur, d'ailleurs.

— Tu vas voir, Arthur ! Un jour, le monde va nous appartenir ! Nous pourrons nous offrir tout ce que nous voudrons et nous serons encore plus heureux que maintenant parce que nous serons fiers de notre réussite. Moi comme chef, et toi comme écrivain.

C'était en raison de mots comme ceux-là qu'Arthur rêvait d'être enfin chez lui. Il se disait qu'avec un peu d'intimité et tout leur temps, il saurait apprivoiser celle qu'il aimait sincèrement et qui semblait vouloir le fuir chaque fois qu'il s'approchait d'elle.

— Laisse-moi partir pour l'Italie, écris ton deuxième roman, et à mon retour, nous parlerons de vie à deux… Promis ! Quand tu connaîtras l'Italie, toi aussi, tu vas tout comprendre.

Malheureusement, Arthur n'avait pas particulièrement envie de voir l'Italie, pas pour le moment, du moins, et certains jours, il avait l'impression que ce voyage dont Anna parlait tout le temps avait plus d'importance que lui. Il avait la sensation un peu étourdissante de flotter sur des eaux tumultueuses, comme un bouchon de liège à la merci de vagues capricieuses, sans trop savoir où le courant le mènerait.

Ce serait tout cela, dans l'ordre ou dans le désordre, qu'il écrirait dans son cahier, plus tard, en après-midi. Autrefois, quand il se relisait, il trouvait un sens caché aux événements, et cela l'aidait à s'apaiser. Ce serait peut-être encore le cas, aujourd'hui.

À quatre heures, au moment où la noirceur commençait à envahir les rues de la ville, les clients désertèrent le magasin, tous à peu près en même temps. Il y eut une petite bousculade à la caisse, des vœux échangés, et des promesses d'essayer de se voir durant les quelques jours de congé qui s'en venaient. Puis, brusquement, plus rien.

— Tabarslac, ça s'est ben faite vite ! constata J.A. en regardant autour de lui, tandis que la porte se refermait sur une vieille dame qui venait d'acheter un rouleau à pâte pour finir ses tourtières parce que le sien avait rendu l'âme sur un pâté au saumon. J'ai ben l'impression, Joseph-Arthur, que c'est fini pour aujourd'hui. Il me reste juste à compter la caisse, barrer la porte, fermer les lumières, pis j'vas monter rejoindre mon père. Il me l'a dit l'autre jour : il trouve ça long en tabarslac de passer des grandes journées tout seul en haut.

— Il me l'a dit à moi aussi... Dans ce cas-là, si vous n'avez plus besoin de moi, je monterais tout de suite.

— Fais comme tu veux... Même que c'est une bonne idée d'aller voir ton grand-père tusuite. Moi, j'ai plus besoin de toi ici...

Cependant, Arthur n'avait pas vraiment l'intention de rejoindre son grand-père. Espérant que ce dernier serait au salon en train de regarder la télévision, le jeune homme attrapa sa grosse veste de laine et il sortit par l'arrière de la quincaillerie. Puis il leva les yeux vers la fenêtre de la cuisine.

Aucune lumière à l'étage.

Arthur esquissa une moue d'approbation. Tant mieux ! Si son grand-père n'était pas à la cuisine, son arrivée passerait inaperçue.

Il monta l'escalier à pas de loup. Puis, il entra dans l'appartement silencieusement avant de filer discrètement jusqu'à sa chambre, dont il ferma la porte sans faire de bruit, et il tendit l'oreille.

Aucun appel, aucun bruit particulier provenant du salon.

— Bingo ! murmura-t-il pour lui-même.

Il alluma alors sa lampe de travail et ouvrit le tiroir de son pupitre. Le cahier se cachait tout au fond, sous une pile de feuilles vierges qui n'attendaient que son bon vouloir pour se couvrir de tous les mots qui deviendraient un jour son prochain roman.

Le hic, pour l'instant, c'est qu'Arthur n'avait pas la moindre idée de ce qu'il allait écrire.

Il secoua la tête pour effacer cette dernière pensée qui l'angoissait un peu plus chaque jour. Puis, il fourragea sous les feuilles et sortit son cahier de sa cachette. Machinalement, il en huma la couverture fatiguée d'avoir été beaucoup et souvent manipulée. Il aimait cette odeur de papier, celle de l'encre en train de sécher, car parfois, comme s'il était un grand écrivain d'une autre époque, il s'amusait à utiliser sa plume-fontaine pour écrire.

En ce moment, ses mains tremblaient d'excitation.

Arthur se promit alors de ne pas attendre plus longtemps et de s'attaquer à l'écriture de son deuxième livre dès le lendemain matin, au retour de l'église, qu'il continuait de fréquenter tous les dimanches avec sa famille. Tant pis s'il ne savait pas encore de quoi parlerait ce bouquin, il allait tout de même coucher sur une feuille les premiers mots qui lui viendraient à l'esprit.

— Sapristi, murmura-t-il, tout en ouvrant le cahier. Comment est-ce que j'ai pu croire que je serais pleinement heureux en boudant mon plaisir d'écrire ? Je suis vraiment nono, des fois !

Il retrouva la page où il s'était arrêté, et selon une très vieille habitude, il relut ce qu'il avait écrit deux mois auparavant.

On était à la fin du mois d'octobre, et de toute évidence, à ce moment-là, il était plus que satisfait de son sort. Il venait d'apprendre que son livre serait publié juste à temps pour les Fêtes, et Jacinthe, au souper de ce vendredi-là, leur avait annoncé que Daniel et elle auraient un autre enfant, probablement à la mi-juin, si ses calculs étaient bons.

« Je les envie un peu », avait écrit Arthur en conclusion à sa dernière confidence. « Même si je sais qu'Anna n'est pas du tout prête à avoir des enfants, et je le respecte, cela n'empêche pas que moi, j'ai très hâte. Ma filleule Caroline est tellement adorable ! Je ne comprends pas qu'Anna ne craque pas plus que ça devant une petite fille aussi mignonne. Puis, c'est grand-père qui serait content ! J'espère tant pouvoir lui procurer la joie d'être arrière-grand-père… »

Arthur leva les yeux, songeur. Les derniers mots écrits en octobre dernier étaient toujours d'actualité. Il savait à l'avance qu'il n'y aurait pas de mariage, et donc que l'espoir de marcher vers l'autel au bras de son grand-père était à toute fin pratique illusoire. Anna était formelle : elle était allergique à toutes ces cérémonies qui avaient plus d'importance pour la galerie que pour les principaux intéressés.

— En plus, ça coûte une fortune. Et pourquoi ? Pour quelques heures éreintantes qui vont probablement passer à la vitesse de l'éclair ? Non merci ! Ce n'est pas pour moi.

— Et tes parents ? Tu sais à quel point la religion est importante pour eux !

— Je sais, oui… Il n'en reste pas moins que ce ne seront pas eux qui vont se marier, mais nous. La décision nous revient, non ? De toute façon, quand j'aurai vingt et un ans, ils n'auront plus rien à dire, et à mon avis, une cérémonie à l'église n'est pas aussi importante que ça.

C'était bien Anna de décider du cours des événements, la plupart du temps toute seule, tout en prétendant le faire pour eux deux.

Le jeune homme esquissa l'ombre d'un sourire. Pour les petites choses du quotidien, il s'en fichait un peu, comme la plupart des garçons, probablement. Chez Daniel aussi, Jacinthe s'occupait de l'ordinaire de la maisonnée sans demander l'avis de son mari à tout propos.

Mais pour les choses d'importance, de celles qui comptaient dans la vie de quelqu'un, Arthur aurait préféré qu'Anna ait le réflexe de le consulter, ce qui était de moins en moins souvent le cas.

À cette pensée, le jeune quincailler leva la tête en soupirant.

Devant lui, les lumières de la rue scintillaient déjà, dessinant des halos jaunâtres à travers la neige qui tombait dru depuis le matin. S'il s'étirait le cou, il pouvait apercevoir le sapin lumineux du commerce voisin, celui qui vendait des vêtements pour dames. Année après année, au lendemain de la fête de l'Immaculée Conception, la propriétaire installait son arbre sur le trottoir, entre les deux magasins, ce qui faisait bien l'affaire de J.A., qui détestait toujours autant être bousculé dans sa routine. Installer les décorations lui faisait généralement pousser des jurons d'impatience, même s'il trouvait ça beau une fois la corvée terminée.

Alors, cette année encore, ce serait Arthur qui ferait le sapin du salon sous les directives de sa mère, qui n'entendait pas à rire dès qu'il était question de décorations. Et au grand dam d'Arthur, le sapin n'entrait dans la maison des Picard que le vingt-quatre décembre au soir.

Toujours selon la fichue tradition!

Ce qui voulait dire, par le fait même, qu'il devait ranger les boîtes vides dans la réserve de la quincaillerie, et qu'il faisait sa toilette à la hâte avant de partir pour l'église.

Arthur grimaça.

En revanche, peut-être que cette année sa mère accepterait de déroger aux habitudes et de lui permettre d'installer et de décorer l'arbre le vingt-trois au soir ? Pourquoi pas ? Après tout, il avait promis de se joindre aux Romano sur le coup de dix heures, car toute la famille se déplaçait dans un quartier voisin pour assister à la messe de minuit avec sa parenté.

Ce fut sur cet espoir qu'Arthur prit un stylo et, se penchant sur son cahier, il se mit à écrire. D'abord lentement, se mordillant les lèvres, puis de plus en plus rapidement, alors que la main peinait à suivre le fil de ses pensées. Maintenant, les mots lui venaient facilement et les idées se plaçaient toutes seules, comme avant, comme chaque fois qu'il écrivait. Parfois, il s'amusait à se dire, comme s'il y croyait sincèrement, que la plume savait d'elle-même ce qu'il fallait écrire.

Alors ce soir, il y avait Anna, le petit logement, le voyage en Italie, la soirée du réveillon…

Ce fut son grand-père qui le tira de cette intense réflexion en toquant à sa porte. Arthur sursauta. Depuis ces dernières minutes, il avait l'impression de revisiter sa vie, du moins la dernière année, et il se demandait où s'arrêteraient les confidences, car le nom d'Anna venait de réapparaître.

Néanmoins, le jeune homme se tourna vers la porte qui s'entrouvrait.

— Il me semblait aussi, disait présentement Joseph-Alfred, que je t'avais entendu arriver, tout à l'heure…

Et dire qu'Arthur croyait être entré en catimini !

Le jeune homme décida de s'en moquer, et il offrit un petit sourire à son grand-père, qui pointait son pupitre avec l'index.

— Je vois que tu t'es remis à l'écriture… C'est bien, Joseph-Arthur, c'est très bien…

Bref silence où le grand-père fut déçu de voir que son petit-fils ne donnait pas suite à son propos. Alors, il reprit.

— Je ne te demanderai pas si c'est ton prochain livre qui est en train de voir le jour, car si ce n'est pas le cas, je vais te faire une triste mine et je n'y tiens pas… La journée est trop parfaite jusqu'à maintenant pour la gâcher par quoi que ce soit… Non, je voulais simplement te dire que c'est pour toi, au téléphone.

— Le téléphone a sonné ?

— Hé ! Je vois que tu n'as rien perdu de ton pouvoir de concentration… C'est une excellente chose, mon garçon. Oui, c'est Daniel au bout de la ligne. Je lui dis que tu es occupé ou…

— Laissez faire, grand-père, interrompit Arthur tout en repoussant sa chaise et en refermant son cahier. Je vais lui parler. Je n'avais justement rien de prévu pour ce soir.

Arthur était déjà debout.

— Et Anna ? demanda Joseph-Alfred, curieux comme toujours, emboîtant le pas à son petit-fils qui sortait de sa chambre. Habituellement, vous passez vos samedis soir ensemble, non?

Arthur hésita. Oh! À peine une fraction de seconde, mais le vieil homme s'en rendit compte.

La récente maussaderie de son petit-fils viendrait-elle de là?

Pourtant, l'instant d'après, Arthur laissait tomber avec désinvolture, par-dessus son épaule:

— Ce soir, Anna cuisine des desserts avec sa mère et sa tante, tandis que son père fait des lasagnes. Ça m'a l'air d'être toute une besogne, préparer un réveillon chez les Italiens.

— Je suis curieux d'entendre ce que tu vas nous en raconter.

— Promis, je vais vous faire un compte rendu détaillé au déjeuner de Noël. Pour l'instant, je vais me dépêcher de répondre à Daniel avant qu'il se tanne et me raccroche la ligne au nez.

Quelques minutes plus tard, depuis la fenêtre du salon, Joseph-Alfred regardait l'auto de son petit-fils quitter la ruelle pour s'engager sur l'avenue. Joseph-Arthur s'en allait manger chez ses amis, et il passerait toute la soirée avec eux à regarder la partie de hockey.

— Basewell que j'ai hâte de sortir, moi aussi, murmura le vieillard, faisant ainsi référence à toutes les possibilités qui s'offriraient de nouveau à lui, à partir du jour où le monte-charge serait en fonction.

Et ça ne tarderait pas, car le représentant avait précisé, en rangeant le contrat dans une mallette, que l'installation se ferait sans doute avant la nouvelle année. En effet, les délais de livraison pour un monte-charge étaient nettement moins longs que ceux pour un ascenseur.

— On parle ici de quelques jours au lieu de plusieurs semaines.

— Ah oui, vite de même?

Léonie avait semblé surprise, ce qui, chez elle, se traduisait souvent par une petite crise d'hyperventilation.

— Si c'est comme ça, il va falloir que je m'active, avait-elle déclaré précipitamment, une main posée sur sa poitrine...

— Si tu préfères, Léonie, on peut attendre un peu pour...

— Pantoute, m'sieur Picard. J'vas profiter du lendemain de Noël pour vous préparer la place, avait-elle mentionné avec empressement, en reportant les yeux sur le représentant. Mon garçon est sûrement capable de me remplacer dans le magasin pour gérer les échanges de cadeaux, quand on va ouvrir, le vingt-six, à une heure.

— Pis moi, je vous appelle lundi dans le courant de la journée pour vous donner la date exacte de l'installation, avait précisé le représentant. Normalement, ça se fait en une ou deux journées. Après ça, il vous restera juste à refaire la finition.

— Il n'y aura aucun problème à s'occuper de rafistoler tout ça pour un vieux quincailler comme moi, avait rassuré Joseph-Alfred, tout souriant. Je connais un excellent menuisier qui fait des merveilles ! Dès que l'on aura la date, je communiquerai avec lui.

En repensant à cette courte discussion, un frisson d'excitation chatouilla le dos du vieil homme. Au même instant, il entendit Léonie revenir du magasin.

— Je suis au salon, lança le vieil homme, tout en s'arrachant à sa contemplation de la rue où bientôt, il pourrait aller marcher à sa guise quand la température le permettrait. Ton garçon vient de partir pour chez Daniel. Il soupe là-bas.

— Ah ouais ? Ben c'est tant mieux... Ouais, ça fait vraiment mon affaire.

— Comment ça ? demanda Joseph-Alfred en entrant dans la cuisine. C'est bien la première fois que tu te réjouis en apprenant que notre Joseph-Arthur ne sera pas là.

— Oh ! C'est pas ben ben compliqué, vous allez voir ! Premièrement, c'est pas la bonne humeur qui étouffe mon garçon depuis la visite du représentant, sans que je comprenne pourquoi d'ailleurs, pis ça me tentait pas pantoute de le voir nous faire la « baboune » au souper. J'ai eu assez de le croiser tout au long de la journée pour comprendre que sa mauvaise humeur est là pour rester encore un petit bout de temps. Pis deuxièmement, si ça vous dérange pas trop, vu qu'on est juste entre nous autres, J.A., vous pis moi, on va se contenter d'une soupe avec un *grilled-cheese*, pour le repas. J'ai rendez-vous à six heures et demie chez Agathe pour ma mise en plis, ça fait que je suis un peu pressée.

— Un samedi soir ? Chez la coiffeuse ?

— Ben oui ! Figurez-vous donc qu'avec la semaine de congé que ma coiffeuse a pris, un peu plus tôt dans le mois, pis avec Noël qui s'en vient, comme de raison, la pauvre Agathe a pas le choix d'ouvrir à soir... Pis à tous les soirs, jusqu'au vingt-trois y compris, tant qu'à ça, si elle veut arriver à satisfaire toutes ses clientes.

— Pas de problème avec moi. Je suis toujours partant pour une soupe accompagnée d'un ou deux *grilled-cheese*. Et comme je connais J.A., si tu fais de la crème aux tomates pour l'accompagner, lui aussi va être très heureux de son sort.

— C'est vrai qu'il aime ça, la soupe aux tomates... Pis il a raison parce que c'est bon en s'il vous plaît ! Si c'est de même, j'vas nous ouvrir deux boîtes de soupe Campbell's. Comme ça, il va y en avoir assez pour chacun deux gros bols. Ça devrait nous rassasier.

— Bonne idée ! Je vais mettre la table pendant que tu nous prépares ça.

— Merci, m'sieur Picard... Cheez Whiz que c'est pas compliqué avec vous, quand vous êtes de bonne humeur ! C'est pas mêlant, un p'tit rien fait votre bonheur.

— Alors, je te rends la pareille, Léonie... Basewell que tu as un beau sourire ! Comme le disait mon père quand il parlait de ma mère : les créatures ont été inventées par le Bon Dieu pour embellir le monde. Et toi, chère Léonie, tu as fait entrer un rayon de soleil dans mon petit logement tristounet le jour où tu as marié mon J.A.

Le vieillard fit mine de chercher, tandis qu'une lueur malicieuse brillait dans son regard.

— Et ma parole, vingt ans plus tard, il continue de briller encore, ce rayon de bonheur !

— Vous êtes ben fin de me dire ça.

Léonie rendit son sourire à son beau-père.

— C'est vrai qu'on s'adonne ben, vous pis moi, ajouta-t-elle d'emblée... Bon, assez placoté, c'est l'heure de préparer le souper, si je veux pas être en retard à mon rendez-vous !

* * *

Quand Léonie entra dans le salon de coiffure, elle se dépêcha de refermer la porte, car la soirée était froide, malgré la neige qui tombait toujours à plein ciel. Ensuite, comme chaque fois qu'elle venait se faire coiffer, elle ne put s'empêcher de prendre une longue et profonde inspiration, et c'était comme une goulée de bonheur qu'elle inhalait en même temps.

C'était un beau salon que celui d'Agathe, et celle-ci en prenait un soin jaloux, toujours consciente, après toutes ces années, qu'elle avait été chanceuse que le propriétaire de la maison accepte volontiers de voir le séjour de son petit logement à louer se faire défigurer par un commerce qui exigeait d'importantes modifications. Mais comme Agathe avait promis d'habiter là pour de nombreuses années... Au bout du compte, deux éviers profonds en porcelaine noire, deux tables de travail blanches et or encombrées de bouteilles de toutes sortes et surmontées par de larges miroirs entourés de petites lumières, plus trois séchoirs le long du mur, à côté de la porte qui donnait dans la cuisine de l'appartement, en faisaient un endroit confortable où plusieurs dames en même temps pouvaient venir se faire coiffer tout en relaxant.

La pièce gardait en permanence une odeur bien particulière, un peu lourde, faite des effluves nauséabonds de l'ammoniaque contenue dans les produits pour les teintures et les permanentes, emmêlée à la senteur fleurie du shampoing, celle plus musquée des différentes huiles pour le cuir chevelu, et celle piquante des fixatifs en tous genres. Mais ça n'avait aucune importance pour Léonie. Ici, elle se sentait bien. Ces quelques heures arrachées à son quotidien bien rempli et passées en compagnie de son amie Agathe étaient sa petite détente, son répit, deux fois par mois.

Mais ce soir, quelle ne fut pas sa surprise d'apercevoir Mado, les manches de son chemisier roulées jusqu'aux coudes, en train de laver les cheveux d'une dame âgée !

— Veux-tu ben me dire ce que tu fais là, toi ? demanda Léonie depuis la porte, tapant ses pieds sur le plancher pour faire tomber la neige qui était restée collée à ses semelles.

— Salut Léonie ! Comment ça va ?

— Ça va, ça va même très bien… J'vas te raconter tout ça dans le détail, tout à l'heure. Mais t'as pas répondu à…

— Soda, tu le vois bien, ce que je fais ! Je donne un coup de main à Agathe.

— C'est sûr que je comprends un peu ce qui se passe. Mais le casse-croûte, lui ? C'est en plein l'heure du souper, non ? Rita doit ben avoir de la broue dans le toupet, de se retrouver toute seule pour voir à tous ses clients.

— Crains pas, la situation est sous contrôle !

— Comment ça ? Il me semblait que le samedi soir, il y avait toujours pas mal de monde à manger au restaurant. Je me trompe ou quoi ?

— Ça dépend. Quand l'hiver se pointe, c'est plus tranquille. De toute façon, ça fait déjà une couple de semaines que je prends mes samedis soir de congé.

— Ah oui ? Tu m'avais pas dit ça… En quel honneur ?

— C'est grâce à Mario, qui vient manger au restaurant. Comme il peut veiller plus tard, vu que la boulangerie est fermée le dimanche, il reste un bon moment à jaser avec Rita. Comme ça, au besoin, il est là pour l'aider… Astheure, grouille-toi, Léonie ! Comme tu peux voir, t'es pas la seule femme du quartier à venir te faire coiffer à soir ! Enlève ton manteau, pis viens me rejoindre, c'est à ton tour. J'vas te faire ton traitement à l'huile avant de te laver la tête.

Ces derniers mots firent sourire la marchande de casseroles.

— J'aurais jamais cru qu'un jour, tu me dirais une affaire de même, Mado Champagne ! J'suis plus habituée de t'entendre me demander si j'veux mon Coke tablette ou avec de la glace ! Mado, la coiffeuse... C'est le monde à l'envers ! Donne-moi deux minutes, veux-tu ? Je suspends mon manteau, j'enlève mes bottes pour mettre mes chaussons, pis j'arrive.

Il y avait en effet plusieurs femmes à se faire coiffer en ce samedi soir, et les conversations allaient bon train, alors qu'Agathe passait de l'une à l'autre avec une célérité et une adresse de prestidigitateur !

Vérification de la couleur pour l'une, pose de bigoudis pour l'autre, un coup de ciseau à droite, un coup de peigne à gauche, Agathe donnait l'impression d'être partout en même temps. De son côté, telle une professionnelle de la coiffure, Mado suivait dans l'ombre d'Agathe pour compléter le travail.

Heureusement, d'ailleurs, que Mado avait offert à Agathe de l'aider, sinon la pauvre coiffeuse en aurait eu plein les bras ! Malgré cela, cette dernière se démenait comme un diable dans un bénitier par crainte de ne pas arriver à satisfaire tout son monde.

Néanmoins, les femmes présentes en ce moment avaient l'air heureuses de se retrouver dans son salon, et aucune d'entre elles ne rechignait lorsqu'elle devait attendre un peu plus que de coutume.

Et surtout, personne n'avait parlé de son garçon depuis que la coiffeuse avait rouvert son salon, plus tôt en décembre. Agathe leur en savait gré, et c'était un peu sa façon à elle de les remercier si elle avait décidé de prolonger les heures d'ouverture d'ici Noël.

Mais ce silence sur les déboires de son fils ne voulait pas dire pour autant que les potins étaient bannis à tout jamais.

Alors, présentement, les langues se déliaient à qui mieux mieux, et on parlait fort pour contrer le bruit des séchoirs.

— Savez-vous qui c'est que j'ai croisé à matin?

— Comment veux-tu que je le sache, Dorothée?

— C'est Ruth que j'ai vue!

— Ruth qui?

— Ben... Meloche, voyons donc! Il y a jamais eu d'autres Ruth à part elle dans le quartier.

— C'est vrai! Coudonc, j'avais jamais remarqué ça... Mais j'ai-tu ben entendu, moi là? As-tu dit «Meloche»?

— Ouais, pourquoi?

— Ben, ça me surprend un peu... Comme ça, Ruth aurait gardé son nom de femme mariée?

— Ah ça, par exemple, je le sais pas. Pis j'y ai pas demandé. Que c'est que tu vas penser là? Ça m'aurait mis ben que trop mal à l'aise. C'est pas ben ben reluisant, un divorce, même si on dirait qu'il y en a de plus en plus... En tout cas, moi, j'aime pas ça en parler.

— T'as ben raison, approuva une dame entre deux âges qui répondait au doux prénom d'Adélaïde.

Assise à l'une des tables de travail du salon, elle regardait les autres femmes par miroir interposé, tandis qu'Agathe lui installait de minuscules rouleaux pour friser ses cheveux. « Comme un mouton », spécifiait-elle, chaque fois qu'elle venait voir la coiffeuse.

— Les parents de la blonde de mon garçon Hector sont divorcés, eux autres avec, déclara-t-elle. Mais à part ça, je connais personne qui...

— Pis, Dorothée ? interrompit une certaine Gracia, commère par vocation comme d'autres sont vendeuse ou institutrice. Où c'est que tu l'as rencontrée, finalement, la Ruth Meloche ? demanda-t-elle, assise à l'autre table de travail, tandis que Mado commençait à enlever ses bigoudis, car elle était là pour une permanente.

— À l'épicerie, toi !

— Han, à l'épicerie ? Veux-tu ben me dire ce qu'elle faisait là ?

— Elle achetait sa dinde, imagine-toi donc.

— Sa dinde ?

Avec un sourire moqueur sur les lèvres, Gracia donna un petit coup de tête pour que Mado la laisse bouger un instant, puis elle se tordit le cou pour regarder autour d'elle afin de vérifier si toutes les femmes avaient bien entendu. De toute évidence, c'était le cas, puisque même celles qui avaient la tête sous un séchoir la sortaient à moitié et tendaient une oreille curieuse pour ne rien perdre de la discussion.

— Ben oui, sa dinde ! répéta Dorothée la tête hérissée de rouleaux, allant des plus petits autour du visage aux plus gros à l'arrière de la tête.

Elle était assise sur une petite chaise qu'Agathe avait prise dans sa cuisine et elle attendait qu'un séchoir se libère.

— Selon ce que Ruth m'a dit, il paraîtrait qu'il y en a pas de la fraîche, dans son quartier, parce que le monde dans l'ouest mange pas ça, de la dinde pour Noël... C'est vrai qu'il y a pas mal d'importés, dans ce coin-là...

Un hochement de têtes général soutint cette remarque, à l'exception de Léonie qui, la tête au-dessus de l'évier, laissait l'huile faire son travail d'hydratation tout en revoyant mentalement la visite du représentant en ascenseurs. En pensée, elle était en train de vider sa dépense, elle n'avait donc rien compris.

— Je me demande ben ce qu'ils peuvent manger pour fêter Noël, si c'est pas de la dinde... *Anyway*...

Dorothée secoua vigoureusement la tête, au risque de faire dégringoler son échafaudage de rouleaux, puis elle leva les yeux vers Gracia.

— Toujours est-il, reprit-elle, que c'est de la dinde fraîche que Ruth voulait à tout prix pour faire plaisir à ses garçons.

— Cârosse, c'est ben niaiseux, son affaire ! D'la dinde, c'est d'la dinde, fit remarquer Adélaïde. Une fois qu'elle a dégelé ben comme il faut, moi, j'vois pas la différence.

— En tout cas, faut qu'elle veuille faire plaisir rare à ses garçons pour oser se montrer la face par ici ! souligna Gracia, qui aimait bien avoir le dernier mot, quelle que soit la discussion.

— Pourquoi tu dis ça ?

— Parce que selon moi, c'est pas tellement glorieux, d'être une femme divorcée.

— Ben moi, j'suis pas d'accord avec toi, Gracia… Elle a rien fait de mal, la Ruth Meloche, rectifia Germaine, qui suivait l'échange de propos avec le plus vif intérêt, une oreille sous le séchoir et l'autre aux aguets. C'est son mari le fautif, là-dedans.

— Ouais… Tant qu'à ça…

— N'empêche… J'ai pour mon dire que ça devait pas être rose tous les jours, chez les Meloche, pour que son mari se mette à regarder ailleurs… Ayoye donc, Mado ! Tire pas aussi fort quand t'enlèves les bigoudis, on dirait que tu m'arraches le fond de la tête !

— Oh ! Je t'ai fait mal ?

Le ton de Mado était doucereux.

— Excuse-moi, Gracia. J'vas faire plus attention.

Depuis quelques instants, Mado mâchait sa gomme avec une énergie renouvelée. Bien qu'elle soit une curieuse-née et que les petites histoires croustillantes ne soient pas pour lui déplaire, elle détestait cependant que l'on déblatère à ce point. Si quelques cheveux tirés arrivaient à détourner la conversation, elle en serait fort aise.

Malheureusement, ce ne fut pas le cas.

— Pis si je me rappelle ben, reprit une autre femme, Ruth avait pas un caractère tellement facile...

— Pas pire que les autres, nota Dorothée... Viens pas me faire accroire, Donatienne, que t'es toujours pimpante pis de bonne humeur.

— Ben j'essaye, tu sauras... Ma mère m'a toujours dit qu'on attire pas les mouches avec du vinaigre. Ça vaut aussi pour les hommes, tant qu'à moi.

— Pis le Jonas avait le sourire pas mal aguichant, souligna Gracia... C'est dangereux pour une femme mariée, ça là, parce que c'est le genre d'hommes à attirer les greluches.

— Que c'est tu veux ajouter à ça? compléta Donatienne. Ça dit toute! Vous admettrez quand même avec moi que Jonas Meloche, c'est un tabarnouche de bel homme. C'est peut-être ben difficile de résister quand plein de filles belles pis jeunes tournent autour de toi comme une nuée d'abeilles autour d'un pot de miel.

À nouveau, il y eut un hochement de tête approbateur et général.

— Pis on dirait ben que son garçon Daniel loge à la même enseigne, si vous voyez ce que je veux dire, glissa alors Germaine.

— Ouais, parlons-en de celui-là! ajouta Gracia avec conviction. T'as raison, Germaine. Finalement, le jeune Meloche va avoir suivi les traces de son père en faisant un p'tit à la fille Demers, avant le mariage... C'est sûrement pas les premiers dans le quartier à qui c'est arrivé, mais quand même, à leur âge!

— Une chance que mon gars a appris à garder son «vous savez quoi» dans son pantalon.

Il y eut quelques gloussements gênés.

— Pis que ma fille reste ben à sa place... Elle passe peut-être pour une sainte nitouche, pis d'aucuns s'amusent à rire d'elle, mais j'aime mieux ça de même. Quand elle va tomber en amour, ça va être du sérieux... Regardez ben ça si d'ici une couple d'années, le beau Daniel suit pas encore les traces de son père pour tout le reste aussi, pis qu'il «dompe» pas là sa femme pis sa fille!

— Ça me surprendrait pas. Tel père tel fils, comme on dit.

— Pauvre petite Jacinthe, glissa Gracia sur un ton geignard. J'suis pas sûre, moi, qu'elle savait dans quoi elle s'embarquait, la pauvre enfant, au matin de son mariage en cachette dans la sacristie... Parce que vous devez ben être au courant de c'te mariage-là, non? Elle avait quel âge, au juste, la p'tite? Ben juste seize ans, si je me rappelle comme il faut... Si c'est pas de valeur de gâcher sa jeunesse comme ça!

Léonie, sans être une femme gênée, et son commerce l'avait grandement aidée en ce sens, restait tout de même quelqu'un de réservé.

Sauf peut-être lorsqu'elle était témoin d'une injustice flagrante.

Comme présentement.

Depuis quelques instants, une serviette sur la tête pour permettre à l'huile de compléter son travail, elle attendait qu'Agathe ou Mado s'occupe d'elle, tout en suivant distraitement la conversation de loin, sans intervenir.

De toute façon, c'est à peine si elle connaissait Ruth Meloche qui, du temps où elle habitait encore dans le quartier, avait bien peu fréquenté son magasin. Elles se croisaient parfois à l'épicerie, se saluaient de loin, mais rien de plus.

En revanche, elle connaissait fort bien le jeune Daniel, qui avait traîné ses savates chez elle depuis le premier jour où Arthur et lui étaient entrés en première année. Durant tout le temps que les deux gamins avaient fréquenté l'école du quartier, le petit Daniel, comme on le surnommait à l'époque, était venu régulièrement collationner chez les Picard, et faire ses devoirs avec Arthur. Sauf, bien sûr, quand sa mère lui demandait de s'occuper de ses frères, ce qui arrivait relativement souvent. Mais l'amitié était sincère entre les deux garçons, et aujourd'hui encore, Daniel Meloche restait le meilleur ami de son fils. Léonie savait donc très bien, pour l'avoir côtoyé durant toutes ces années, que Daniel était devenu un jeune homme de cœur, pleinement responsable de ses actes, un bon travaillant, et de plus, un excellent papa. Il suffisait de les voir ensemble, Jacinthe et lui, pour deviner que ce couple-là était solide, et qu'il allait durer longtemps.

Et l'amour qu'ils éprouvaient l'un et l'autre pour leur petite Caroline était aussi évident que le nez au milieu du visage.

Et c'était ce même jeune homme que ces dames étaient en train de décrier injustement devant elle ?

Léonie sentit aussitôt la rougeur de la colère lui monter au visage.

« Cheez Whiz, pensa-t-elle alors, tout en fixant ses ongles au vernis écaillé à force de manipuler des boîtes, comment est-ce que je peux donner mon opinion sans offenser qui que ce soit ? Après tout, même si c'est juste une bande de commères, c'est quand même mes clientes ! Il faudrait donc pas que je me retrouve tout fin seule dans mon magasin à cause de quelques paroles malheureuses qui auraient offensé du monde. C'est J.A. qui en ferait une vraie syncope, si les clients se mettaient à nous bouder. On a beau donner un bon service, avec les grandes chaînes de quincailleries qui poussent un peu partout autour de nous autres, faut faire ben attention à ce qu'on dit. »

En contrepartie, elle ne pouvait pas davantage les laisser continuer à déblatérer sur le pauvre Daniel.

C'est alors que la voix nasillarde de Gracia monta d'un cran, se frayant un chemin dans la réflexion de Léonie.

— Pis pour en revenir à son histoire de dinde, était en train de dire Gracia, une femme plutôt quelconque, aux cheveux teints en blond platine à la Marilyn Monroe, ce qui, selon Mado, lui donnait très mauvais genre, moi, à la place de Ruth, je serais jamais revenue dans mon ancien quartier. Pas après tout ce qui s'est passé dans sa famille depuis les dernières années. Faut avoir du front tout le tour de la tête d'aller s'imaginer qu'elle était encore la bienvenue !

— Ben oui, la dinde ! s'écria alors Léonie, suffisamment fort pour faire sursauter quelques dames qui se tournèrent en bloc vers elle. Il me semblait aussi que ce mot-là me disait quelque chose !

— Ben là, Léonie...

Mado dévisageait son amie, visiblement décontenancée.

— Qu'est-ce qui te prend, tout d'un coup ? C'est sûr que le mot « dinde » veut dire quelque chose à ben du monde. Surtout durant le temps des Fêtes.

Cette façon de hausser le ton pour attirer l'attention ne ressemblait pas du tout à la Léonie qu'elle connaissait et cela l'intriguait.

Présentement, Mado était de retour devant un des deux grands lavabos pour rincer la teinture de Donatienne, qui entretenait le gris de ses cheveux avec une petite touche de lilas qu'elle trouvait plus jolie que le ton jaunâtre qui était le sien au naturel, car elle était une grande fumeuse.

— Soda, Léonie ! Va vraiment falloir que t'expliques ce que la dinde de Ruth t'a fait pour que tu t'exclames comme ça, demanda finalement Mado, les deux mains en train de savonner vigoureusement la tête de Donatienne. Parce que moi, je te suis pas pantoute.

— C'est pas la dinde de Ruth, le problème, c'est la mienne, expliqua Léonie avec un sérieux qui donnait une certaine crédibilité à ses propos. C'est ma dinde à moi qui me donne du fil à retordre, celle que j'ai dans mon frigidaire depuis hier, pis qui est en train de dégeler, pour que je puisse la farcir avant de la faire cuire.

— C'est un problème, ça?

À ces mots, Léonie regarda les femmes les unes après les autres, sourcils froncés.

— En soi, pas vraiment, je te l'accorde, sauf que...

Léonie poussa alors un bruyant soupir de découragement qu'une actrice de grand talent n'aurait pas désavoué.

— Est-ce qu'il y aurait quelqu'un dans vous autres qui aurait une bonne recette de farce? demanda-t-elle enfin. Moi, j'en peux plus de manger de la farce au pain, année après année. C'est depuis que j'suis toute petite, Cheez Whiz, que je mange toujours la même affaire pour le souper de Noël! Ça fait que non, j'en peux juste plus. Toutes vos suggestions vont être les bienvenues.

Il y eut un petit instant de réflexion, on se consulta du regard, puis:

— Ben moi, vois-tu, je prends la recette de ma grand-mère, commença Dorothée, ça prend du lard haché pis...

— Du lard haché? Voyons donc, ça doit goûter les cretons, ton affaire, s'interposa Adélaïde... Je vois pas l'intérêt. Non, chez nous, on prend aussi du pain ben rassis, mais on ajoute des noix pis…

Cette fois, la conversation avait changé de cap pour de bon, sans que personne ait l'air de se douter que cette petite mise en scène était improvisée, et qu'au grand soulagement de Léonie, elle avait donné le résultat escompté.

Quand la serveuse-coiffeuse d'un soir s'approcha de Léonie pour lui faire son shampoing, elle lui adressa un clin d'œil de remerciement. Mado non plus n'avait pas aimé ce qu'elle avait entendu. En revanche, comme elle n'était pas dans son univers familier, elle n'avait pas osé se compromettre en faveur des Meloche.

Ce fut ainsi, au salon Coiffure des Érables, que la soirée se termina dans un échange de recettes.

Quand Donatienne referma la porte sur elle, Agathe poussa un soupir de soulagement, tout en se tournant vers ses deux amies, restées pour l'aider à ranger le salon, afin que le lendemain, dimanche, elle puisse profiter d'un bon moment de repos, avant de remettre ça pour quelques heures en fin d'après-midi.

— Tu parles d'une soirée de fou! souffla-t-elle, visiblement épuisée.

D'un geste adroit du bout du pied, elle enleva un soulier, qu'elle envoya valser jusque vis-à-vis la porte qui menait à son appartement, puis elle recommença avec l'autre pied.

— Une chance que je travaille pas avant cinq heures demain, soupira-t-elle.

Puis, regardant Léonie droit dans les yeux, Agathe ajouta :

— Un gros merci d'avoir trouvé le moyen de changer la conversation. Si toi t'en peux plus de manger de la farce au pain, moi, c'était de les entendre démolir la famille Meloche qui me mettait les nerfs en boule. Voir que la pauvre Ruth méritait ça !

— Oh moi, tu sais, fit remarquer Léonie avec un petit sourire malicieux, j'aime toujours autant ça, la farce au pain. Avec de la sarriette, il y a rien de meilleur ! Mais ce que j'entendais me plaisait pas mal moins, par exemple ! Surtout à propos de Daniel, qui est fin comme une soie ! J'avais de la peine pour lui.

— C'est vrai que c'est un gentil garçon. Pis en parlant de sa mère, je considère que personne mérite de faire parler de soi sur ce ton. Soda ! Tu parles d'une belle bande de langues sales !

Les trois femmes échangèrent un regard consterné qui en disait long sur leur indignation devant cet étalage de propos disgracieux.

— Est-ce que c'est toujours de même, quand ton salon est plein ? demanda alors Mado. Moi, d'habitude, je viens le mardi en après-midi, quand il y a quasiment personne.

— Ça placote toujours en masse, c'est ben certain. Mais des discussions méchantes comme celle de tantôt, j'en ai pas souvent… Heureusement, bigoudi ! Bon ben, le plus gros est faite, constata Agathe en regardant autour d'elle. Une bonne brassée de serviettes demain matin, pis j'vas être prête à recommencer en fin d'après-midi. Merci d'être restées avec moi. Astheure, êtes-vous ben pressées ?

— Moi, tu le sais, j'suis mon seul *boss*, expliqua Mado. J'veux juste pas me coucher trop tard parce que j'ai promis à Rita que j'allais rentrer au casse-croûte tusuite après la messe de huit heures... Pis pour une fois, j'vas même l'écourter un brin, parce que demain, les Romano père et fille seront pas là ni l'un ni l'autre.

— Pis moi, je vous l'ai dit l'autre jour : c'est moi toute seule qui décide de mon temps, les hommes de la maison ont rien à dire là-dessus. À soir, Arthur est pas chez nous parce qu'il est justement chez Jacinthe pis Daniel, qui préfèrent veiller chez eux parce qu'ils aiment pas tellement faire garder leur petite Caroline. Ça, pour moi, c'est la plus belle preuve que ces deux jeunes-là sont des bons parents... Pis comme je connais mon mari pis mon beau-père, ils doivent être devant le poste de télévision à regarder le match des Canadiens pis à s'obstiner comme d'habitude. Ils se rendront même pas compte que j'suis pas là.

— Dans ce cas-là, amenez-vous ! On va prendre une bonne tasse de thé avec des petits biscuits au sucre que j'ai préparés pour le temps des Fêtes.

— Bonne idée ! J'ai un petit creux, rapport que j'ai mangé pas mal vite au souper, pis j'avais justement besoin de te parler... Pis à toi avec, Mado !

Le temps de faire bouillir de l'eau, de garnir une assiette avec des biscuits et de sortir les tasses, puis les trois femmes se laissèrent tomber chacune sur une chaise en poussant un soupir de fatigue.

— Soda que ça fait du bien d'être assise !

— À qui le dis-tu !

On sirota le thé en silence durant quelques instants, on grignota quelques biscuits, il y eut un grognement d'approbation, puis Agathe reprit la parole d'une voix évasive.

— Tantôt, quand j'entendais mes clientes déblatérer contre la famille Meloche, je me suis demandé ce que ces femmes-là pouvaient ben dire de moi pis de mon garçon quand je suis pas là.

— Ça, je le sais pas pantoute, répondit aussitôt Mado. Jusqu'à date, j'ai rien entendu au restaurant. Mais soda d'affaire, il faudrait donc pas que j'en voye une commencer à parler dans ton dos devant moi, parce qu'elle va savoir assez vite merci de quel bois je me chauffe !

— Pis ça vaut pour moi aussi, crains pas, renchérit Léonie. De toute façon, dans notre magasin, on tolère pas que les gens lèvent le ton. J.A. déteste les chicanes, il dit que ça lui fait peur. Ça fait que si le ton monte, pour une raison ou pour une autre, il se dépêche de m'appeler pour que je vienne calmer ceux qui s'échauffent... Laisse-moi te dire que je l'entends dans la voix de mon mari quand ça va pas. On dirait une grosse panique. Heureusement, ça arrive pas souvent. Peut-être ben qu'une quincaillerie, ça porte moins aux colportages pis aux chicanes qu'un salon de coiffure.

— C'est peut-être parce que le monde qui passe chez vous reste moins longtemps que les femmes qui viennent ici.

— Peut-être.

— Bon ! C'est pas que je vous trouve plates, mesdames, mais j'ai ma journée dans le corps. Je rentre me coucher.

Et les deux mains appuyées sur la table, Mado se leva en grimaçant.

— Attends juste une petite minute, demanda Léonie, j'ai quelque chose à vous demander... Je voulais vous inviter toutes les deux à venir réveillonner chez nous. Est-ce que ça vous tente ?

Mado, qui avait déjà commencé à endosser son manteau, s'arrêta et baissa les yeux vers Léonie, toujours assise à la table.

— Ah oui ? Tu nous invites toutes les deux à votre réveillon de famille ?

— Hum hum ! Pis tout le monde est d'accord.

— C'est donc ben fin d'avoir pensé à ça ! Surtout cette année... Tu dois ben te douter que j'vas avoir le cœur gros d'être sans Valentin à Noël. J'ai beau lui en vouloir encore pour son attitude, il reste quand même que je garde de l'affection pour lui.

— Pis moi aussi, je me retrouve toute seule, enchaîna Agathe. J'avais vraiment peur de passer une partie de ma soirée à m'ennuyer pis à brailler.

— Alors, si je comprends bien, je peux compter sur vous deux ?

— Pour moi, c'est oui, lança Mado tout en se tournant vers Agathe, qui s'empressa d'accepter l'invitation à son tour.

— J'vas être là moi avec... Ça va m'aider à moins penser à Rémi. Ça va être mon premier réveillon sans lui, tu sais.

— C'est un peu ce que je me suis dit. Cheez Whiz que j'suis contente ! Pis même si c'est pas pour les mêmes raisons, moi avec, ça va être mon premier réveillon sans mon Joseph-Arthur.

— Comment ça ?

— Il va chez les Romano.

En prononçant ces derniers mots, Léonie avait l'air triste.

— Remarquez que c'est pas trop tôt ! admit-elle après un long soupir. Ça fait quand même quelques années qu'il sort avec la belle Anna, pis on avait jamais pensé à l'inviter. Je trouvais pas ça tellement gentil de leur part, surtout que moi, j'invite Anna chaque année, pour le réveillon pis pour le souper de Noël aussi, même si je sais d'avance qu'elle va dire non parce qu'elle va toujours dans sa parenté... Tout ça pour vous dire qu'avec vous deux, j'vas moins m'ennuyer de mon gars... Pis mon beau-père va être content.

— Moi aussi, j'vas être contente de revoir m'sieur Picard ! Ça fait des semaines qu'on l'a pas vu au casse-croûte, pis je m'ennuie de lui. Quand il venait régulièrement, ça m'arrivait souvent de manger mon dîner avec lui... Bon ben, c'est là-dessus qu'on va se dire bonsoir, annonça Mado, après avoir longuement bâillé. J'ai les yeux qui ferment tout seuls ! Pis toi, Agathe, gêne-toi surtout pas pour m'appeler, si jamais t'as peur de manquer de bras demain soir.

— Je voudrais pas abuser, quand même ! Toi avec, tu fais de grosses journées de ton bord.

— Pis ça ? Ça change rien dans le fait que j'ai ben aimé ma soirée. Ça me change de l'odeur des patates frites !

— Ben dans ce cas-là, m'en vas te dire à demain, Mado ! Sans toi, je sais pas ce que je serais devenue à soir, pis j'ai une soirée aussi chargée demain, même si c'est dimanche. J'espère juste que monsieur le curé entendra pas parler du fait que j'ouvre mon salon un dimanche.

— Je vois pas comment il pourrait savoir… Si jamais il t'en parlait, t'aurais juste à lui répondre que t'es pas pire que le casse-croûte ! Pis pour demain, c'est ben correct, Agathe ! Je finis à quatre heures, pis je m'en viens direct chez toi. Veux-tu que j'apporte des frites pis des hot-dogs pour notre souper ?

— Ça serait bon, oui.

— Pis moi, j'vas te suivre dans deux minutes, Mado, déclara Léonie, en s'étirant. Moi aussi, demain, j'vas à la messe de huit heures parce que j'ai une grosse journée qui m'attend. On reviendra de l'église ensemble.

Ce fut au moment où la porte se referma sur Mado que Léonie prit conscience qu'elle avait complètement oublié de lui parler du monte-charge qu'ils allaient faire installer dans un coin de sa cuisine. Tant pis ! Elle lui en parlerait au retour de la messe.

Là-dessus, Léonie échappa un long bâillement.

— Excuse-moi, Agathe... Je pense que j'suis très fatiguée moi aussi. Il y avait pas mal de monde au magasin, aujourd'hui, pis hier, figure-toi donc qu'on a reçu un représentant en ascenseur.

— En ascenseur ? En quel honneur ? C'est pas courant qu'on voie ça dans une maison privée.

— Je sais, oui. Mais c'est à cause de m'sieur Picard qui a mal aux genoux sans bon sens pis qui peut plus descendre l'escalier.

Et Léonie d'expliquer les changements majeurs qui seraient bientôt effectués chez elle.

— Le pauvre homme ! C'est depuis le mois d'octobre qu'il vit à la journée longue dans notre petit logement. Ça lui jouait sur le caractère, pis pas à peu près. Mais ça achève ! Dans quelques jours, il va retrouver sa liberté... Pis Mado va avoir quelqu'un avec qui manger le midi... Tout est bien qui finit bien, comme le dirait mon beau-père, pis je pense que la veillée s'arrête ici pour moi. Ça va être à mon tour de m'en aller.

— Je comprends que tu dois être fatiguée, on l'est toutes, mais... Pourrais-tu rester juste une petite minute de plus ? J'aurais quelque chose à te demander. Pis il y a juste à toi que je peux parler de ça, parce qu'il y a juste toi qui peux peut-être me comprendre, vu que t'as un garçon, toi avec.

— Cheez Whiz ! T'as ben l'air sérieuse, tout d'un coup.

Agathe se sentit rougir violemment, comme si ce qu'elle avait à dire la mettait vraiment mal à l'aise, ou que sa confession était tout simplement inavouable.

— C'est juste que ça me vire un peu à l'envers, ce qui se passe ben malgré moi, pis... Bigoudi que je trouve ça difficile de parler de ça ! Mais avant, il faut que tu me promettes dur comme fer que t'en parleras pas à personne.

— Tu m'inquiètes, Agathe... Mais tu me connais, non ? J'ai toujours su tenir ma langue quand on me le demande.

— C'est vrai, je m'excuse ! Depuis le temps qu'on se fréquente, j'aurais dû y penser. T'es tellement fine... En fait, t'es la seule à qui je peux me confier... J'aurais trop peur que les autres me jugent. Pis Mado comme Rita, ben, elles connaissent pas vraiment ça, rapport qu'elles ont pas d'enfant.

— Voyons donc, toi...

Soudainement, Léonie ne s'endormait plus du tout. Son amie avait l'air si troublée, si malheureuse, que spontanément, elle tendit la main pour la poser sur la sienne afin de la rassurer et de lui donner le courage nécessaire pour se confier, car certaines paroles sont parfois bien difficiles à prononcer, et certaines vérités, plutôt troublantes.

— Vas-y, Agathe, vide-toi le cœur ! lança-t-elle. Habituellement, ça fait du bien d'oser dire les choses qui nous tourmentent.

— Je le sais, mais c'est vraiment pénible... Même moi, je me comprends pas... C'est... c'est à propos de Rémi.

— Qu'est-ce qu'il a, ton garçon ? Il est pas malade, j'espère ?

— Bigoudi, Léonie, fais-moi pas peur en disant des affaires de même ! Non, Rémi va bien. Du moins, aussi bien qu'on peut aller dans les circonstances. Même s'il haït ben gros vivre enfermé à Boscoville, parce qu'il reste encore dans la partie qu'ils appellent « la banlieue », pis qu'il est pas libre de ses allées et venues... Pis je dirais qu'il déteste encore plus être obligé de suivre des cours, même si c'est pas dans une classe comme il était habitué. Mettons que pour astheure, il « toffe la ronne », comme on dit... Non, c'est moi qui file pas, Léonie. Pas pantoute. Au point où j'ai de la misère à m'endormir le soir.

— Veux-tu ben me dire, pour l'amour, ce qui peut te tracasser à ce point-là ? Est-ce que c'est toi qui serais malade ?

— Encore une chance que non !

Agathe prit une longue inspiration.

— Non, mon problème, c'est qu'on dirait que j'suis contente de savoir que mon garçon vit dans... dans une sorte de prison, même s'il y a pas de barreaux à toutes les fenêtres...

— Il y a pas de barreaux à Boscoville ?

— Ben non... T'es la première à qui j'en parle, parce que je suis gênée de dire que mon garçon est rendu là, même si je me doute ben que tout le quartier doit être au courant, mais Boscoville, c'est pas une vraie maison de réforme.

— Ah non?

— Ben non! Au moins, il y a ça! Pis en plus, c'est Rémi lui-même qui a choisi d'aller là, mais ça reste quand même qu'il a perdu sa liberté. Pauvre enfant! Je le sens ben gros tendu, quand j'vas le voir. Tendu pis malheureux.

— C'est peut-être un peu normal de te sentir de même, non?

— Je sais ben. Mais quand je lui parle pis que mon garçon regarde partout sauf dans mes yeux, c'est pas bon signe. Malgré ça, j'suis contente de le savoir là. J'ai beau me répéter que j'suis pas une mère normale, que c'est vraiment pas correct de ma part de me réjouir du malheur de mon fils, c'est plus fort que moi. Je me répète, mais j'suis vraiment contente de le savoir là...

— Ah ouais?

— C'est comme je te dis... Quand j'y pense ben comme il faut, j'ai honte de moi. Mais malgré ça, je me sens soulagée parce que j'ai plus besoin de m'inquiéter pour lui. Même que des fois, je me dis qu'il devrait rester là pour ben plus que les quatorze mois que le juge lui a donnés.

Maintenant que la frontière de la gêne et du remords était franchie, Agathe était intarissable.

— C'est pas assez, il me semble, juste un peu plus qu'une année, nota-t-elle sur un ton convaincu. Je voudrais que Rémi reste là assez longtemps pour qu'il aye le temps de devenir un homme, pis qu'il apprenne à réfléchir avant d'agir. C'est ça qu'ils font avec les jeunes, à Boscoville. Ils leur apprennent à devenir des bons citoyens. C'est de même que le juge a dit ça. Rémi pourrait même apprendre un métier, là-bas. Pis pendant ce temps-là, moi, je pourrais me reposer ben comme il faut... J'suis fatiguée, Léonie, tellement fatiguée ! Pis en même temps, je me dis que je dois être une mère dénaturée d'oser penser à moi avant de penser à mon garçon.

— Ben voyons donc, toi ! T'as pas raison pantoute de te sentir gênée d'être comme t'es, Agathe. Pis j'vas même te dire que je te comprends.

— Ah oui ?

— Tout à fait !

À ces mots, la coiffeuse poussa un soupir de soulagement.

— T'es sûre que j'suis pas anormale ?

— Anormale ? Ben non, voyons... T'es juste une mère comme toutes les autres, pis t'en pouvais plus d'être inquiète. Un point, c'est toute ! Si c'est pas être une bonne maman de s'en faire pour son garçon, je me demande ben ce que c'est !

Agathe resta silencieuse un instant, comme si elle mesurait la portée des propos de son amie.

— Merci de me dire ça, dit-elle enfin, tout en levant les yeux vers Léonie. Ça me rassure... Tu vois, avant que Rémi se fasse arrêter par la police, j'en pouvais plus de m'inquiéter pour lui. Ça m'usait par en dedans, toutes les heures que je passais à l'attendre sans savoir où il était, sans savoir ce qu'il faisait. Pis le lendemain, j'avais pas vraiment le choix de garder le sourire pour mes clientes. Tu peux pas savoir à quel point c'était dur, certains matins, de me forcer à avoir l'air de bonne humeur, tandis que j'avais le cœur gros. Ça fait que je me sens mieux, depuis que Rémi est parti, même si je m'ennuie de lui jusqu'à brailler, des fois, pis que je trouve que la vie est pas ben juste par bouttes.

Agathe leva un regard épuisé vers son amie, un regard où se lisait encore un peu d'inquiétude.

— T'es ben sûre, Léonie, que c'est normal pour une mère qui a du cœur de se sentir soulagée de savoir son fils en maison de correction?

C'est à peine si Léonie hésita.

— Ben oui, c'est normal, parce que tu sais que ton Rémi est en sécurité. C'est toi-même qui l'as dit, il y a pas deux minutes. Pis je considère que là-dessus, t'as tout à fait raison. S'il y a quelqu'un ici qui peut te comprendre, c'est ben moi. Ma pauvre Agathe! J'angoisse pour un petit cinq minutes de retard. Imagine comment je me sentirais si mon Arthur rentrait aux petites heures du matin, nuit après nuit. Je deviendrais folle… Une chance que mon garçon ressemble pas à ton Rémi! Pis comprends-moi bien: c'est pas un reproche que je te fais. Je me demande juste où c'est que t'as pris le courage pis l'énergie pour passer au travers de ça, toute seule. Je t'admire, ma belle. Ben gros.

Agathe esquissa un sourire tremblant.

— Ça fait du bien à entendre. Oh ! Je le sais ben que j'suis pas parfaite, mais une chose est sûre, par exemple : je fais mon gros possible, pis j'aime mon garçon autant qu'au premier jour de sa vie. Malgré ses défauts, je souhaite de toutes mes forces qu'un jour, il va se « raplomber », pis que j'vas avoir toutes les raisons du monde d'être fière de lui.

— J'ai pas de doute là-dessus. C'est pas un imbécile, ton gars, pis une fois ses folies de jeunesse passées, il va se rendre compte de tout ce que t'as fait pour lui.

— Si tu savais à quel point j'espère que tu dis vrai…

— Dans la vie, il faut toujours garder l'espoir que les choses vont aller en s'améliorant.

— Pis si jamais je me trompais ?

— Personne est à l'abri des erreurs. Mais pourquoi s'en faire avant de savoir ? J'ai pour mon dire qu'il sera toujours temps de te désoler, si jamais ça virait autrement que dans tes souhaits. Pour astheure, garde confiance. Si t'as un beau sourire quand tu vas visiter ton garçon, ça peut juste l'aider à espérer, lui aussi, à croire que l'avenir peut être pas mal mieux que tout ce qu'il a vécu avec sa gang de tout croches.

— Tu penses ?

— Et comment ! Si ton Rémi comprend que malgré tout, toi, tu continues de lui faire confiance, ça va lui donner le coup de pouce nécessaire pour faire les efforts qu'il aura pas le choix de faire. Oublie ce qui est en arrière de vous deux, Agathe ! Fonce en avant, pis amène ton gars à penser comme toi. Dans le fond, c'est probablement de ta présence que Rémi a le plus besoin, parce que t'as toujours été là pour lui. Il vient pas d'une famille de misère, ton garçon, d'une famille où les claques pis les bêtises revolaient au moindre prétexte.

— Ben non, voyons! Je l'aime tellement! Pis tu crois que ça a son importance?

— Oh oui! J'suis certaine de ce que j'avance.

— Ben coudonc… Je perds rien à essayer. Jusqu'à présent, j'avoue que j'avais plutôt la «falle» basse, quand j'allais le voir. J'avais juste envie de pleurer, parce que j'avais l'impression que Rémi était pas particulièrement heureux de me voir arriver.

— C'est un peu normal, tu trouves pas? Si toi, tu sens ton garçon en sécurité, pis que ça te rassure, lui, par contre, il se retrouve enfermé, pis à son âge, ça doit prendre un petit bout de temps avant de se faire à l'idée d'avoir perdu sa liberté. Mais ça va finir par y passer.

— Ouais, t'as probablement raison… Merci, Léonie. Avec tout ce qu'on vient de se dire, je pense que j'vas mieux dormir à soir.

— Mais je l'espère donc! Si tu veux avoir bonne mine quand tu vas aller rendre visite à Rémi pour Noël, tu dois être reposée!

— Pis comme j'vas avoir des biscuits pis du sucre à la crème à lui donner, ça devrait le rendre de bonne humeur. C'est une vraie bibitte à sucre, mon garçon… En plus, je lui ai acheté un bon chandail de laine, pis des patins tout neufs. Paraîtrait-il qu'ils font pas mal de sport.

— À ce que j'entends, c'est rien que des choses pour aider l'humeur d'un garçon de l'âge de Rémi. Tu vas voir, Agathe ! Dans quelques mois, tu reconnaîtras plus ton fils…

— Que le Bon Dieu t'entende !

Sur ces mots, Agathe échappa un long bâillement.

— Je te retiens pas plus longtemps, Léonie. Merci… Merci ben gros d'être restée comme ça avec moi.

— Ça m'a fait plaisir, même si le sujet était pas des plus joyeux… Pis on se revoit durant la nuit de Noël. Cheez Whiz que j'suis contente de savoir qu'on va être toutes ensemble pour réveillonner ! Mais j'y pense ! Peut-être ben que Rita aussi aimerait ça se joindre à nous. Qu'est-ce que t'en penses ? Après tout, elle avec, elle est toute seule !

Chapitre 6

« Vous avez nom que je voudrais
pour ma maîtresse
Vous avez nom que les amours
devraient connaître
Mais ils vivront ce que vivent les roses
L'espace d'un, vous savez quoi
Ne s'appelleront jamais immortelles
Ne seront jamais qu'un feu de joie »

~

Les Immortelles, Jean-Pierre Ferland

Interprété par Jean-Pierre Ferland, 1961

Le lundi 10 mars 1969, tôt le matin, dans l'officine de la pharmacie de Valentin Lamoureux

Toutes choses étant relatives, depuis que sa mère allait un peu mieux, Valentin avait recommencé à étirer son horaire par les deux bouts, comme il le faisait tous les samedis, et quelquefois durant la semaine, à l'époque où il courtisait Mado.

— Je n'ose plus engager un second commissionnaire, avait-il donné comme justification, alors que sa mère l'interrogeait sur cet horaire variable qui la privait de sa présence de plus en plus souvent.

— Peut-être bien, oui, que ça t'accommode d'allonger tes heures à la pharmacie, avait-elle objecté, mais pour moi, les journées me semblent terriblement longues, quand tu n'es pas là ! Ne pourrais-tu pas emporter de l'ouvrage à la maison ? La comptabilité, par exemple ?

Qu'est-ce que Valentin aurait pu répondre à cela, puisqu'il comprenait très bien ce que sa mère devait ressentir ? Il avait donc emporté le grand livre comptable et certaines factures à la maison, à l'occasion, pour donner le change, se rabattant sur l'inventaire et les commandes à passer, afin d'ajouter tout de même quelques heures à son horaire en pharmacie.

Comme trop souvent, hélas, le pauvre Valentin se retrouvait coincé dans une situation qu'il n'avait pas désirée, et Dieu sait si elles avaient été nombreuses tout au long de sa vie !

Était-ce le destin qui le voulait ainsi, ou lui, qui s'y prenait toujours de la mauvaise façon ?

Pourtant, cette fois-ci, il avait la conviction qu'il n'avait rien fait pour mériter un tel sort.

En effet, Adrienne Lamoureux ne sortait plus de chez elle depuis qu'elle avait eu ce qu'elle appelait « son attaque », à savoir une curieuse perte de conscience qui l'avait foudroyée sans préavis, un certain matin d'avril de l'année précédente, la laissant inanimée sur le plancher de sa cuisine. Selon ses dires, la pauvre femme aurait donc passé toute la journée allongée sur un plancher dur et frais.

Du moins serait-ce là la version officielle de l'incident, quand Adrienne Lamoureux pourrait enfin donner quelques explications.

De quoi donner froid dans le dos, et c'est exactement ce que Valentin avait ressenti.

« Pauvre femme ! », avait-il alors pensé.

Toutefois, malgré la gravité de la situation, les médecins consultés se perdaient en conjectures de toutes les sortes sans aboutir à un diagnostic précis.

Peut-être cela avait-il été une banale chute de pression puisque, de toute évidence, il ne s'était pas agi d'un ACV ?

Il n'en restait pas moins que Valentin avait retrouvé sa mère étendue sur le carrelage de la cuisine, à la toute fin d'une journée pluvieuse et sombre.

Y avait-il un lien entre la situation présente et la rencontre de madame Lamoureux avec Mado, qu'elle avait appelée avec dédain «la petite serveuse», la qualifiant d'emblée de femme sans envergure et plutôt vulgaire, alors que lui-même, oh! bien timidement, je l'avoue, avait osé affirmer qu'elle était tout de même son amie? Des mois plus tard, Valentin se heurtait toujours à certaines interrogations diverses sur le sujet, car la mésaventure subie par sa mère s'était produite trois jours à peine après le vol commis à la pharmacie.

Ce jour-là, donc, Valentin Lamoureux était revenu du travail fourbu et de mauvaise humeur, ayant eu à débattre interminablement avec les représentants de l'Ordre des pharmaciens concernant le vol des médicaments d'ordonnance survenu à son officine. Le pauvre homme venait de passer la pire journée de sa vie, et il aspirait à un petit whisky sur glace, siroté près du foyer, en attendant que le repas soit prêt, celui que sa mère aurait sans doute déjà préparé et qu'elle lui servirait tout de suite après l'apéritif, comme de coutume, lorsqu'il était particulièrement fatigué.

Mais dès son retour chez lui, qu'avait-il trouvé? Une maison sombre, sans la moindre odeur alléchante provenant de la cuisine, et sa mère était couchée par terre, inerte. Pire ! Au premier regard, quand il avait allumé le plafonnier, elle lui avait semblé morte.

Sur cette vision cauchemardesque, le cœur de Valentin avait battu un grand coup, mais il n'aurait su dire exactement pourquoi. Soulagement ou détresse ?

Tout de suite, il avait eu le réflexe de prendre une très longue inspiration pour se calmer, et oubliant aussitôt l'apéro et le souper, le pharmacien avait eu une légère, une très légère hésitation.

En fait, soyons honnêtes, une fois l'effet de surprise passé, Valentin avait pris le temps de se dire que le décès de sa mère réglerait bien des problèmes.

Le nom de Mado Champagne s'était alors imprimé en lettres de feu sur l'écran de sa pensée.

Malheureusement pour lui, le gros bon sens et cette loyauté à toute épreuve qu'il affichait depuis toujours envers celle qui l'avait mis au monde l'avaient finalement emporté sur ses désirs les plus fous.

Valentin s'était approché de la vieille dame, il s'était accroupi, puis il avait tâté son poignet.

Le cœur battait toujours, mais le pouls semblait un peu trop rapide, comme si Adrienne Lamoureux avait été sous l'effet d'une grande épouvante.

Était-ce normal ou alarmant pour quelqu'un qui s'était évanoui ?

Ou alors peut-être était-elle toujours consciente sans arriver à le manifester ? Quelle horreur !

Valentin avait soupiré. Comment le savoir, il n'était pas médecin, mais simple pharmacien.

L'instant d'après, Valentin se précipitait vers le hall d'entrée où se trouvait le téléphone du rez-de-chaussée et il avait appelé l'ambulance. Ces spécialistes en situation d'urgence sauraient à quoi s'en tenir.

Par la suite, le naturel lui étant revenu au galop, le pharmacien avait vécu deux interminables journées d'angoisse absolue, puisque sa mère dormait en permanence à l'hôpital où elle avait été transportée. On avait même installé un soluté pour la nourrir, et quelle ignominie !, on lui avait mis une couche.

En fin de compte, au matin du troisième jour, un dimanche, alors que Valentin veillait sa mère, un peu honteux d'avoir été obligé de l'abandonner la veille, car il n'avait pas eu le choix de se présenter au travail, puisqu'il n'avait trouvé personne pour le remplacer, deux médecins en sarrau blanc lui avaient rendu visite dans la chambre d'Adrienne. Après s'être consultés du regard, ils lui avaient annoncé qu'on ne comprenait pas ce qui avait pu causer cette perte de conscience subite qui, curieusement, perdurait dans le temps.

— Tout fonctionne relativement bien, compte tenu de l'âge de votre mère. L'ensemble des examens sanguins sont normaux, et les tests de dépistage pour tout problème cardiaque sont négatifs.

— C'est comme si elle faisait exprès de dormir, avait complété le médecin le plus âgé d'une voix nasillarde et sentencieuse. Remarquez que j'aurais déjà vu ça.

À nouveau, les deux médecins s'étaient consultés du regard, visiblement surpris du manque de réaction de Valentin, comme si les mots qu'ils venaient d'émettre confirmaient une intuition que lui-même entretenait depuis longtemps.

Et en effet, ne savait-il pas, sans vouloir se l'avouer, que sa mère le menait par le bout du nez depuis toujours ?

— Bref, nous ne pouvons rien pour elle, et il ne nous sera pas possible, non plus, de la garder ici indéfiniment, avait repris le vieux médecin, faisant sursauter Valentin. Vous avez deux jours pour trouver une maison de convalescence, si jamais vous ne pouviez la ramener chez vous.

Le message n'aurait pu être plus clair : Adrienne Lamoureux venait de recevoir son congé de l'hôpital.

Étaient-ce les dernières paroles prononcées par cet homme austère à la voix haut perchée et agaçante qui avaient réussi à percer la brume où semblait flotter l'esprit d'Adrienne ? Peut-être bien, après tout, mais toujours est-il que la vieille dame avait enfin ouvert les yeux, à peine quelques minutes plus tard, et d'une voix alanguie, sans manifester la moindre surprise ou le plus petit affolement devant le fait qu'elle n'était plus dans sa maison, elle avait tout bonnement demandé à son fils où elle se trouvait exactement.

— Vous êtes à l'hôpital Notre-Dame, mère.

— Ah bon…

Curieusement, madame Lamoureux n'avait pas questionné plus avant.

Se redressant sensiblement sur son oreiller, elle avait simplement dit qu'elle voulait retourner chez elle.

Le lendemain, en toute fin de journée, toujours à cause du travail de son garçon, Adrienne Lamoureux faisait un retour triomphal au manoir de pierres grises, confortablement emmitouflée dans un tartan écossais et prenant place dans un fauteuil roulant que son garçon manœuvrait avec diligence.

— J'ai les jambes trop faibles pour marcher sans aide, avait-elle argué, une fois assise à sa place préférée au bout de la table de la cuisine.

— Demain, je vous apporterai une canne de la pharmacie pour vous aider.

— À mon âge, tu n'y penses pas ! Ce serait trop compliqué.

— Alors, nous vous trouverons une aide compétente.

— Il est hors de question d'avoir une étrangère pour s'occuper de moi, alors que tu fais très bien les choses, mon fils.

— Je vous en remercie, et ça me touche de voir que vous appréciez mes soins, mais je ne peux être ici à temps plein. Quand je serai au travail, qui s'occupera de vous ?

Adrienne avait balayé l'objection du bout des doigts.

— On s'adaptera, voilà tout ! Pour l'instant, et après toutes ces émotions, un thé serait le bienvenu… Avec quelques biscuits, peut-être ?

Alors Valentin avait préparé le thé et disposé harmonieusement quelques galettes au beurre importées d'Angleterre dans une assiette. Puis il s'était engagé à voir aux repas du lendemain et oui, promis, il ferait le lavage plus tard en soirée.

— Parce que je suis trop faible pour descendre les escaliers toute seule, surtout celui qui mène au sous-sol. Il est si abrupt et les marches sont tellement étroites ! Tu le comprends, n'est-ce pas ?

— Bien sûr.

— Tu vas donc devoir t'occuper du lavage deux fois par semaine.

— Je vais m'en occuper, n'ayez crainte ! Et des repas aussi.

Cette entente durait maintenant depuis des mois, incluant la promesse formelle qu'avait faite Valentin de venir manger à la maison sur l'heure du midi !

— En utilisant ton auto tous les jours, ce programme serait réalisable.

— Mais bien compliqué pour moi.

— Allons, Valentin ! Je ne peux tout de même pas jeûner toute la journée, n'est-ce pas ?

— Non, en effet.

— Et je déteste les repas froids. À l'occasion, peut-être, mais sans plus.

— D'accord, si vous y tenez vraiment, je serai là tous les jours sur le coup de midi, sauf en de rares exceptions, et je m'arrangerai avec Marc pour qu'il prenne en note les noms de mes patients qui auraient besoin que je les rappelle.

— J'y tiens, oui.

D'où ce besoin quasiment physique que ressentait Valentin d'avoir un peu de temps libre à sa disposition, le matin à son arrivée à la pharmacie, et en fin d'après-midi avant de quitter le commerce. Pas tous les jours, bien entendu, car sa mère protestait haut et fort quand il retardait trop souvent son retour à la maison, mais de temps en temps, ça pouvait passer. Devant un tel constat d'abnégation forcée, Valentin estimait qu'il méritait amplement ces précieuses minutes de solitude.

C'était relativement facile à justifier, et sait-on jamais, quand sa mère se serait habituée de le voir reprendre petit à petit un horaire qui le gardait plus souvent et plus longtemps à la pharmacie, peut-être pourrait-il renouer avec Mado, la visitant au casse-croûte, ne serait-ce qu'un midi par semaine, ou tous les quinze jours ? Un midi où il pourrait laisser un sandwich à la mortadelle, le péché mignon de sa mère, et un *cannolo* acheté expressément pour elle dans une pâtisserie italienne de Saint-Léonard, car elle en raffolait. Ainsi, elle pourrait se sustenter agréablement sur l'heure du dîner, malgré son absence.

Toutefois, le projet n'avait pas eu le temps d'être mis en application, ni même d'être véritablement examiné qu'Adrienne Lamoureux recommençait à se plaindre de l'ennui.

On était dimanche. Valentin revenait de la messe d'où, tel un envoyé du Ciel, il ramenait précieusement à sa mère la sainte communion dans une custode. Comme de coutume, il avait retrouvé la vieille dame au salon, là où il l'avait laissée avant de partir pour l'église. Seul le fauteuil roulant avait changé de place, car sa mère était présentement à la fenêtre, alors qu'elle avait exigé précédemment d'être auprès du foyer, se plaignant d'un vilain frisson dû à l'humidité ambiante d'un mois de mars pluvieux et ennuyant.

Apercevant donc sa mère devant la fenêtre, Valentin avait froncé les sourcils, puis, toussotant, il avait annoncé sa présence. Adrienne s'était tournée vers lui.

— Je vois que vous avez enfin réussi à manipuler votre fauteuil, toute seule, avait-il lancé tout joyeux, en entrant dans le salon. Bravo !

— À force de n'avoir rien à faire, il était normal que je m'y essaie et que je finisse par réussir, avait constaté sa mère d'une voix brusque. Mais ce n'est pas le fait de passer du point A au point B en roulant sur quatre roues qui va occuper la majeure partie de mes journées.

— Si vous le dites.

— Je l'affirme, oui... Et je trouve, mon garçon, que tu restes bien longtemps à ton travail, depuis quelque temps, malgré nos interminables discussions à ce sujet, tout au long de l'hiver. Même la messe me semble plus longue que du temps où je t'y accompagnais. Voilà à quoi je pensais durant ton absence, à défaut de pouvoir écouter le sermon de notre bon curé.

C'était l'accueil qui attendait Valentin, ce dimanche-là, lui qui se fendait en quatre pour satisfaire les moindres caprices de sa mère. Devant son intransigeance un peu absurde, il avait retenu à grand-peine un soupir de découragement et d'impatience.

— Et en regardant la neige tomber par la fenêtre, j'ai vu le fils de nos voisins déblayer l'entrée de leur maison, avait poursuivi la vieille dame. Avec toute cette neige gorgée d'eau qui tombe depuis des jours, les entrées doivent être bien glissantes. Tu pourrais peut-être demander à ce gamin de venir faire la même chose pour nous ? Contre rémunération, comme il se doit. Ce serait toujours cela de moins à ta charge.

— En effet, vous avez raison.

— Comme tu vois, je pense constamment à ton bien-être, Valentin. Mais toi, tu m'abandonnes si souvent...

Adrienne Lamoureux serait-elle une éternelle insatisfaite ?

— Mais je vous l'ai dit à plusieurs reprises, mère ! avait tenté de plaider Valentin. Sans employé supplémentaire, j'ai beaucoup plus de travail. D'autant plus que la jeune Fleurette qui nous rejoignait tous les samedis, Marc et moi, a donné sa démission le mois dernier. Elle a choisi de suivre sa famille, qui déménageait à Sherbrooke.

— Et tu ne m'en as pas parlé?

— Je ne voulais surtout pas vous inquiéter avec un détail comme celui-là. Comme vous pouvez le constater, moi aussi, je pense à votre tranquillité d'esprit. Quoi qu'il en soit, après tout ce que l'on a vécu de tourments le printemps dernier, je me suis dit que vous comprendriez ma frilosité à engager un autre étranger, et que vous accepteriez mes petites absences.

— Bien sûr, bien sûr! Chat échaudé craint l'eau froide, c'est bien connu.

— Vous m'enlevez les mots de la bouche! Et ceci expliquant cela, voilà pourquoi j'ai un surcroît de travail présentement, et que je dois, à l'occasion, partir plus tôt le matin, ou revenir un peu plus tard le soir.

— Je m'y attendais.

— À quoi?

— Quelle question idiote, Valentin! Parfois, j'ai l'impression que tu n'as pas suffisamment de cervelle pour réfléchir avant de parler. Mais puisqu'il faut te donner une explication à tout, je m'attendais à cette réponse évidente que tu viens tout juste de me servir. C'est ton excuse habituelle.

— Oui, et alors?

— Il est facile de comprendre qu'avec un seul employé, et sans la présence de Fleurette, tu sois obligé de travailler plus longtemps. Je n'ai pas besoin qu'on me fasse un dessin... En autant que ce soit l'unique et réelle raison pour expliquer tes retards...

Le ton employé à ce moment-là, amer et suspicieux, laissait supposer qu'Adrienne Lamoureux avait volontairement laissé sa phrase inachevée.

Ce qui avait mis Valentin sur le qui-vive. Tout comme lui, sa mère avait-elle le nom de Mado en tête ?

Cette dernière interrogation avait été l'infime goutte capable de faire déborder le vase de sa bienveillance. Un très léger débordement, car Valentin était un homme de bonne volonté, mais suffisant pour qu'il échappe un juron bien inoffensif.

— Mais pour quelle autre raison, Géritol, pourrais-je avoir envie de rester à la pharmacie plus longtemps que les heures d'ouverture, si ce n'est pour gagner quelques précieuses minutes ? avait-il menti hardiment, surpris de son habileté à offrir une telle effronterie.

Dans un premier temps, le silence de sa mère avait été l'unique réponse à laquelle Valentin avait eu droit, le laissant de plus en plus déstabilisé. Puis, un bref soupir d'exaspération l'avait rompu.

— Il n'y a pas que des idiots et des fourbes qui vivent sur cette Terre, Valentin, avait alors fait remarquer la vieille dame.

— Je le sais, avait répondu le pharmacien avec hésitation, ébranlé par les derniers mots de sa mère.

Où donc voulait-elle en venir ? Valentin n'y comprenait plus rien.

— Et des jeunes, comme ce Rémi, ne courent pas les rues, bien que…

Autre silence lourd de mécontentement.

— Toujours est-il que tu devrais peut-être tenter ta chance une seconde fois ? avait alors suggéré la vieille dame. Mais avec un autre pharmacien, plutôt qu'un employé.

Ces derniers mots avaient promptement ramené Valentin à la gravité de cette discussion qui le rendait irrémédiablement angoissé. Qu'est-ce que sa mère avait bien pu manigancer pour lui rendre l'existence encore plus pénible ?

Et dire qu'il avait naïvement souhaité un petit dimanche tranquille à lire auprès du feu !

— Un autre pharmacien ? Vraiment... Vous n'êtes pas sérieuse, n'est-ce pas, en me proposant cela ? avait-il osé lancer avec une fermeté qui l'avait surpris lui-même.

— Très.

— Il me semblait que c'était notre choix à tous les deux de nous limiter à un ou deux employés à petit salaire ? Et ce, malgré le surcroît de travail qui m'incombait ?

— Il n'y a que les imbéciles qui ne changent pas d'avis, Valentin. Or, je ne suis pas une imbécile. Comme je n'ai pas grand-chose à faire de mes journées, je viens tout juste de te le souligner, j'ai longuement mûri la question, et pour notre bonheur à tous les deux, je considère que la présence d'un second pharmacien serait tout indiquée... N'oublie surtout pas que je suis ton associée dans cette pharmacie, et que mon opinion a autant, sinon plus de valeur que la tienne.

Cette dernière remarque avait exaspéré Valentin. Elle ne venait habituellement qu'en dernier recours dans leurs pseudo-discussions sur la pharmacie, et elle menait généralement tout droit à la capitulation de Valentin, qui détestait se faire rappeler que sa mère avait, hélas !, le plus gros bout du bâton dans à peu près tout dans sa vie professionnelle et familiale.

Le pharmacien avait serré les dents pour retenir la réponse acerbe qui lui était spontanément venue à l'esprit. Puis, il avait inspiré longuement et silencieusement pour se calmer, et enfin, sur un ton retenu, il avait osé argumenter.

— Et les profits qui devaient me permettre une retraite dorée avant que je sois trop vieux pour en profiter ?

— Je voulais justement y venir, mon cher Valentin ! J'espère que tu n'allais tout de même pas imaginer que je t'oublierais dans l'exercice ?

— Non, bien sûr, mais je ne vois pas comment je...

— Si l'on part de l'hypothèse que tu as besoin de plus de loisirs, avait coupé la vieille dame, ce qui serait légitime de ta part, et j'en conviens facilement, seule l'embauche d'un autre pharmacien saurait te procurer une certaine latitude, qui, je n'en doute pas un seul instant, te permettrait d'en profiter avec moi.

Adrienne Lamoureux venait de marquer un point important ! Elle avait tout à fait raison d'estimer qu'un second pharmacien serait plus utile à Valentin qu'un autre employé de plancher. Il n'était pas idiot, et quoi qu'en dise sa mère, il avait suffisamment de cervelle pour le comprendre tout seul. En revanche, à quoi bon avoir plus de liberté si c'était pour la vivre en compagnie de sa mère ?

Le nom de Mado s'était alors imposé de plus belle, tandis que d'une voix ravie, la vieille dame décrivait ce qu'elle voyait comme un avenir parfait.

— À nous les sorties et les petits voyages, Valentin ! Avant qu'il ne soit trop tard, comme tu le dis si bien. Pourquoi attendre la retraite, n'est-ce pas, si tu peux jouir des petits plaisirs de la vie dès maintenant... J'ai toujours voulu visiter New York, Boston, Paris... Pourquoi pas ? D'où ma proposition, ce matin. Un autre employé de plancher ne t'apportera rien de plus que ce que Marc Thiboutot, ton employé actuel, peut faire, aussi efficace soit-il.

En dépit de la logique d'une telle proposition, Valentin avait vaguement répondu en grommelant qu'il y penserait sérieusement dès qu'il en aurait le temps, puis il était monté à sa chambre pour revêtir une tenue d'intérieur mieux adaptée à un moment de détente auprès du feu.

En ce lundi matin de mars, il en était toujours là.

Il se languissait de Mado comme il n'aurait jamais cru la chose possible. Si jamais il avait pu entretenir le moindre doute quant à la nature des sentiments qu'il éprouvait pour la belle quinquagénaire, il savait aujourd'hui qu'il était question d'amour, et non d'une simple attirance physique, même si celle-ci se greffait intimement aux souvenirs qui affluaient à son esprit, de plus en plus nombreux, et à une fréquence devenue quasi quotidienne.

Si sa mère s'ennuyait sans lui, Valentin, de son côté, s'étiolait, comme une plante privée d'eau, sans la présence de Mado.

Au point où le pharmacien était persuadé que s'il n'y avait aucun changement majeur dans la routine à la fois affolante et répétitive de ses journées, le jour où il aurait atteint la limite de sa patience finirait bien par arriver, bouleversant ses meilleures intentions.

Et la seule personne qui en souffrirait serait sa mère.

Malgré une certaine détermination qu'il commençait à cultiver de façon tout à fait volontaire, Valentin ne voulait tout de même pas en arriver à un point de non-retour avec cette femme au caractère imprévisible et autoritaire, mais qui en avait tant fait pour lui. Si Valentin quittait la maison un jour parce qu'il n'en pouvait plus, Adrienne Lamoureux n'y survivrait pas, et cette fois-là, ce ne serait pas une comédie, comme l'avaient laissé entendre les médecins. Valentin en était intimement convaincu.

Ce serait sans appel, car sa mère était capable de se laisser mourir de faim juste pour avoir le dernier mot.

Un homme tel Valentin Lamoureux, dévoué à sa mère depuis tant d'années, même si, parfois, cela se faisait à son corps défendant, ne pouvait envisager avoir le décès de celle-ci sur la conscience pour le reste de ses jours.

Mais il ne pouvait pas, non plus, concevoir de ne jamais revoir sa chère Mado assidûment.

Le dilemme était cornélien. D'une part, il risquait de plonger sa mère dans une grave dépression, qui la mènerait Dieu seul sait où ; mais d'autre part, il avait déjà blessé la femme qu'il aimait sincèrement, et cela lui était éminemment douloureux.

Comment faire pour ménager à la fois la chèvre et le chou ?

Bien qu'il y pensât jour après jour, Valentin ne voyait pas d'issue satisfaisante. Ni pour Mado, ni pour sa mère, ni pour lui, en fin de compte. Même l'embauche d'un autre pharmacien n'ouvrirait pas nécessairement toute grande la porte à un retour de Mado dans sa vie, parce que, connaissant sa mère, celle-ci allait abuser de la situation et exiger d'avoir son fils de plus en plus souvent avec elle à la maison. Quand ce ne serait pas en voyage à l'autre bout du monde, comme elle l'avait mentionné.

Puis, à la limite, cet autre pharmacien ne deviendrait-il pas un chien de garde surveillant ses allées et venues pour en rendre compte à sa mère ?

Avec toutes ses manigances, Adrienne Lamoureux était en train de le rendre fou, lentement, certes, mais sûrement.

Valentin ferma les yeux de découragement.

Lorsqu'il se sentait acculé à un mur infranchissable, comme il l'était en ce moment, le pauvre homme se mettait à en vouloir terriblement au jeune Rémi qui, par son geste inconsidéré, avait semé le chaos dans sa vie. Valentin avait même réussi à se persuader que si sa mère et Mado s'étaient rencontrées dans des circonstances moins controversées et plus conviviales, tout se serait bien passé. Il lui arrivait même de pousser le fantasme jusqu'à se dire qu'aujourd'hui, ils vivraient à trois sous un même toit, et ils seraient tous parfaitement heureux, car un mariage au lendemain de Noël aurait été si féerique que même sa mère en aurait été attendrie. Par la suite, elle n'aurait eu qu'à ouvrir les bras et sa maison à une Mado resplendissante de bonheur.

Qu'il est doux parfois de se bercer d'illusions, n'est-ce pas?

À tout le moins, cette vue de l'esprit aidait Valentin à s'endormir le soir.

Mais bien prosaïquement, au réveil, le pharmacien admettait, le cœur dans l'eau, que le problème existait bel et bien, et qu'il ne lui servirait à rien de se cacher la tête dans le sable, en espérant qu'il disparaîtrait de lui-même. Toutefois, il n'avait pas la moindre idée de comment résoudre cet imbroglio, et il ne connaissait personne à qui il pouvait en parler ouvertement.

Sauf peut-être à Mado elle-même, qui avait souvent été de bon conseil.

À cette pensée, Valentin repoussa la bouteille de pilules qu'il avait commencé à vider pour les verser dans une multitude de petits formats de flacons, comme le préféraient la plupart de ses clients. Le nom de Mado s'emmêlait si étroitement à ses calculs que le pharmacien avait peur de se tromper.

Quand donc reverrait-il cette femme merveilleuse qui faisait battre son cœur ? Quoi qu'en dise sa mère, Mado Champagne restait et resterait toujours à ses yeux l'être le plus délicieux qui soit !

Leurs longues discussions sur les films visionnés ensemble en grignotant du maïs soufflé, et leurs repas à deux dans de bons restaurants lui manquaient profondément.

Et le gros bon sens de Mado encore plus !

Cette femme avait les deux pieds bien ancrés dans la réalité sans jamais s'en plaindre, et s'il lui arrivait de rêver à un avenir meilleur, elle avait appris à se contenter de peu. Elle appréciait ce qu'elle possédait, en attendant que le destin se fasse clément. Elle savait si bien remettre les pendules à l'heure quand cela s'avérait nécessaire, que sans elle, Valentin se sentait démuni à bien des égards.

Alors pourquoi ne pas la retrouver ? Pendant de longs mois, il l'avait courtisée sans porter ombrage à sa mère. Rien ne lui interdisait de recommencer, malgré ses horaires plutôt chargés. Et avec elle, il pourrait peut-être trouver une solution pour amadouer Adrienne Lamoureux. Pour l'amener discrètement, mais irrévocablement à accepter que le quotidien puisse être différent, sans pour autant être désagréable.

D'autant plus que Mado avait rencontré sa mère, et que le seul aspect positif à cette confrontation malheureuse avait été que la jolie serveuse avait sans doute compris le genre de femme qu'Adrienne Lamoureux pouvait être. Alors, pourquoi se priver plus longtemps de ses judicieux conseils ?

La décision de Valentin se prit dans l'instant.

Il était grand temps de renouer les liens avec celle qu'il espérait sincèrement épouser un jour. Et pour ce faire, demain midi, sa mère mangerait seule un sandwich à la mortadelle, accompagné d'une pâtisserie italienne qu'il irait acheter expressément pour elle, un peu plus tard en après-midi.

Quant au prétexte, il était déjà tout trouvé !

Il dirait que le lendemain, à l'heure du dîner, il avait rendez-vous avec un pharmacien susceptible de travailler pour lui, exactement comme sa mère l'avait suggéré. Elle ne pourrait donc rien lui reprocher et accepterait sans doute de bon cœur de manger seule. Comme elle ne marchait plus sans aide, ou prétendait n'être pas capable de marcher seule, Valentin hésitait de plus en plus à tenir pour acquis ce récent handicap, Adrienne Lamoureux serait dans l'incapacité de venir vérifier si son fils recevait bel et bien un candidat, au risque de passer pour…

La réflexion de Valentin buta sur les derniers mots. Il esquissa une moue, hésita, puis murmura à voix basse :

— Au risque qu'elle soit démasquée comme une criminelle, je n'ai pas d'autre mot pour décrire ce qui se passerait si jamais ma mère se pointait à la pharmacie sur ses deux jambes. En revanche, ça me donnerait alors tous les droits de la traiter de menteuse et de manipulatrice !

À cette pensée, un frisson parcourut l'échine de Valentin.

Il ne sut dire, cependant, si c'était de plaisir anticipé ou d'horreur absolue à la simple perspective de confronter sa mère avec des atouts gagnants dans son jeu. Chose certaine, si un tel événement se produisait, Valentin se sentirait le droit de claquer la porte du manoir pour ne plus jamais y revenir.

À tout le moins, osait-il le croire.

En ce moment, le petit trois et demie de Mado avait, à ses yeux, des allures de palais.

Il passa donc la journée du lundi dans un état second, l'esprit volage et le cœur battant la chamade, et le sommeil, ce soir-là, fut très long à venir. S'il fallait que son plan échoue, il en pleurerait, comme un enfant.

* * *

Au réveil, le lendemain matin, la possibilité qu'Adrienne Lamoureux appelle à la pharmacie à l'heure du repas l'attendait, embusquée derrière les derniers relents du sommeil.

Valentin ouvrit précipitamment les yeux.

Comment se faisait-il qu'il n'y ait pas pensé plus tôt ?

Cette éventualité était plus que probable, puisqu'Adrienne téléphonait à la pharmacie trois ou quatre fois par jour pour mille et une futilités. Une telle perspective terrassa Valentin au point où il resta figé sous ses couvertures durant une longue minute.

Personne de son entourage, et surtout pas sa mère, ne devait savoir qu'il mangeait ce midi au casse-croûte de madame Rita, dans l'espoir inavoué de retrouver sa belle Mado.

L'intensité de sa réflexion, à ce moment-là, n'eut d'égale que sa crainte de voir son plan découvert. S'il fallait que sa mère subodore le stratagème, son existence deviendrait une ronde infernale de suspicion et de questionnements au moindre écart. Malgré les nombreuses minutes qu'il avait passées, la veille, à tenter de convaincre Adrienne Lamoureux qu'il ne pouvait sous aucun prétexte changer l'heure de l'entretien, Valentin restait craintif.

La réflexion dura le temps qu'il se lève, et enfile ses pantoufles et sa robe de chambre. Puis, dans un soupir de soulagement, il haussa les épaules. Il pousserait la mascarade jusqu'à se confectionner un vrai lunch, tout à l'heure durant le déjeuner, pour que sa mère en soit le témoin.

Telle mère tel fils, c'était à son tour d'user de machinations !

Et à la pharmacie, il inventerait pour son employé, avec un enthousiasme débordant, un confrère à rencontrer… au restaurant.

Ce serait là les deux facettes de son mensonge !

Une première formule pour sa mère, qui aurait voulu savoir à quel restaurant il mangeait, pour éventuellement le relancer jusque-là ; puis une seconde approche pour son employé, à qui il ne pouvait avouer candidement qu'il quittait la pharmacie pour aller dîner au casse-croûte de madame Rita.

Ensuite, à son retour, il ne se gênerait surtout pas pour parler de cet entretien d'embauche en long et en large avec Marc, répétant à l'envi que la candidature de ce jeune homme ne pouvait être retenue, faute d'expérience. À son grand déplaisir, bien entendu !

— Par la suite, je n'aurai qu'à jeter mon goûter aux ordures, et répéter ma litanie de mensonges à ma mère, en commençant par lui dire qu'à la dernière minute, j'ai décidé de rencontrer le candidat au restaurant, question de donner de la prestance à cet entretien. Elle n'y verra que du feu, surtout si elle téléphone à la pharmacie, marmonna-t-il en descendant l'escalier pour mettre l'eau à bouillir, car sa mère exigeait de boire un thé bien chaud avant de se lever.

Vers le milieu de l'avant-midi, l'impatience et la nervosité gagnèrent Valentin. Dans deux heures, la femme qui occupait la majeure partie de ses pensées depuis l'automne serait là, devant lui, en chair et en os.

Enfin !

Il hésita alors longuement sur la pertinence d'arriver au casse-croûte avec des fleurs, puis il choisit de s'en abstenir. Au moment du coup de feu de midi, comme le disait Mado en parlant de son travail, il y avait toujours plusieurs clients présents, et la serveuse risquait de se sentir mal à l'aise devant cet étalage de sentiments. Malgré une allure parfois flamboyante, ce qui n'était pas pour déplaire à Valentin, Mado n'en restait pas moins une femme réservée à ses heures.

Tout au long des deux heures qui suivirent, Valentin eut l'impression que les aiguilles de la grosse horloge accrochée au mur de la pharmacie, juste au-dessus de l'officine, prenaient un malin plaisir à ralentir leur course, jusqu'à ce que midi sonne enfin à l'église de la paroisse. Le bruit était assourdi parce qu'il était très lointain, mais présentement, Valentin Lamoureux avait l'ouïe particulièrement fine.

— Je pars, Marc ! J'avais oublié de te le dire, mais j'ai un rendez-vous important, annonça-t-il à son employé. Je rencontre un pharmacien, un certain Jean-Pierre, à qui j'ai donné rendez-vous au restaurant.

— Eh bien ! Vous pensez à prendre des vacances, monsieur Lamoureux ?

— Non, pas vraiment... Cette fois-ci, ce ne sera pas seulement pour quelques semaines, comme lorsque je m'absente l'été. Je vise plutôt l'embauche d'un pharmacien qui serait ici à temps plein. Avec ma mère de plus en plus fragile, ce qui nécessite de ma part une présence plus assidue à la maison, je n'aurai pas le choix d'engager une aide professionnelle que je dirais permanente... Je t'en reparle à mon retour ! C'est un peu fou, mais je suis tout excité à la perspective de ne plus être seul dans l'officine ! En attendant mon retour, n'oublie surtout pas de prendre en note les noms et les numéros de ceux qui téléphoneraient pour me parler.

Sur ce, Valentin quitta la pharmacie d'un pas décidé, en sifflotant pour jouer la comédie jusqu'au bout. Il avait les mains vides, certes, mais le cœur débordant d'amour et d'espoir.

Quand il arriva à la hauteur de la Place des Érables, il remarqua quelques clients qui faisaient la file devant le restaurant, attendant vraisemblablement qu'une table se libère. Il se renfrogna un instant. S'il y avait des clients jusque sur le trottoir à attendre patiemment qu'une table se libère, cela voulait certainement dire que Mado serait très occupée.

Valentin continua néanmoins d'avancer, mais plus lentement, jusqu'à ce que l'un des hommes l'interpelle.

— Pardon monsieur ! Je veux pas avoir l'air indiscret, mais allez-vous manger au casse-croûte ?

— En effet, on ne peut rien vous cacher.

— C'est ben ce que je pensais, aussi. Dans ce cas-là, passez devant nous, pis entrez ! Il reste encore des tables pour quatre, pis deux places au comptoir-lunch. Si on attend ici, c'est juste parce qu'on est six, pis qu'on veut absolument être assis ensemble à la plus grande table. C'est la fête de Marco, notre gérant, pis on veut souligner ça !

Valentin ne se le fit pas dire deux fois. Saluant l'homme qui l'avait ainsi renseigné en soulevant son feutre couleur caramel, assorti à son manteau en *camel hair*, il entra dans le casse-croûte d'un pas résolu.

Et tant pis s'il devait manger assis sur un tabouret, cela resterait tout de même un vrai festin !

Bien sûr, il aurait préféré, et de loin, occuper l'une des deux petites tables à l'écart pour avoir la possibilité de discuter avec Mado en toute discrétion, mais il ne laisserait surtout pas passer sa chance de revoir enfin celle qu'il aimait tant pour une petite contrariété de la sorte.

En fait, qu'espérait-il vraiment de ces retrouvailles, sinon se faire pardonner un si long silence ? Cela pouvait se faire aussi bien au comptoir qu'à une table retirée. Après tout, il ne s'agissait que de quelques mots et d'un long regard implorant.

Et une fois le pardon demandé et accordé, ils aviseraient à deux pour la suite des choses.

Rita sortait justement de la cuisine à l'instant où Valentin entrait, tout en retirant son chapeau. Comme la patronne du restaurant avait l'œil à tout, elle repéra aussitôt le pharmacien qui, en ce moment, se dévissait la tête pour regarder un peu partout dans la salle à manger. Inutile de se questionner, Rita savait déjà ce qu'il cherchait.

Ou plutôt qui il cherchait !

La jeune femme ne put s'empêcher de se réjouir pour Mado !

Il était temps que le pharmacien se décide !

Oh, Mado n'avait que très rarement parlé du pharmacien depuis le printemps dernier, et pas toujours en termes élogieux lorsqu'elle se savait à l'abri des oreilles indiscrètes, mais Rita soupçonnait néanmoins que la gentille serveuse s'ennuyait beaucoup de lui !

Elle se dépêcha de déposer le lourd plateau qu'elle portait habilement sur une main à hauteur d'épaule, tout en gardant le ballant avec l'autre main, et elle fit quelques pas en direction du pharmacien, tout en se frottant le poignet.

— Monsieur Valentin ! Quel bonheur de vous revoir enfin... On s'est beaucoup ennuyés de vous, vous savez. Alors ? Vous venez pour manger ?

— Oui... Et j'ai faim !... Et euh...

Tout en parlant, le pharmacien refaisait du coin de l'œil un rapide tour d'horizon de la salle. Aucun doute, Mado n'était pas là.

Valentin revint alors à Rita.

— Mademoiselle Mado est à la cuisine ? demanda-t-il d'une voix remplie d'espérance.

— Même pas, mon pauvre vous ! répondit Rita, sincèrement désolée. Ça fait longtemps, mais vous vous rappelez pas ? Le mardi, Mado finit de travailler à midi. C'est son après-midi de congé, parce que le mardi, c'est toujours notre journée la plus tranquille. Je dirais que vous l'avez ratée de cinq minutes, tout au plus. Avec le chef Romano en salle pour m'aider au besoin, pis Anna dans la cuisine, c'est la meilleure journée de la semaine pour que Mado prenne congé... Aujourd'hui, elle en a profité pour aller voir son amie Agathe, la coiffeuse.

— Ah bon...

Valentin eut beau faire de louables efforts pour ne pas paraître déçu, il n'y parvint qu'à moitié, et Rita en fut attristée. Pour lui, tout comme pour Mado, d'ailleurs. En dépit de tout ce que sa serveuse lui avait finalement raconté sur sa dernière rencontre avec celui qu'elle avait déjà appelé affectueusement son fiancé, Rita n'arrivait pas à en vouloir à Valentin. Cette homme-là était trop charmant et attentionné pour couver quelque méchanceté que ce soit. C'est ce qu'elle avait tenté de faire comprendre à Mado, qui n'avait pas vraiment donné suite à ses propos, se contentant d'une formule toute faite plutôt évasive.

En ce moment, voyant la consternation du pharmacien, Rita se promit d'en reparler avec sa serveuse. Elle se dit aussi qu'au moment où elle retournerait à la cuisine, elle demanderait à monsieur Romano de venir lui donner un coup de main dans la salle à manger. Ainsi, peut-être trouverait-elle un instant afin de jaser avec le pharmacien, à qui elle fit un petit signe de l'index pour qu'il lui emboîte le pas. Ensuite, elle s'empara des deux assiettes qui attendaient sur le plateau de service. Elles étaient garnies de ce qui ressemblait à un ragoût de boulettes.

— Suivez-moi, ordonna-t-elle à Valentin. Je sers les clients de la quatre en passant, pis j'vas vous installer à une de mes tables avec banquette. Vous allez être plus tranquille, parce que j'ai un groupe qui s'en vient dans quelques minutes, pis j'ai ben l'impression qu'ils veulent faire la fête ! Le temps de monter leur table avant de les faire entrer, pis je m'occupe de vous. Donnez-moi deux minutes, monsieur Valentin, deux petites minutes, pis je reviens avec un menu. Vous allez voir ! Depuis le temps, la carte a changé, vous savez, pis pas mal à part de ça.

— Ah oui ?

— En ciboulette, oui ! Les clients étaient vraiment contents de retrouver certains plats qui avaient disparu en même temps que mon ancien chef.

S'il était un homme sage et pondéré par la force des choses, Valentin était aussi un amateur de bonne chère, aussi gourmand que gourmet. La dernière information de madame Rita lui fit donc oublier momentanément Mado et son amère déception, et n'écoutant plus que les grondements de son estomac, il suivit la patronne du casse-croûte jusqu'au fond de la grande pièce, où il prit place à l'une des trois tables flanquées de banquettes, curieux de découvrir ce qu'il y avait de nouveau sur la carte.

À l'exception du groupe de six personnes qui venaient d'entrer bruyamment, Valentin remarqua assez vite que la plupart des clients étaient en train de quitter la salle à manger, des personnes âgées, pour la plupart. Le restaurant se vida peu à peu au rythme de leurs pas hésitants. Madame Rita avait bien raison : le mardi était une journée plutôt tranquille.

Faisant contre mauvaise fortune bon cœur, le pharmacien se pencha sur le menu dès que la patronne du restaurant l'eut déposé devant lui, tout en se promettant de revenir bientôt. Il aimait bien l'atmosphère bon enfant qui régnait dans ce petit restaurant. Chaque fois qu'il entrait ici, c'était comme si l'ensemble de ses problèmes restaient à la porte, et il regretta de ne pas être venu une seule fois depuis bientôt un an. S'il avait réussi aujourd'hui à trouver un stratagème pour se soustraire à sa mère, il aurait pu se forcer un peu et trouver autre chose bien avant ce midi.

Mais quand Valentin lut qu'il y avait du pouding au pain pour le dessert, il cessa de se morigéner, et il se demanda aussitôt s'il s'agissait de la recette de Mado, qui employait du pain aux raisins. Immédiatement, le nom de son amie s'imposa de nouveau. Guidé par la faim et la curiosité, Valentin choisit donc de prendre le menu du jour, car il gardait un excellent souvenir du dessert préparé par Mado. À défaut d'avoir pu rencontrer sa belle amie en personne, le pouding serait sa petite compensation. De plus, il aurait ainsi droit au ragoût de boulettes, qui était à l'honneur en ce mardi, précédé d'une soupe aux pois. Un menu typique du Québec, s'il en est un, de ceux que Valentin ne mangeait pas souvent, car sa mère cuisinait fort peu, à l'époque où elle faisait encore les repas, et elle privilégiait la cuisine française. Et depuis le mois d'avril de l'année précédente, le pharmacien avait eu beau être pétri des meilleures intentions, l'ensemble des repas chez les Lamoureux se ressemblaient tous un peu. En effet, les talents culinaires de Valentin se résumaient à des viandes grillées accompagnées de légumes.

— Qu'est-ce qui se passe, madame Rita ? demanda Valentin, lorsque la propriétaire revint pour prendre sa commande.

Il était vraiment surpris par la nouvelle mouture de la carte du restaurant, d'autant plus que Mado lui avait souvent parlé de l'entêtement de monsieur Romano en ce qui avait trait à la carte du restaurant.

— Le chef a décidé de cuisiner autre chose que des mets italiens ? ajouta-t-il d'emblée.

— Oh que non ! Monsieur Romano ne jure toujours que par la cuisine de son pays d'origine. Et il a quand même un peu raison, parce que c'est très bon. Mais pour le reste, figurez-vous donc que c'est sa fille Anna qui s'en occupe, au grand plaisir de la clientèle, d'ailleurs.

— Eh bien !

L'idée semblait plaire aussi à Valentin, car il hocha la tête en esquissant un petit sourire en coin. Rita se permit donc de renchérir.

— C'est merveilleux, ce retour de la cuisine canadienne, parce que ça fait le bonheur de ben du monde. Les plats italiens de monsieur Romano sont dépareillés, je dirai jamais le contraire, parce que je les trouve bons en ciboulette, mais il y en a qui préfèrent les plats de chez nous, et c'est leur droit le plus strict ! Je vous avoue que durant un bout de temps, je trouvais ça pas mal embêtant de pas pouvoir satisfaire tout mon monde. Mais heureusement, Anna a fait ses premières classes avec Léonie. C'était à prévoir qu'elle pourrait cuisiner autre chose que de l'italien, vous pensez pas?

— Effectivement...

— Pis ciboulette, notre jeune cuisinière réussit tous ses plats aussi bien qu'Hector, mon ancien chef! Il y a pas à dire: Léonie est un excellent professeur, pis Anna est une élève douée.

— J'ai hâte de vérifier par moi-même! Mais justement, en parlant de madame Picard... Comment va cette chère dame? Cela fait un bon moment que je ne l'ai pas vue à la pharmacie.

— Pas de nouvelles, bonnes nouvelles, n'est-ce pas? Elle va bien, Léonie, très bien même, comme le reste de sa famille... Mais j'y pense! Qu'est-ce que vous diriez que je vienne prendre un café avec vous? Pendant que vous allez manger, je pourrais vous donner les dernières nouvelles du quartier, parce que vous aussi, ça faisait un bon bout de temps qu'on vous avait pas vu la binette... Oups! Excusez-moi. Je voulais pas être impolie.

— Je sais que ça fait longtemps que je ne suis pas venu, et non, vous n'êtes pas impolie du tout...

Valentin détourna les yeux, un peu mal à l'aise, cependant, de prendre conscience que son absence n'était pas passée inaperçue. Mais qu'avait-il cru? Qu'on l'oublierait sans se poser aucune question? De toute façon, l'histoire du vol à la pharmacie avait dû faire le tour du quartier, et deux fois plutôt qu'une ! Si lui-même n'en avait pas réellement entendu parler, c'était probablement parce que les gens avaient plutôt leur malaise en tête quand ils venaient à la pharmacie, ou que tout bonnement, ils étaient gênés d'aborder le sujet. Bien au contraire, son absence avait dû être la source de bien des discussions ! À tout le moins dans la cuisine du casse-croûte !

Valentin toussota pour reprendre un certain contrôle sur sa nervosité.

— Laissez-moi vous dire, madame Rita, que ce n'était pas l'envie de venir vous voir qui manquait, murmura-t-il enfin.

Rita posa une main chaleureuse sur la sienne en lui souriant.

— Et moi, j'avais hâte de vous revoir, monsieur Valentin. C'est fou comme on tient à nos petites habitudes, n'est-ce pas ?

Le pharmacien poussa alors un long soupir, rasséréné par le ton calme employé par Rita. Si ce que Mado disait de sa patronne était vrai, et il n'y avait aucune raison pour que ce ne soit pas le cas, madame Rita saurait probablement être de bon conseil, elle aussi. Pourquoi ne pas tenter sa chance auprès d'elle ? Par la suite, elle pourrait discuter de leur entretien avec Mado. Cela servirait, en quelque sorte, de préambule à tout ce qu'il souhaitait dire à celle qu'il considérait toujours comme sa fiancée.

Sur ce, il ramena son regard sur la propriétaire du casse-croûte.

Cette dernière y lut une telle attente qu'elle en resta muette. Mais que s'était-il réellement passé dans la vie du pharmacien, durant tous ces derniers mois? Il devait sûrement y avoir une bonne raison pour que ce dernier ait boudé Mado comme il l'avait fait durant presque une année!

Le temps de cette réflexion, Valentin s'était ressaisi.

— Allez! Prenez tout votre temps, madame Rita, mais si l'occasion s'offre à vous sans causer de problème, oui, je serais heureux de partager mon heure de repas avec vous, accepta-t-il, sans trop savoir s'il prenait la bonne décision. Depuis ma pharmacie, je sais bien des choses sur les petits et les plus gros bobos des gens, mais pour le reste, je reconnais que je demeure la plupart du temps dans l'ignorance.

— Ben si c'est comme ça, je passe à la table de mes joyeux lurons pour voir s'ils sont à l'aise, pis prêts à commander, je fais un saut à la cuisine pour aviser mon chef de prendre la relève, pis je viens m'asseoir avec vous... Avec votre soupe, ben entendu!

— Et mon ragoût! ajouta aussitôt le pharmacien. J'en salive déjà. Savez-vous que ça doit faire au moins dix ou douze ans que je n'ai pas mangé de ragoût de boulettes?

— Tant que ça? Ciboulette, c'est long. Ça va vous sembler encore meilleur... Je reviens dans deux minutes!

Valentin avala sa soupe à une vitesse surprenante, l'esprit totalement vide, signe de sa grande fébrilité. Pour un homme solitaire comme lui, ouvrir son âme était une véritable prouesse, un acte de courage, et présentement, il avait la sensation que tous les mots qu'il avait soigneusement préparés à l'intention de Mado s'étaient volatilisés dans un univers lointain qui lui semblait inaccessible, en souhaitant de tout son cœur que ce soit provisoire. Mais pour l'instant, tout ce qui lui restait de ses longues ruminations au sujet des explications à fournir et de tous les serments d'amour qu'il s'était promis de déposer aux pieds de la belle serveuse n'était plus qu'un amalgame d'émotions disparates, qui étaient soit très légères, parce que remplies d'espoir, ou très lourdes à porter, parce que rattachées à un quotidien qui lui échappait.

Pouvait-il réellement en parler avec Rita? En avait-il même le droit?

Et qu'est-ce que Mado penserait d'une telle confession à une autre femme, alors qu'il l'avait purement et simplement abandonnée depuis le printemps précédent?

Quand Valentin leva les yeux de son bol vide, la patronne arrivait avec une tasse de café dans une main et son assiette de ragoût dans l'autre. Un peu plus loin, le chef Romano, la taille enserrée dans un tablier blanc de garçon de café, comme Valentin avait déjà vu dans les films français, prenait les commandes des clients qui avaient choisi le casse-croûte pour la qualité de ses fines pizzas afin de célébrer dignement l'anniversaire de leur gérant. Le chef retourna à la cuisine la tête haute, comme chaque fois que l'on vantait la qualité de ses plats, tandis que Rita adressait à Valentin un sourire à la fois amical et très doux. Puis, elle se glissa sur la banquette en face de lui.

Elle se doutait bien que le pharmacien du quartier n'était pas venu manger chez elle parce qu'il avait eu la subite envie de consulter son menu, ou que les potins de la place étaient devenus sa principale priorité.

— La soupe était bonne ? demanda-t-elle gentiment, sachant que les confidences viennent à point à qui sait attendre.

Puis, soudainement inspirée, et sans laisser la chance à Valentin de lui répondre, elle ajouta vivement, tout en repoussant le bol de soupe vers le bout de la table pour le remplacer par l'assiette de ragoût :

— Si la soupe nous vient des recettes de mon amie Léonie, pis le ragoût, de celles de mon défunt mari, et qu'Anna nous cuisine comme une vraie professionnelle, le pouding, lui, est toujours préparé par Mado.

Mado…

Il ne fallut pas plus que ce bref prénom prononcé devant lui pour que Valentin sente les larmes lui monter aux yeux.

Il se détourna, embarrassé. Puis, au bout d'un bref silence, il échappa ces quelques mots, qu'il confia à Rita d'une voix enrouée :

— Je me suis tellement ennuyé d'elle, si vous saviez !

— Et je crois pouvoir affirmer sans risque de me tromper que c'est réciproque, admit alors Rita, d'une voix feutrée. Oh ! Mado parle pas tellement de ses émotions, vous devez le savoir comme moi, mais je la connais depuis assez longtemps pour deviner ben des choses. Je le vois dans sa démarche quand elle est pas dans son assiette, pis dans son humeur... L'an dernier, je peux donc vous avouer qu'elle a filé un mauvais coton durant un bon bout de temps... Quasiment jusqu'à Noël, je pense ben... Ouais, c'est après le réveillon chez les Picard, où on a eu beaucoup de plaisir ensemble, que Mado a recommencé à être joyeuse comme d'habitude.

— Ah bon...

Valentin buvait les paroles de Rita, qui lui parlait de sa Mado. Il semblait profondément touché. Comme il connaissait l'appartement de la famille Picard pour y être allé à quelques reprises, il pouvait facilement imaginer Mado durant la nuit de Noël, endimanchée comme elle seule savait le faire, avec ses escarpins en cuir verni qui lui donnaient des frissons de plaisir anticipé.

— Comme ça, vous avez réveillonné dans la famille Picard ? demanda Valentin, curieux d'en savoir un peu plus, car tout ce qui touchait Mado l'intéressait.

— Exactement, confirma Rita. En riant, j'ai fait remarquer à Léonie qu'elle avait réuni autour d'elle les âmes en peine du quartier, parce qu'en fin de compte, en plus de Mado pis moi, il y avait aussi Mario, mon voisin qui est boulanger, pis Agathe, la coiffeuse, qui se retrouvait à être toute seule pour Noël pour la première fois de sa vie, parce que son garçon Rémi était pas là.

C'est en prononçant machinalement ce dernier nom que Rita se rendit compte qu'elle venait peut-être de faire une gaffe. Après tout, c'était ce même Rémi qui avait bouleversé la vie du pharmacien, en même temps que celles d'Agathe et de Mado. Rita se sentit rougir.

— J'suis désolée, monsieur Lamoureux, s'excusa-t-elle. Je voulais surtout pas tourner le fer dans la plaie en parlant du fils de mon amie Agathe comme ça.

— Ce fut un incident malheureux, admit le pharmacien qui ne semblait pas s'en faire outre mesure. Et pour bien des gens, c'est vrai. Mais celle qui doit continuer à en souffrir terriblement, jour après jour, c'est évidemment la mère de Rémi. C'était vraiment généreux de la part de madame Picard d'avoir pensé à elle.

— Pis à toutes nous autres aussi. Elle est comme ça, Léonie. Elle pense à tout le monde autour d'elle ben avant de penser à elle-même. Elle m'a déjà dit, un jour, que c'est comme ça qu'elle est heureuse, en pensant aux autres... Pis savez-vous quoi?

— Euh... non! Qu'est-ce que je devrais savoir comme ça?

— Ben justement pour faire plaisir à son beau-père, qui arrive plus à monter pis à descendre les escaliers, pis qui dépérissait à petit feu à rester enfermé à longueur de journée dans leur appartement, imaginez-vous donc que Léonie a sacrifié sa dépense pour faire installer un monte-charge.

— Un monte-charge ?

— En plein ça ! Au début, ils parlaient d'avoir un ascenseur, mais c'était trop gros pour leur logement... Même que le vieux quincailler nous a invitées, Agathe, Mado pis moi, à venir l'essayer quand il serait installé. Ce qu'on a fait toutes les trois après la messe du jour de l'An. Vous auriez dû nous voir, vous ! Avec le vieux monsieur Picard, on s'est amusés comme des enfants à descendre dans le magasin pis à remonter dans l'appartement... Ça secoue pas mal là-dedans, mais Joseph-Arthur a eu l'idée d'installer un support à serviettes le long d'une des parois. Ça fait qu'on peut se tenir après, pis on risque pas de tomber.

— Je n'en reviens pas, murmura alors Valentin, alors qu'il était en train d'imaginer sa mère, faisant des allers-retours entre leur cuisine et sa chambre. Le temps de se dire que l'idée méritait d'être sérieusement examinée, et il revint à Rita, qui continuait de discourir.

— S'il y a quelqu'un de gentil pis de généreux, dans le quartier, c'est bien Léonie, disait-elle pour conclure l'épisode des fêtes de fin d'année. Mais il y a aussi Mado, à sa manière un peu brusque, mais sincère… Vous auriez dû la voir, transformée en coiffeuse, le temps de quelques soirées parce que son amie Agathe était débordée ! Ça avec, je pense que ça a aidé Mado à passer par-dessus sa tristesse, même si, ben entendu, elle en a pas parlé avec qui que ce soit. Il y a rien de mieux que de se changer les idées quand ça va pas. J'suis bien placée pour le savoir. Être veuve avant même d'avoir trente ans, c'est vraiment pas facile à vivre… C'est un peu ce que j'ai répété à Mado quand je la voyais mélancolique.

Et si Mado avait été aussi triste que le prétendait madame Rita, c'était sans doute qu'elle tenait encore à lui, malgré tout ce qu'elle aurait pu lui reprocher, depuis sa lâcheté jusqu'à son silence et à sa défection, lorsqu'elle était venue plaider la cause du jeune Rémi.

Valentin esquissa un vague sourire.

— Dans le fond, reprit alors le pharmacien sur un ton songeur, comme s'il ne s'adressait qu'à lui-même, Mado me ressemble un peu dès qu'il est question de parler d'elle-même. Elle n'est pas très encline à s'ouvrir…

Puis, il opina vigoureusement de la tête comme pour donner du poids à ce qu'il venait de prétendre, avant de plonger son regard dans celui de Rita.

— Malgré tout ce que l'on vient de raconter, madame Rita, Mado a bien dû vous glisser un mot sur la rencontre qu'elle a faite à la pharmacie, non ?

— Si c'est à votre mère que vous faites allusion, oui, Mado m'en a parlé… Un tout petit peu.

— Elle devait être très fâchée, déclara alors Valentin, parce que ma mère n'a pas la langue dans sa poche, et elle n'est pas dotée du meilleur caractère en ville. Deux personnalités fortes qui se croisent, ça provoque des étincelles, parfois. Et c'est ce qui s'est passé... Mado a bien dû vous le dire, non ?

— Non, pas vraiment... Pis quand vous dites qu'elle devait être fâchée contre votre mère, c'est pas nécessairement le mot que j'emploierais... Elle était surtout déçue que les choses se soient pas tellement bien passées. Mais demandez-en pas plus, Mado est jamais entrée dans les détails de cette soirée-là. Elle a dit qu'elle était navrée de voir que votre mère l'avait pas appréciée, pis ça s'est arrêté là.

— Ah oui ? Elle n'a rien dit de plus concernant ma mère ?

— Non, jamais... Ça fait partie de ce qu'elle est. Parler dans le dos du monde, ça se fait pas pour Mado. En fin de compte, comme je viens de vous le dire, c'est surtout de la déception que ma serveuse a éprouvée. Pis durant une bonne partie de l'été pis de l'automne, à part de ça. Mais pas de la colère dans le sens de devenir mauvaise, pis de se mettre à jaser en mal de quelqu'un... Astheure, il faudrait ben vous décider à manger, vous là. Ça va refroidir, pis des boulettes de ragoût figées dans leur sauce, c'est pas vargeux !

Comme un enfant obéissant, et sans rétorquer quoi que ce soit, Valentin piqua sa fourchette dans l'une des boulettes. Il savoura une première bouchée les yeux mi-clos, puis il offrit un sourire satisfait à Rita.

— C'est vraiment bon, apprécia-t-il après s'être essuyé les lèvres avec un coin de la serviette en papier. Vous féliciterez la jeune Anna de ma part. Nul doute, cette jeune fille a un grand talent ! Je lui connaissais celui des tartes, mais je constate que son horizon s'est élargi.

— C'est ce qu'on pense d'elle ici... Qu'elle a ben du talent ! Si vous saviez à quel point elle aime ça, se trouver dans une cuisine. Une vraie vocation, son affaire ! Ce qui fait qu'à force d'être félicitée pis encouragée, Anna s'est mise à parler de plus en plus souvent d'aller poursuivre ses études en Europe, auprès d'un grand chef, un ami de son père.

— Heureuse jeunesse qui a toute la vie devant elle, nota le pharmacien avec une pointe d'envie nostalgique dans la voix. Vous ne savez pas ce que je donnerais pour retourner à mes vingt ans.

— Ah oui ? Eh bien, pas moi ! Malgré le fait que j'aurais la chance de revoir mon mari que j'aimais profondément, pis avec qui j'espérais de tout mon cœur fonder une famille, je voudrais à aucun prix revivre les mois d'enfer que j'ai connus, quand on a appris que mon Rémi souffrait d'un cancer en phase terminale.

— Rémi ? Votre mari s'appelait Rémi ?

— Ouais, pis c'était un homme merveilleux. C'est d'ailleurs en pensant à lui qu'Agathe a donné le même prénom à son fils. Elle disait que ça lui porterait bonheur. Si elle avait su comment ça virerait, tout ça, peut-être ben qu'elle aurait choisi un autre prénom.

— Et ça n'aurait rien changé, croyez-moi.

— Vous avez probablement raison.

— Et moi, je me souviens de votre mari... Rémi Bellehumeur... Un chic type. Maintenant que vous en avez parlé, ça me revient... Curieux que j'aie oublié ce détail. Il faut dire, cependant, que je ne fréquentais pas très souvent votre établissement, à l'époque, et que j'ai toujours appelé le propriétaire monsieur Bellehumeur. En revanche, je me souvenais de vous et de votre gentil sourire.

— Peu importe, monsieur Lamoureux ! Ça me blesse pas pantoute.

Sur ce, Rita esquissa un sourire malicieux.

— On a fait un méchant détour pour dire que vous êtes pas vieux.... Ciboulette ! À mon avis, vous devez avoir sensiblement le même âge que Mado.

— C'est vrai, vous avez raison.

— Dans ce cas-là, si vous voulez un bon conseil, dites jamais devant elle que vous vous sentez vieux. Là, c'est vrai, qu'elle va vous en vouloir longtemps, pis il y a de fortes chances pour qu'elle veuille plus jamais vous parler !

Le ton restait moqueur et Valentin accepta la menace avec un grain de sel.

— D'accord, je ne dirai plus jamais que je suis un vieil homme.

— Et en attendant de devenir un vrai vieux monsieur, comme notre ancien quincailler, dépêchez-vous de finir votre ragoût. Pendant ce temps-là, j'vas aller voir comment ça se passe dans la cuisine, pis je vous reviens avec une grosse portion du pouding au pain à Mado !

— Miam !

— Vous aimez le pouding au pain ?

— Et comment ! Me croiriez-vous si je vous disais que la première fois que j'en ai mangé, c'était chez Mado ? C'était aussi la première fois qu'elle m'invitait à souper chez elle.

— Et si vous êtes capable de garder un secret, moi, je vous dirais que c'était le premier vrai repas que ma serveuse cuisinait.

— Ah oui ? Je vous avoue que c'est un peu difficile à croire, car tout était délicieux...

— Ben tant mieux, parce que la pauvre Mado était nerveuse comme ça se peut pas...

À ce souvenir, Rita esquissa un second sourire.

— Me v'là en train de dévoiler les petits secrets de mon amie... Si Mado m'entendait mémérer comme ça, elle serait pas fière de moi... Mais il en reste pas moins que c'est curieux de voir comment c'est que la vie est ben faite, par bouttes ! Depuis ce soir-là, Mado prépare au moins trois poudings par semaine pour le casse-croûte, pis c'est un vrai succès. C'est pas mêlant, les clients en redemandent !

— Avec raison, c'est tellement bon !

— Pourtant, avant de vous inviter, Mado était comme moi, pis elle disait qu'elle aimait pas ça, faire à manger. Il faut dire qu'à travailler dans un restaurant, nos repas sont pour ainsi dire préparés sans qu'on aye à faire d'efforts... Pour moi, il y a rien de changé là-dedans, pis j'haïs toujours autant suivre une recette. Ça fait que j'suis ben contente de pouvoir manger ici trois fois par jour. Mais Mado, par exemple, elle est en train de rattraper le temps perdu. Comme elle le dit elle-même, grâce à vous, elle s'est découvert une attirance pour la cuisine.

À ces mots, les yeux de Valentin se mirent à briller d'émotion et de gourmandise.

Que de temps perdu à cause de sa mère !

— Le pire, poursuivit Rita, c'est qu'elle se débrouille pas mal bien ! Durant le temps des Fêtes, Mado nous a reçues chez elle, Léonie, Agathe pis moi, pis laissez-moi vous dire que c'était pas mal bon...

— Chanceuse !

— C'est vrai... C'est vrai que j'suis chanceuse, malgré tout. Tout ce que vous voyez ici est à moi, souligna la jolie Rita, en promenant lentement les yeux autour d'elle.

Puis, elle s'arrêta sur Valentin.

— Grâce à mon mari, j'ai jamais manqué de rien. J'ai trimé fort, c'est vrai, mais c'est juste normal de travailler dans une vie. En plus, j'ai des amies qui sont vraiment gentilles, même si on se voit pas aussi souvent qu'on le voudrait, pis j'suis en bonne santé.

C'est plus que bien du monde, tout ça... Bon ! C'est pas que votre compagnie est désagréable, mais il faudrait bien que je retourne à mon ouvrage. La vaisselle se fera pas toute seule ! Mais avant, j'vas chercher votre dessert. On en a assez parlé, c'est comme rien que vous devez avoir hâte de le manger.

Rita revint de la cuisine l'instant d'après, et elle déposa une double portion de dessert devant Valentin.

— J'ai l'impression que j'ai droit à un traitement de faveur, non ?

— Un peu, admit Rita en faisant un clin d'œil polisson au pharmacien... Disons que c'est pour vous donner envie de revenir, quand Mado va être là... Comme demain, par exemple ?

Le ton était espiègle. Néanmoins, Valentin hésita. Comment dire qu'il n'était pas libre de ses allées et venues ?

Subitement, il se sentit ridicule. À son âge, il dépendait toujours du bon vouloir de sa mère et il devait demander sa permission pour des insignifiances.

Ou lui cacher ce qu'il faisait.

Comme ce midi.

— Revenir demain serait mon plus cher désir. Mais c'est plus facile à dire qu'à faire.

— Comment ça ? Je vous comprends pas, monsieur Valentin. Vous mangez pas tous les midis ? Vous suivez un régime ?

— Mon Dieu, non ! Grâce au Ciel, je n'ai pas besoin de me priver. C'est dans ma nature de ne pas engraisser et je ne souffre d'aucune maladie... Non, s'il y a un problème, c'est à cause de ma mère qui...

— Ben là, je vous arrête tusuite!

Rita avait brusquement changé de ton.

— Si vous avez des explications à donner concernant votre mère, c'est pas à moi qu'il faut les dire. C'est à Mado. C'est elle qui vous espère depuis quasiment un an, pis c'est à elle que vous devez parler de tout ça, pas à moi... Ça fait que je me répète: vous devriez revenir manger demain, suggéra Rita avec assurance. C'est le midi des escalopes de m'sieur Romano. Si ma mémoire est bonne, vous aimiez ça. Mado va être là, comme de coutume, pis je pourrais lui dire que vous êtes venu, pis que vous espériez la voir. Comme ça, elle va pouvoir se préparer, parce que j'imagine que ça va être tout un choc pour elle d'apprendre que vous avez enfin donné signe de vie. Là-dessus, je vous souhaite une bonne fin de journée, moi, je retourne à mon ouvrage.

Ce fut sur ces mots que Rita tourna les talons pour s'éloigner. Mais elle n'avait pas fait quatre pas qu'elle s'arrêtait brusquement pour se retourner vers le pharmacien.

— Ah oui, j'allais oublier... Le repas d'à midi, c'est moi qui vous l'offre.

Comme Valentin s'apprêtait à répondre, Rita lui fit un petit signe de la main pour qu'il ne dise rien.

— Non, pas de répliques! Ça me fait plaisir, pis j'espère que ça va vous aider à comprendre que vous serez toujours le bienvenu dans mon casse-croûte...

Pis je pense, sans risque de me tromper, que Mado pourrait vous dire la même chose. Ouais... Bon, là c'est vrai, j'ai tout dit ce que j'avais à dire, pis je retourne dans la cuisine. À bientôt, monsieur Valentin... À très bientôt, j'espère.

Partie 3

Printemps
~
Été 1969

Chapitre 7

«Avec ma gueule de métèque
De Juif errant, de pâtre grec
Et mes cheveux aux quatre vents
Avec mes yeux tout délavés
Qui me donnent l'air de rêver
(Moi qui ne rêve plus souvent)
Avec mes mains de maraudeur
De musicien et de rôdeur
Qui ont pillé tant de jardins
Avec ma bouche qui a bu
Qui a embrassé et mordu
Sans jamais assouvir sa faim...»

~

Le Métèque, Georges Moustaki

Interprété par Georges Moustaki, 1969

Le dimanche 4 mai 1969, en début d'après-midi, dans la cuisine chez Jacinthe et Daniel

On était à peine au début de mai, et les fenêtres de l'appartement étaient toutes grandes ouvertes tellement il faisait chaud, de cette touffeur humide qui, habituellement, n'appartient qu'au mois de juillet.

Enceinte de bientôt huit mois, Jacinthe se rafraîchissait tant bien que mal avec une feuille de papier pliée en éventail. Daniel et elle s'étaient installés autour de la table de la cuisine, la seule pièce de l'appartement où, pour l'instant, le soleil ne plombait pas. Ensemble, ils discutaient de la petite fête qu'ils prévoyaient organiser pour l'anniversaire de leur fille, tandis que celle-ci faisait sa sieste, après le dîner.

Affalée sur sa chaise, Jacinthe secouait énergiquement la feuille de papier quadrillé d'une main, tandis que de l'autre main, elle frictionnait ses reins cambrés. En face d'elle, Daniel prenait quelques notes sur une autre feuille de papier.

— Demain, compte sur moi pour aller acheter un ventilateur, annonça la future mère avec brusquerie.

Depuis quelque temps, Jacinthe peinait à trouver une posture confortable, et le moindre détail incommodant la faisait sortir de ses gonds.

En effet, avec la canicule et la maternité combinées, Jacinthe dormait beaucoup moins bien, et son humeur s'en ressentait. Néanmoins, quoi qu'il puisse advenir, Daniel prenait chacun de ses petits caprices avec un grain de sel. Rien n'aurait pu ternir l'amour qu'il éprouvait pour sa bien-aimée, et malgré son visage bouffi, ses pieds enflés et son ventre lourd, il la trouvait toujours aussi belle et désirable.

À des lieues de telles considérations, Jacinthe s'étira en grimaçant. Si la chose était possible, elle était encore plus grosse qu'à sa maternité de Caroline, et elle souffrait plus que de coutume de la chaleur qui perdurait depuis maintenant plusieurs jours.

— Mon *fan*, expliqua-t-elle, tout en s'éventant de plus belle, je le veux sur pied, avec des roulettes. Comme ça, j'vas pouvoir l'emmener partout avec moi dans la maison.

— Promis, on s'occupe de ça dès demain ! C'est même moi qui vas m'en charger, ma douce.

Tout en parlant, Daniel enveloppait son épouse d'un regard amoureux rempli de tendresse.

— C'est pas vrai que tu vas continuer à pâtir de la chaleur de même ! Il faut pas oublier que t'en as encore pour un gros mois, avant d'accoucher, ajouta-t-il. J'vas prendre mon heure de lunch, demain, pour aller magasiner.

— T'es fin, Daniel, ben fin ! C'est vrai que faire des commissions avec ma grosse bedaine pis la petite qui cherche souvent à nous échapper pour courir partout, ça commence à être un peu fatigant.

Les deux parents échangèrent un sourire complice. Comme bien des enfants, en avançant en âge, leur petite Caroline était de plus en plus curieuse, et de ce fait, peut-être un tantinet moins sage. Mais comme le disait si bien Jacinthe : leur fille avait le monde entier à découvrir, et il était tout à fait normal qu'elle bouge un peu pour faire ses explorations.

— Je m'en ferais pas avec ça, disait-elle quand Daniel s'inquiétait de voir sa fille aussi active. Dans le fond, elle me ressemble pas mal ! T'aurais dû être là, Daniel, quand j'étais petite ! Toujours sur une patte, à courir, pis à grimper partout. Je savais pas marcher, mautadine, je courais tout le temps. Pis je fouillais partout. Heureusement, c'est pas le cas de Caroline, Dieu merci !

Tout cela pour dire que dans l'ensemble, Caroline restait une petite demoiselle bien gentille et plutôt docile. Ses parents, à l'instar de ses grands-parents maternels, l'aimaient inconditionnellement.

— Bon ben, lança Daniel, c'est réglé pour le ventilateur. Une bonne chose de faite, pis comme on est juste au milieu du printemps, ça sera pas une dépense inutile. Je te ramène ça demain, en fin d'après-midi, en revenant du travail.

— J'ai hâte, tu sais pas comment... Astheure, qu'est-ce que tu dirais qu'on finisse notre liste pour la fête de Caroline ?

— Bonne idée, approuva Daniel, en tapotant avec le bout d'un stylo la feuille qui était devant lui sur la table.

Puis, il esquissa une moue sceptique.

— Par contre, j'sais pas si c'est une bonne idée de te lancer dans de la grosse popote comme ça, souligna-t-il en fronçant les sourcils... Tu penses pas que c'est un peu trop, dans ton état?

— Pantoute.

Jacinthe était catégorique.

— Il se porte très bien, mon état, comme tu dis. J'suis peut-être énorme, mais c'est ça qui est ça. Paraîtrait-il que j'suis enceinte, fit remarquer Jacinthe, tout en faisant un clin d'œil coquin à son mari. Par contre, le bébé bouge pas mal moins que sa sœur, pis lui, il me donne jamais de coups de pied dans les côtes comme le faisait notre fille.

Curieusement, Jacinthe parlait toujours du bébé à venir comme si elle était certaine de porter un petit garçon. Même les prénoms suggérés et retenus étaient masculins. Sébastien, Benjamin, Thomas, Frédérik...

— Ça, il y a juste toi qui peux le savoir, si le bébé est plus tranquille, constata Daniel. Moi, tout ce que je vois, c'est que t'es ben fatiguée.

— Justement, je commence à en avoir assez! Mais c'est pas une raison pour arrêter de bouger, par exemple. Au contraire! Ça me fait du bien d'être occupée. Je me morfonds moins sur le temps qui s'est mis à ralentir, on dirait ben. Non, inquiète-toi pas pour moi, Daniel, j'vas prendre toute la semaine s'il le faut pour préparer le plus de choses à l'avance, pis j'vas arriver à dimanche prochain en même temps que tout le monde... Toi, tu t'occupes de m'acheter un *fan*, pis une fois au frais, je m'occuperai ben du repas pour la réception. Mais pour l'instant, vas-y, mon Dan ! Relis-moi la liste qu'on a faite, pour que je soye ben certaine qu'on a rien oublié.

Daniel commença par énumérer tout ce qu'ils avaient jugé essentiel de se procurer pour offrir à leur fille une fête d'enfant digne de ce nom. Il y avait donc les ballons, la nappe de papier, les chapeaux multicolores et les mirlitons. Ensuite venait le gâteau. Là, c'était Anna qui s'en était mêlée, le soir où ils avaient discuté de la fête avec leurs amis. La jeune cuisinière avait promis... non, elle avait exigé de s'en occuper.

— Tu vas en avoir assez à faire comme ça, avait-elle souligné à Jacinthe sur un ton autoritaire. Puis, après tout, Caroline est ma filleule, oui ou non ?

— Oui, bien sûr, mais...

— Il n'y a pas de « mais » qui tienne, Jacinthe ! C'est moi qui cuisine le gâteau de Caroline, point à la ligne... Et je ne veux surtout plus en entendre parler.

— Donc, souligna Daniel, grâce à Anna, ça va nous faire une dépense de moins. Je l'apprécie beaucoup, ajouta-t-il, car au départ, il avait proposé d'acheter le gâteau pour soulager sa Jacinthe. Ça va peut-être me permettre d'acheter un ventilateur plus gros...

— Bonne idée ! Plus la patente va brasser de l'air, mieux j'vas me porter.

— Pis moi avec ! Ensuite, t'as dit que tu voulais faire un pâté au poulet avec une sauce aux canneberges, poursuivit Daniel en reportant les yeux sur sa liste.

Puis, il leva brusquement la tête, et il dévisagea Jacinthe.

— Tu trouves pas, toi, que ça ressemble un peu trop à un menu de Noël, notre affaire ? demanda-t-il sur un ton hésitant.

— Ouais, pis ?

Visiblement, Jacinthe était sur la défensive.

— Si j'aime ça, moi, du pâté au poulet, pourquoi je serais obligée de faire d'autre chose ?

Daniel se contenta de hausser les épaules, ne sachant quoi répondre.

— *Anyway*, compléta la jeune femme, t'avoueras avec moi que c'est ce que je réussis le mieux.

— C'est pas vrai, ça ! protesta Daniel avec véhémence. J'suis d'accord avec toi pour dire qu'il est bon en saudit, ton pâté au poulet, mais tout ce que tu fais, c'est bon, fait que...

Un silence fait de réflexion se posa sur la cuisine. Quelques instants plus tard, Daniel reprenait là où il avait laissé.

— J'veux pas avoir l'air d'insister, mais tu trouves pas que ça serait un peu trop lourd pour une journée d'été, un gros pâté comme ça ?

Fourbue, Jacinthe n'avait pas l'énergie pour entamer une longue discussion. Elle rendit les armes sans plus de cérémonie.

— C'est vrai que s'il fait chaud comme aujourd'hui, ça risque d'être pesant sur l'estomac en mautadine, admit la jeune femme sur un ton songeur…

Puis, elle poussa un long soupir contrarié.

— On fait quoi, d'abord? Moi, j'ai pensé à rien d'autre, parce que ça me tentait de faire un pâté, pis j'ai pas pantoute envie de me creuser les méninges pour trouver une autre idée. Il fait trop chaud.

— Ben là… C'est pas vraiment moi qui connais ça, les recettes…

Daniel soupira à son tour. Mais au bout de quelques instants, son visage se fendit d'un grand sourire.

— Je l'ai! Si on faisait un buffet comme ta mère a préparé pour la fête des Pères de l'an dernier? Souviens-toi! Il faisait chaud en s'il vous plaît, ce dimanche-là, pis tout le monde avait ben apprécié de manger un repas froid. Des sandwichs, deux ou trois salades, du jambon en tranches… Il me semble que ça serait bon, non?

— Un buffet…

Jacinthe prit le temps de réfléchir deux secondes, puis elle approuva d'un vigoureux hochement de la tête.

— T'as ben raison, Daniel! En plus, rappelle-toi comment c'est que Caroline avait aimé ça, choisir elle-même ce qu'elle voulait manger…

— C'est justement en pensant à ça que j'ai eu l'idée !

— Ben si c'est de même, j'vas regarder dans mon livre des Dames de la Congrégation, pour trouver des suggestions, tout de suite après le souper. C'est sûr que j'vas dénicher là-dedans tout plein de recettes pour notre buffet. Pis on pourrait demander au propriétaire si on peut s'installer dans la cour, pour l'heure du dîner. S'il fait beau, comme de raison. Je demanderais à mes parents d'amener leurs chaises de parterre.

— Pis je peux demander la même affaire à mon père pour que tout le monde puisse s'asseoir. Tout est parfait ! À nous deux, on fait un saudit de bon *team* !

— Je l'ai toujours dit. On était faits pour aller ensemble, toi pis moi.

— Ben, si on a fini avec l'histoire de la fête, c'est moi qui prends les commandes pour l'après-midi.

— Comment ça ?

— Parce que ça me tente, pis que je me suis dit qu'on pourrait aller faire un petit tour chez ma mère.

— Avec une chaleur pareille ? Elle sera peut-être même pas là.

— C'est parce que tu la connais pas tellement, que tu dis ça, ma douce. Il y a rien que ma mère aime plus qu'une journée de soleil ben chaude. Je serais même pas surpris qu'on la retrouve assise sur son balcon en train de se faire chauffer la couenne, comme elle dit.

— T'as vraiment l'air sûr de ton affaire !

— Je le suis. Pis en plus, c'est le dernier jour qu'on peut aller la voir pour l'inviter à la fête de notre fille. Crime Pof ! Il serait temps qu'elle se décide à venir à une de nos réceptions, non ? Qu'est-ce que t'en penses ?

— Là, par exemple, j'suis ben d'accord avec toi... Pis c'est une bonne idée d'aller l'inviter en personne. Il me semble que ça va être plus dur pour elle de nous dire non en pleine face... En autant que ça dérange pas ton père, parce que si ta mère dit oui, il va falloir le désinviter, pis...

— Je m'en occupe de mon père, trancha Daniel. Je le connais bien, il va comprendre, j'en suis certain... Pis en cas de besoin, il va quand même nous prêter ses chaises.

— Tu penses ?

— J'en suis certain.

— OK ! Si, à ton avis, on fera pas une gaffe en invitant ta mère pis pas ton père, j'suis partante pour aller chez elle après-midi. Ça va me faire du bien de voir autre chose que nos quatre murs.

— Ben là, tu me fais plaisir !

Daniel était déjà debout.

— Bouge pas de là, ma douce, c'est moi qui m'occupe de réveiller Caroline. Le temps de se préparer, pis on part !

Une demi-heure plus tard, une trentaine de minutes beaucoup trop courtes aux dires de Jacinthe, parce que les yeux mi-clos, la future maman avait apprécié la brise qui entrait par la vitre ouverte, séchant son visage inondé de sueur, ils retrouvèrent effectivement la mère de Daniel, assise sur son balcon. Les deux pieds dans une bassine d'eau froide, elle semblait feuilleter une revue à potins ou un photoroman, les deux seules lectures qu'elle appréciait.

— Moman !

Du trottoir, Daniel interpella joyeusement sa mère. Malheureusement pour lui, cette dernière, sachant les jumeaux chez leur père jusque tard dans la soirée, ne prêta pas vraiment attention à cet appel.

Daniel insista.

— Moman ! C'est moi, ton gars, Daniel. Regarde en bas ! Caroline te fait bonjour avec la main !

Assise sur le bras replié de son père, et cramponnée à son cou, Caroline levait en effet les yeux vers le balcon, en agitant joyeusement la main.

Bien que peu maternelle, Ruth ne put résister à ce joli minois. Elle leva la main à son tour.

— Allô, ma belle Caroline !

Mais aussitôt après, elle apostropha son fils.

— Au lieu de t'égosiller comme un perdu, mon pauvre Daniel, pis ameuter toute la rue, montez donc me rejoindre ! J'vas aller vous ouvrir.

L'appartement de Ruth Lizotte était encore plus étouffant que celui de Daniel et Jacinthe, parce qu'il était situé loin des parcs municipaux, là où une certaine brise pouvait prendre naissance avant de se faufiler dans les maisons avoisinantes. Alors, présentement, dans le salon qui donnait vers le sud-ouest, l'air stagnait, lourd et poisseux. En moins de temps qu'il n'en faut pour le dire, Jacinthe était en nage, et elle avait le souffle court.

— Si ça vous dérange pas trop, madame Lizotte, haleta-t-elle, j'irais m'asseoir sur la galerie. Ici, il fait ben que trop chaud pour moi. J'ai l'impression que j'vas perdre connaissance, tellement il faut que je pompe mon air... À moins que je me décide à accoucher drette-là...

Ruth lança un regard affolé à Jacinthe, sur le point de lui rétorquer sèchement de se retenir. Mais comme la pauvre fille faisait vraiment pitié à voir, avec sa frange de cheveux détrempée et son visage rubicond, Ruth en fut presque attendrie... à sa manière ! Elle se leva brusquement.

— Ben sûr, ma pauvre enfant ! Où c'est que j'ai la tête, moi, coudonc ?

Puis, elle se tourna vers son garçon.

— Veux-tu ben me dire, aussi, quelle idée de fou t'a passé par l'esprit pour promener ta femme enceinte jusqu'aux oreilles, d'un bout à l'autre de la ville par une chaleur pareille ? Il y a ben juste toi pour pas réfléchir plus que ça ! Envoye, Daniel, va nous chercher deux chaises dans la cuisine, on retourne dehors. On se fait un peu rôtir, c'est vrai, mais au moins, on peut respirer, parce qu'il y a un souffle d'air qui nous vient de la rue Côte-des-Neiges. Pis prends donc le *popsicle* que j'avais caché dans le congélateur en arrière de la pinte de crème glacée, pour être sûre que tes frères le mangeraient pas ! Je le gardais pour mon dessert du souper, mais j'vas le donner à la p'tite... Dans moins d'une demi-heure, le soleil va avoir tourné le coin du bâtiment, vous allez voir, ça va être pas mal plus confortable...

Comme Daniel arrivait déjà de la cuisine, Ruth lui désigna la porte qui donnait sur le balcon.

— Va porter les chaises dehors, Daniel... Pis toi, Jacinthe, veux-tu que je te passe ma bassine ? J'vas changer l'eau juste pour toi. Tu vas voir ! Les pieds dans l'eau froide, ça fait du bien.

— Je vous remercie, déclina la jeune femme. Vous êtes ben fine d'avoir pensé à ça, mais le fait d'être dehors devrait suffire.

— Ben dans ce cas-là, je peux-tu vous offrir un verre d'eau ? C'est ben de valeur, mais je vous attendais pas, pis j'ai bu à moi toute seule le gros pot de limonade que j'avais préparé à matin... J'suis ben désolée ! Envoye, Jacinthe, suis-moi ! Tout le monde dehors !

Et sans attendre de réponse à sa proposition de verre d'eau, Ruth se précipita vers la porte.

Le temps de s'installer cordés face à face, puis elle demanda, question d'entretenir une conversation qui peinait à démarrer :

— Pis, quoi de neuf par chez vous, mon Daniel ?

— Pas grand-chose. C'est un peu la routine, mais ça va. Avec le petit qui s'en vient, je dirais que ça va même très bien. On a installé un petit coin pour lui dans notre chambre, pis il nous reste juste à attendre qu'il se décide à naître. Pis toi ?

— Bof ! La vie c'est la vie, hein ? On peut pas dire que ça soye le *party* tous les jours, surtout avec tes frères qui sont pas toujours faciles, mais ça s'endure...

— Ah bon... Si tu veux, j'peux venir plus souvent pour les voir.

— C'est vrai qu'on se voit pas ben ben régulièrement, mais pour tes frères, ça sera pas nécessaire. J'ai encore la poigne solide... Pis c'est pas si grave que ça si vous venez me voir juste de temps en temps. J'ai pour mon dire que dans toute, c'est la qualité qui compte, pas la quantité.

— Vous avez ben raison, madame Lizotte !

En fin de compte, ce fut Jacinthe qui invita elle-même sa belle-mère, pressée qu'elle était de retourner chez elle. Juste à la pensée de la grosse bouteille de Pepsi qu'elle avait mise au froid avant de partir, elle en salivait déjà.

— Madame Lizotte, qu'est-ce que vous diriez de venir chez nous dimanche prochain ? demanda-t-elle à brûle-pourpoint, brisant ainsi un des nombreux silences qui ponctuaient la conversation. Ça va être la fête de Caroline, pis ça nous ferait ben gros plaisir de vous avoir avec nous autres.

Admiratif, Daniel n'ajouta rien de plus à l'invitation lancée par Jacinthe. Il n'aurait jamais su aussi bien dire.

Sans répondre, Ruth jeta un regard en coin à Jacinthe, qui s'essuyait le front toutes les deux secondes, puis elle baissa les yeux sur la petite, qui était assise par terre et qui mangeait son *popsicle*, sans se soucier du jus qui coulait sur ses mains, sur la bavette qu'une maman prévoyante avait sortie de son sac à main et sur le plancher écaillé du balcon. Ruth se dit alors qu'elle n'aurait pas le choix de passer la galerie à l'eau si elle ne voulait pas voir une colonie de fourmis monter jusque-là, puis elle prit son paquet de cigarettes dans la poche de sa jupe. Elle s'en alluma une, et elle tira une longue bouffée. Ruth était toujours aussi silencieuse, signe chez elle qu'elle était en grande réflexion. Ce ne fut qu'après une bruyante expiration de fumée grisâtre qu'elle se tourna enfin vers sa belle-fille.

— Tu le sais ben, ma pauvre enfant, que j'suis pas sorteuse.

Jacinthe se retint pour ne pas se montrer impolie, devant cette réponse rabâchée régulièrement depuis plus de deux ans. Elle n'avait pas fait toute cette route par un dimanche suffocant pour retourner bredouille chez elle. Au risque de se faire rabrouer, elle insista.

— Juste pour une fois, s'il vous plaît ! Caroline est rendue assez vieille pour se rendre compte de qui est là avec elle, pis de qui peut manquer. J'suis sûre qu'elle serait contente de vous avoir chez nous pour sa fête. On fait ça dimanche prochain.

— Ouais, peut-être ben...

Ruth baissa les yeux sur sa petite-fille, qui s'amusait maintenant à regarder quelques oiseaux qui sautillaient de branche en branche dans le gros orme qui avait pris racine dans le carré de pelouse devant la maison voisine. Un éclat de rire en cascades fit sourire la grand-mère. Brièvement. Puis, Ruth prit une seconde bouffée de sa cigarette en ramenant les yeux devant elle.

— Avant d'accepter, je veux que ça soye ben clair : pas question pour moi de me retrouver dans la même maison que le père des garçons.

Devinant à ces mots que sa belle-mère allait peut-être enfin accepter l'une de leurs nombreuses invitations, Jacinthe se hâta de la rassurer.

— Pas de danger qu'on oublie ça, madame Lizotte. On le sait que c'est ben important pour vous, pis on va respecter ça, Daniel pis moi. Craignez pas, monsieur Meloche sera pas là... En fait, c'est mes parents que j'avais pensé inviter en même temps que vous. Que c'est que vous diriez de ça ?

La réflexion de Ruth, cette fois-ci, fut de très courte durée.

— Non... C'est pas une bonne idée, Jacinthe... À ce que j'ai entendu dire à travers les branches, ton père pis le père de Daniel s'entendent pas mal bien, depuis que vous êtes mariés, pis c'est en masse pour moi pour que j'aye pas envie de les rencontrer eux autres non plus. Du moins, pas pour astheure... On verra plus tard.

Jacinthe et Daniel échangèrent un regard interloqué. Ruth était-elle en train de leur dire qu'ils devraient annuler toutes leurs invitations pour avoir le plaisir de sa présence ? Ça n'avait aucun sens. Jacinthe jeta un regard perplexe sur sa fille, puis elle esquissa un sourire attristé. Ruth dut sentir leur malaise, car elle reprit rapidement pour proposer :

— À la place, si j'allais chez vous samedi prochain pour le souper, ça pourrait-tu marcher ?

— Samedi ?

Jacinthe reporta illico les yeux vers Daniel qui, d'une moue discrète, signifia qu'elle serait mieux d'acquiescer. Sinon, il se doutait bien qu'un refus ne serait pas accepté, et que sa mère se sentirait justifiée de ne jamais mettre les pieds dans leur appartement. Devant la mimique de son mari, la jeune femme retint un soupir résigné. En revanche, comme la timidité n'avait jamais fait partie de ses attributs, elle répondit franchement.

— C'est sûr que ça va être un peu plus d'ouvrage pour moi, avoua-t-elle sans détour. Mais je dirais que…

— Pas besoin de mettre les petits plats dans les grands pour moi, interrompit la mère de Daniel, qui commençait à comprendre ce que sa requête pouvait avoir d'exigeant pour une femme enceinte de huit mois. J'veux surtout pas te donner plus de tracas, pis je peux facilement me contenter de l'ordinaire que t'aurais fait de toute façon pour toi pis mon garçon. J'suis pas capricieuse, pis je mange de tout, excepté du foie de veau. C'est pas mêlant, ça me roule dans la bouche. Mais pour le reste, ça va… Comme ça, ça ferait deux fêtes pour la p'tite, pis tu serais pas obligée de *canceller* tes parents… Mettons aussi, pour t'ôter un peu de travail, que je peux m'occuper du gâteau, parce qu'une fête pas de gâteau, quand on a deux ans, ça se peut pas. Ouais, je pense que ça aurait de l'allure pour toi. Pis moi, je t'avouerais que je me sentirais pas mal plus à l'aise comme ça.

Et sans laisser la chance à Daniel ou à Jacinthe de répliquer quoi que ce soit, Ruth apporta elle-même la conclusion à son monologue.

— Si vous voulez m'avoir chez vous, c'est de même que ça va se passer. Pis j'veux pas d'obstination, ajouta-t-elle promptement, en fixant son garçon droit dans les yeux.

En effet, Ruth s'était vite aperçue que depuis qu'il était marié et père de famille, Daniel avait la répartie de plus en plus facile.

— Ça me tente pas pantoute de négocier quoi que ce soit, icitte aujourd'hui. Il fait trop chaud. C'est à prendre ou à laisser!

— On prend! répliqua précipitamment Daniel qui, en ce moment, était assis sur le bord de sa chaise. Depuis le temps que j'espère te voir chez nous, c'est sûr que ça nous convient. Hein, Jacinthe?

— Pourquoi pas? opina la jeune femme du bout des lèvres.

Songeuse, Jacinthe se disait au même instant que, finalement, elle allait faire un pâté au poulet.

Mais comme elle avait vraiment envie d'en manger...

Alors, elle secoua la tête et offrit un beau sourire à sa belle-mère.

— C'est vrai que vu de même, ça règlerait ben des problèmes, apprécia-t-elle sans ambages. De toute façon, j'suis sûre que Caroline se plaindra pas de manger du gâteau deux jours d'affilée ! C'est correct, madame Lizotte, c'est ben correct de même ! Si c'est ça que vous voulez, on va vous attendre pour souper samedi, à l'heure qui vous convient.

— J'vas demander à mon *boss* de partir un peu plus de bonne heure, pis je devrais être chez vous pour six heures. Les garçons sont habitués de se débrouiller pour manger tout seuls quand j'suis pas là, rapport que je travaille tous les jeudis pis les vendredis soir. C'est pas eux autres qui vont me donner du trouble... OK, samedi prochain j'arrive chez vous à six heures. Tu m'appelleras cette semaine, Daniel, pis tu me diras quel autobus prendre, pis où je dois débarquer. Là, il fait trop chaud pour que je me relève pour aller chercher un bout de papier pour tout prendre en note... Avec ça, je devrais arriver à me débrouiller pas pire.

Le retour en autobus se fit exactement comme à l'aller, et Jacinthe s'installa au bout de la banquette, le front contre la vitre entrouverte. Mais cette fois-ci, elle s'endormit rapidement, bercée par le roulis du véhicule.

Et la petite Caroline en fit autant, blottie contre la poitrine de son père. Avec sa femme endormie près de lui et sa fille dans les bras, Daniel était un homme comblé. D'une catastrophe imprévue, Jacinthe et lui avaient réussi à se bâtir une existence confortable.

Le jeune homme avait hâte que sa mère puisse voir à quel point ils étaient bien installés. Jacinthe échappa un petit ronflement. Alors Daniel, ému, esquissa un petit sourire et, sur un coup de tête, il décida de poursuivre leur route jusqu'à leur ancien quartier.

Quand l'autobus s'arrêta en pétaradant devant la Place des Érables, Jacinthe s'éveilla en sursaut et elle regarda autour d'elle, complètement désorientée.

— Veux-tu ben me dire…

Daniel la pressa.

— Envoye, grouille-toi, il faut débarquer avant que le chauffeur reparte.

— Mais on est où, mautadine?

Ramassant prestement son sac à main, Jacinthe se hâta de suivre Daniel, qui se dirigeait vers la sortie arrière de l'autobus, avec sa fille qui continuait de dormir, la tête contre sa poitrine. Se tenant solidement à la rampe, Jacinthe descendit lentement les deux marches qui menaient au trottoir. Elle reconnut aussitôt le parc.

— Ben voyons donc, Daniel! On est rendus dans notre ancien quartier… En quel honneur?

— Quand on est arrivés au coin de la rue chez nous, toi pis Caroline, vous dormiez trop bien, j'ai pas eu le cœur de vous réveiller. Je me suis dit qu'on pourrait continuer encore un bout, pis en profiter pour aller saluer les Picard. Qu'est-ce que t'en dis?

Jacinthe secoua la tête comme devant la bourde d'un enfant.

— J'en dis que mon souper se fera pas tout seul, mon pauvre Daniel. En plus, il commence peut-être à se faire un peu tard pour se présenter chez les gens.

— Pas tant que ça, il est juste quatre heures. Pis comme le dit le grand-père d'Arthur, je fais partie des meubles, pis je peux me présenter chez eux n'importe quand. De toute façon, tu sais à quel point madame Léonie aime notre fille, non ? C'est sûr et certain qu'elle va être contente de nous voir arriver.

— Tant qu'à ça, t'as ben raison.

— Pis pour le souper, on pourrait peut-être s'arrêter chez Rita ? Ça te ferait-tu plaisir ?

— Ben là... C'est sûr que ça me tente d'aller manger au casse-croûte, voyons donc !

Sur ce, Jacinthe regarda longuement autour d'elle. De toute évidence, la jeune maman était heureuse de se retrouver là. Elle inspira profondément.

— C'est beau, par ici... Chaque fois qu'on vient voir notre monde, je me dis qu'un jour, c'est ici que j'aimerais venir vivre avec notre famille.

— Moi avec. C'est pas parce qu'on a un beau grand logement à dix coins de rue d'ici qu'on va rester là pour le reste de notre vie... Sois patiente, ma douce ! Donne-moi encore deux ans, deux petites années de rien du tout pour que je soye capable de nous acheter un char, pis on va penser à un déménagement ben sérieusement...

À ces mots, Jacinthe glissa une main sous le bras de son mari.

— J'aime ça t'entendre parler de même. J'aime ça quand on fait des projets ensemble... C'est donc ben un beau dimanche, Daniel ! Viens-t'en, on s'en va voir la famille d'Arthur. Dans le fond, madame Léonie, c'est comme une autre grand-mère pour notre fille... Penses-tu qu'on pourrait les inviter à la fête de Caroline ?

Tout comme Ruth Lizotte, Léonie était assise sur son balcon, celui qui donnait sur la cour. Mais la similitude entre les installations des deux femmes s'arrêtait là, car la mère d'Arthur avait plutôt choisi de s'asseoir à l'ombre pour tenter de se rafraîchir un peu et non pour prendre du soleil. Elle se sentait somnolente et profitait de la petite brise qui venait de se lever en écoutant les oiseaux se donner la réplique d'une corde à linge à un poteau de téléphone. Son mari faisait la sieste dans son fauteuil préféré au salon, et elle était bien. Elle attendrait le retour de son fils et de son beau-père, partis faire une balade en auto, pour se décider à retourner dans la cuisine, afin de compléter le repas du soir, qui serait léger. Elle avait jugé qu'un reste de jambon froid accompagné d'une salade de patates et d'une autre salade faite de verdures bien assaisonnées serait tout à fait approprié pour une journée de canicule. Le temps de touiller la salade de légumes, et le tour serait joué. Toutefois, dès qu'elle aperçut la petite famille qui arrivait au coin de la maison, elle tourna la tête pour vérifier qu'elle avait bien vu, et aussitôt, elle se leva pour se diriger vers l'escalier, après avoir bâillé discrètement.

— Mais regardez-moi donc qui c'est qui s'en vient chez nous ! C'est la petite Caroline... qui a encore grandi, ma parole !

Léonie fit alors un clin d'œil à Jacinthe et elle ajouta :

— C'est ma belle Caroline, pis elle est avec ses parents, comme de raison. Cheez Whiz, tu parles d'une belle surprise, toi !

Léonie n'était pas sitôt dans la cour qu'elle tendit les bras à la petite fille, qui la connaissait bien.

— Grand-maman-Nie...

C'était le surnom que la bambine avait trouvé pour cette grand-mère d'emprunt qu'elle voyait plus souvent que Ruth.

Caroline ne se fit donc pas prier pour passer des bras de son père à ceux de Léonie, qui était tout bonnement resplendissante. Elle avait tellement hâte de pouvoir faire la même chose avec les enfants de son Arthur, même si elle devinait, à quelques remarques de son fils, que ce n'était pas demain la veille qu'elle serait grand-mère. En revanche, même si la petite Caroline n'était pas sa petite-fille, Léonie avait toujours quelques friandises et surprises en réserve pour elle, et elle espérait ses visites comme on souhaite celles de sa famille.

— Comment ça va, ma belle puce ?

Deux grands yeux bleus se posèrent sur Léonie, et avec le plus grand des sérieux, Caroline répondit :

— Caro a mangé un *pop*.

Léonie tourna son interrogation vers Daniel.

— Un quoi ?

— Un *popsicle* à l'orange. C'est ma mère qui lui a donné ça, tantôt.

— Oh ! Vous arrivez de chez ta maman, Daniel ? On dirait bien que c'est la grande tournée du dimanche !

— Un peu, oui, répondit Jacinthe, qui avait toujours eu un faible pour la maman de son ami Arthur. On était allés voir madame Lizotte pour l'inviter à la fête de Caroline, pis imaginez-vous donc qu'elle a dit oui !

— Ben ça, c'est une bonne nouvelle ! Arthur m'a déjà confié à quel point ça vous chagrinait qu'elle refuse la plupart de vos invitations.

— Pas la plupart de nos invitations, madame Picard, toutes nos invitations ! La mère de Daniel a refusé de venir chez nous à toutes les fois qu'on l'a invitée. On savait plus quoi inventer pour la décider à sortir de chez elle. Mais cette fois-ci, faut croire que c'était la bonne, parce qu'elle a accepté de venir souper chez nous samedi prochain.

— Samedi ? Vous avez changé la date de la fête, ou quoi ? Il me semble qu'Arthur m'avait parlé de dimanche, sur l'heure du midi, pour que tout le monde soye disponible.

— Pis Arthur avait raison. Ça, ça a pas changé : la vraie fête va avoir lieu dimanche prochain. Mais madame Lizotte préférait venir le samedi. C'est sûr que ça va me donner un peu plus d'ouvrage, mais on a pas protesté, Daniel pis moi, vu que ça va être la première fois que sa mère va venir chez nous. Vous rendez-vous compte ? La première fois depuis notre mariage. J'en reviens pas encore… Mais comme elle a promis d'amener un gâteau, ça va pas être si pire que ça. En fin de compte, ça va faire deux fêtes pour les deux ans de notre fille. Pis c'est ben correct de même !

— Tant mieux ! Mais on est là à jaser, debout comme des cotons… Vous allez toujours ben attendre qu'Arthur revienne, non ?

— Ben là… On voulait vous saluer, c'est ben certain, mais on voudrait surtout pas ambitionner, ni vous déranger. C'est dimanche, pis c'est bientôt l'heure du souper.

— Me déranger ? Depuis quand, Daniel Meloche, que tu nous déranges ? De toute façon, Arthur m'en voudrait ben gros si je vous retenais pas. Pis le beau-père avec, tant qu'à ça. Tu le sais que t'es chez vous, ici ! T'arriverais au beau milieu de la nuit que je verrais pas de différence… Envoyez ! Montez sur le balcon, il y a des chaises en masse, pis j'vas aller nous chercher des rafraîchissements…

Ensuite, baissant les yeux vers Caroline, elle demanda :

— Qu'est-ce que tu dirais si je sortais la caisse de jouets sur la galerie ?

— Les jouets dehors ?

— Oui, oui ! Tu peux les sortir dehors.

— Oui ! Caro veut jouer.

En effet, Léonie avait gardé plusieurs des jouets d'enfance de son garçon dans une vieille boîte à beurre peinte en bleu. Certes, il y avait surtout des autos et des camions, mais Caroline y trouvait tout de même son profit.

Arthur et son grand-père arrivèrent dans les minutes qui suivirent. À peine sorti de l'auto, le grand jeune homme saluait son ami avec un enthousiasme qui faisait plaisir à entendre.

— Wow ! Daniel Meloche qui est chez nous avec sa famille… Salut Jacinthe ! Tu parles d'une belle surprise !

— C'est ben pour dire, Arthur Picard, rétorqua Daniel sur le même ton, une main sur la rampe de la galerie. Tu nous accueilles avec les mêmes mots que ta mère !

— Ça doit être parce qu'ils sont sincères…

— Et comment qu'ils sont sincères ! interrompit Joseph-Alfred, qui venait de s'extirper lentement de l'auto.

À l'instar d'un enfant, le vieil homme aimait toujours autant les imprévus agréables.

— Basewell que je suis content de vous voir… Allez, Joseph-Arthur, dépêche-toi de débarrer la porte de la quincaillerie pour que je puisse prendre mon ascenseur privé. J'ai hâte de serrer la main de tout ce beau monde-là !

Le temps de le dire, Léonie et la famille Meloche se retrouvèrent dans la cuisine, pour attendre l'arrivée du monte-charge. La gentille dame aux cheveux gris perle avait déposé la caisse de jouets dans un coin de la pièce, et en un tournemain, elle avait disposé verres et pot de limonade sur la table. On entendait déjà les cliquetis du monte-charge lorsqu'elle commença à servir tout le monde.

Par ailleurs, en entrant dans la maison, Jacinthe avait tout de suite remarqué le ventilateur de plafond qui brassait de l'air tiède, certes, mais elle sentait tout de même sur ses bras la petite brise que les pales apportaient. Elle tira aussitôt sur la manche de la chemise de son mari pour attirer son attention.

— Regarde Daniel, dit-elle, tout en pointant le plafond. Ça aussi, ça serait bien, tu trouves pas?

Daniel leva les yeux. Un ventilateur à quatre pales tournait à une bonne vitesse.

— Oui, c'est pratique, admit-il en reportant son attention sur Jacinthe. Mais juste si tu veux changer l'air d'une seule pièce.

— Ouais, c'est vrai, j'avais pas pensé à ça. Pogné comme il est dans le plafond, je pourrais pas le transporter un peu partout dans l'appartement. C'est plate parce que je trouve ça beau.

— Qu'est-ce que tu trouves beau comme ça? demanda Arthur, qui sortait au même instant du monte-charge en compagnie de son grand-père.

— Le ventilateur qui tourne au plafond. Je le trouve ben beau, tout blanc avec la lumière en dessous, mais Daniel a raison: ça serait pas pratique pour chez nous, parce que j'aimerais ça trouver un *fan* sur roulettes pour pouvoir le transporter d'une pièce à l'autre.

— Ah oui... Tu veux ça, toi ?

— Ben oui... Avec ma grosse bedaine, je pense que j'ai plus chaud à moi toute seule que tout le monde ici réuni... Mais pourquoi tu me demandes ça sur ce ton-là ?

— Parce que si ça t'intéresse, j'en ai trois modèles différents, en bas, dans la quincaillerie. Un sur roulettes, comme tu viens de le mentionner, pis deux autres à mettre sur une table. Comme ils sont pas trop lourds, tu pourrais aussi les transporter facilement d'une pièce à l'autre. Pis laissez-moi vous dire qu'avec la température qu'on connaît depuis une semaine, ils partent comme des petits pains chauds, nos ventilateurs !

À ces mots, Jacinthe, visiblement inquiète, se tourna à la hâte vers son mari.

— Ben là... T'as entendu ça, Daniel ? J'espère qu'il sera pas trop tard demain midi quand tu vas...

— Pourquoi attendre ? rétorqua Arthur.

Jacinthe et Daniel échangèrent un regard entendu.

— Parce que c'est dimanche pis que tout est fermé, répondit Daniel sur le ton las de celui qui annonce quelque chose d'évident.

— Pour des amis comme vous deux, je pense que ça me dérangerait pas d'ouvrir le magasin... Hein, grand-père que je peux ouvrir pour eux ?

— Et comment !

— Il me semblait, aussi... Dans ce cas-là, vous avez juste à me suivre en bas tous les deux, pour voir ce que nous gardons en inventaire. Pis sentez-vous bien à l'aise de ne rien prendre, si jamais ça ne vous convenait pas. Je ne serais pas offusqué... pas le moins du monde !

— Est-ce qu'on peut prendre le monte-charge ?

— Certainement ! Suivez-moi ! On va être cordés un peu, à trois là-dedans, mais c'est solide, et le représentant nous a assurés qu'on pouvait transporter des charges allant jusqu'à quatre cents livres.

— Pis moi, pendant que vous allez vous magasiner du confort, annonça Léonie, j'vas mettre la table pour le souper, pis Caroline va m'aider... Hein, ma belle cocotte, que tu vas aider grand-maman-Nie à mettre la table ?

— Pour manger ?

— En plein ça...

— Oui, Caro peut aider... Caro met souvent les cuillères sur la table avec maman.

— Ben c'est ce que tu vas faire avec moi aussi. J'espère que t'aimes le jambon froid, toi, parce que c'est ce qu'on va...

— Non, non, madame Picard. C'est ben fin de penser à nous autres comme ça, mais on restera pas pour souper, intervint rapidement Jacinthe. Ça aurait aucune espèce de bon sens.

— Pourquoi ? Quand il y en a pour quatre, on peut étirer ça à six et demie, sans problème. J'aurai juste à ajouter des petits pains au lait, j'en ai justement dans le congélateur, pis tout le monde va y trouver son compte.

— Pis moi, j'vas aller vous reconduire en auto après le repas, ajouta promptement Arthur. Si jamais vous choisissez un ventilateur, ça va être pas mal moins encombrant que de voyager en autobus ! Tu vas voir, Daniel, les boîtes sont assez volumineuses, même si elles ne sont pas très lourdes. Je te vois mal prendre l'autobus avec une boîte comme celle-là plus la petite Caroline.

— Ben si c'est de même, pis que vous êtes ben certains que ça dérangera pas personne, on accepte votre invitation, lança Daniel avec une joie évidente. Hein, Jacinthe, qu'on accepte ?

— C'est sûr !

— Crime Pof que j'suis content !

Sur ce, enveloppant sa femme d'un regard réjoui, il ajouta :

— T'avais raison de dire que c'est un beau dimanche, ma douce ! Finalement, t'as souvent raison ! Viens, j'vas t'aider à embarquer dans le monte-charge, pis tu pourras te cramponner après moi, pour être sûre de pas tomber.

Sur ce, Daniel se tourna vers son ami.

— Astheure, Arthur, est-ce qu'on va voir les ventilateurs ? Je serais tellement heureux si ma femme pouvait avoir un peu d'air frais pour mieux dormir la nuit prochaine.

* * *

Heureusement que Léonie avait pensé à inviter la petite famille à souper chez elle, car Daniel et Jacinthe se seraient heurtés à un restaurant fermé !

En effet, depuis la veille au matin, un avis posé sur la porte du casse-croûte annonçait aux gens du quartier que « le dimanche 4 mai, le restaurant sera fermé à partir de 4 heures, pour des raisons personnelles. Réouverture lundi matin à 5 heures ».

C'était la meilleure formulation que madame Rita avait trouvée pour éviter les ragots.

— J'suis toujours ben pas pour annoncer à la population du coin que j'vas manger chez vous, avait-elle expliqué à son voisin Mario qui, le vendredi soir, était venu l'inviter à souper pour le dimanche suivant. Il y aurait là de quoi alimenter ben des conversations, pour pas dire des commérages... Déjà qu'on me fait pas mal de remarques sur le fait que vous êtes ici de plus en plus souvent.

— Vous voyez un problème à ça ?

— Mario ! Faites-moi pas dire ce que j'ai même pas pensé, ciboulette. Vous le savez bien que ça me fait toujours plaisir de voir apparaître le bout de votre nez dans la porte du casse-croûte. J'irais même jusqu'à dire que je regrette qu'on aye pas eu la bonne idée de se voisiner ben avant ça.

— C'est un regret partagé, chère Rita, soyez-en assurée ! Alors, je peux compter sur vous dimanche en fin d'après-midi ?

— C'est ben certain que j'vas être là ! Je place ma *notice* sur la porte dès demain matin !

— Merveilleux ! Passez une belle soirée, Rita… Et aussi une très bonne journée demain, tant qu'à y être, parce que je n'aurai pas le temps de venir vous saluer. J'ai bien des emplettes à faire, et comme je ferme la boulangerie à trois heures, le samedi, il va falloir que je me dépêche.

Et sans ajouter la moindre précision, Mario avait regagné sa boulangerie au pas de course. Rita s'était alors demandé quelles sortes de commissions son voisin comptait faire. Des achats pour leur souper, ou d'autres pour son commerce ? Toutefois, à peine le temps d'un froncement de sourcils, et elle était retournée à la cuisine du restaurant, et aux nombreuses commandes de ses clients, oubliant l'invitation.

Voilà pourquoi, en ce moment, après avoir fermé le casse-croûte à l'heure dite, en étant obligée de refuser l'accès à quelques clients déçus, à qui elle avait préparé des patates frites gratuites pour compenser, Rita se rafraîchissait avec une serviette trempée dans de l'eau froide avant de se changer pour traverser chez son voisin.

Et, chose rarissime dans sa vie, elle se demandait en même temps ce qu'elle allait bien pouvoir porter.

C'était la première fois depuis le décès de son mari, quelque vingt ans plus tôt, que Rita Bellehumeur avait un rendez-vous avec un homme. Que ce dernier soit son voisin immédiat, et uniquement un bon ami, ne changeait rien au fait qu'elle voulait être en beauté.

— C'est juste normal pour une femme de vouloir se sentir coquette de temps en temps, non ? murmura-t-elle en se regardant bien froidement dans le miroir de la salle de bain, avant de s'approcher pour allonger ses cils d'un peu de mascara, le seul maquillage qui avait su tenter cette jolie femme qui n'avait besoin d'aucun artifice pour faire tourner les têtes.

Puis, elle se recula, pencha la tête à gauche, pencha la tête à droite, et décida de ne pas attacher ses cheveux.

Elle les fit bouffer d'une main experte, et satisfaite de l'image que lui renvoyait la glace, Rita déposa quelques gouttes de parfum derrière ses oreilles, puis elle passa dans sa chambre, où une pile impressionnante de robes de toutes les couleurs jonchait son lit.

— C'est ça, aussi, porter un uniforme pour travailler, ajouta-t-elle en faisant la moue, comme si elle éprouvait le besoin de justifier son visible embarras devant sa garde-robe. Quand vient le temps de vouloir faire bonne impression, on sait plus comment s'y prendre. Ciboulette que certains détails peuvent devenir compliqués, des fois !

Elle opta en fin de compte pour une robe bleue sans manches, faite d'un organdi tout léger qui s'accordait avec la température tropicale que la ville imposait à ses citoyens depuis plusieurs jours. Comme le disait son mari, au temps de leurs fréquentations, le bleu mettait son regard d'azur en valeur.

Il y a des phrases, comme ça, qu'on n'oublie jamais.

Lorsque Rita eut revêtu la robe et chaussé des sandales blanches, elle pivota sur elle-même comme une enfant, heureuse de cette soirée inattendue qui lui était offerte sur un plateau d'argent. Ensuite, après avoir jeté un coup d'œil navré sur le fouillis qui encombrait son lit, elle haussa les épaules et quitta la pièce.

— J'y verrai plus tard.

Comme elle détestait arriver les mains vides quand elle allait manger chez des amis, elle fit un détour par le garde-manger du restaurant. Elle hésita, s'interrogea, soupira, puis elle décida finalement de choisir une boîte de sirop d'érable, se disant qu'il est toujours agréable d'en avoir en réserve.

Enfin, elle sortit de chez elle par la porte arrière, comme elle le faisait toujours, puisque c'était le seul accès à l'extérieur, à l'exception de celle du casse-croûte, qu'elle venait de verrouiller.

Sauf que cette fois-ci, une fois arrivée sur son minuscule parterre, au lieu de contourner la maison pour rejoindre le trottoir, elle choisit plutôt de traverser la cour. Non seulement parce que le logement habité par Mario donnait lui aussi sur l'arrière de sa maison, en réalité à l'exception de la nature des commerces qu'ils abritaient, les deux bâtiments se ressemblaient beaucoup, mais il y avait surtout que Rita voulait éviter les questions embarrassantes, si jamais elle rencontrait quelque connaissance. Jusqu'à maintenant, elle n'avait jamais pris autant de précautions lorsqu'elle se rendait chez Agathe ou chez Mado, mais aujourd'hui, c'était différent.

Elle allait visiter un homme qui habitait seul, tout le monde dans le quartier le savait, et c'était amplement suffisant pour alimenter les conversations si jamais on la croisait sur le trottoir. À tout le moins, selon Rita.

Alors, rassurée sur la conduite à tenir, Rita passa de sa cour à celle de Mario en longeant le vieux hangar qui lui servait à entreposer tout ce qu'elle jugeait complètement inutile, mais dont elle pourrait éventuellement avoir besoin, sait-on jamais ! C'était aussi l'endroit où elle rangeait un peu pêle-mêle les articles saisonniers et ses quelques outils, comme les pelles et les balais, les marteaux et les tournevis, et même une antique brouette en vieux bois vermoulu qu'elle n'avait jamais utilisée. Mais comme elle avait appartenu à son mari, elle n'arrivait pas à s'en défaire.

Dès qu'elle dépassa la haie de fardoches qui bordait sa cour, Rita aperçut Mario qui prenait le frais sur le pas de sa porte. Elle leva le bras pour le saluer.

— Youhou ! C'est moi... Belle journée, n'est-ce pas ?

Mario regarda autour de lui comme pour vérifier les dires de sa voisine, puis il revint face à Rita, tout souriant.

— Magnifique, en effet... Pour quiconque aime la chaleur comme moi, c'est une très belle journée ! Venez, Rita, je vous attendais.

Ce fut en approchant que Rita remarqua deux chaises de parterre et une petite table ronde recouverte d'une nappe en dentelle, et ornée d'un petit bouquet de fleurs sauvages. Cet ensemble donnait envie de s'y installer, car il semblait attendre des visiteurs.

— Vous avez décidé qu'on mangerait dehors ? demanda-t-elle, un peu surprise, car ce décor de fond de cour laissait quand même un peu à désirer.

— Non, la petite mise en scène, c'est uniquement pour prendre l'apéro. Le temps que je fasse aérer la cuisine pour ne pas qu'on se retrouve dans un véritable sauna. Moi, je connais ça, parce que je vis à longueur d'année dans la chaleur de mon four à bois, mais vous, je suis loin d'être certain que vous seriez à votre aise. Toutefois, le temps d'un apéritif, ça devrait être suffisant pour rendre la cuisine plus agréable.

— Oh, on prend l'apéritif ! Est-ce que ça serait un grand souper que vous nous avez préparé, Mario ?

— On pourrait le dire comme ça, oui... Du moins, j'ai fait mon possible ! Apéritif avec canapés, repas trois services et digestif.

Rita ouvrit de grands yeux surpris.

— Ciboulette ! De quoi j'ai l'air, moi, avec mes hot-dogs, mes patates frites, pis mes pizzas ?

— Vous avez l'air d'une propriétaire de restaurant qui aurait le droit tout à fait légitime d'avoir un petit repos.

— Je veux bien. Là-dessus, vous avez entièrement raison, pis du manger, ça reste du manger. Mais je vous ai jamais offert autre chose à boire que du Coke pis du Seven-Up, par exemple.

— Et alors? À mes yeux, le peu d'alcool que je vais nous servir ce soir n'est qu'une exception. Un petit plaisir bien mérité, que l'on va siroter ensemble, entre voisins, par une très belle soirée d'été. J'espère que vous n'allez pas croire que je suis un ivrogne invétéré qui écluse bien des bouteilles tous les jours.

— Je crois rien pantoute, voyons donc... Avez-vous oublié que je vous croise tous les matins que le Bon Dieu amène, quand j'vas chercher mon pain aux aurores, pis c'est clair que vous avez pas l'allure de quelqu'un qui a une gueule de bois, si vous m'excusez l'expression... Non, c'est simplement que j'suis ben émue de voir autant d'attentions juste pour moi...

Puis, sans vraiment espérer de réponse, Rita constata sur un ton vague, comme si elle faisait un constat personnel:

— Depuis la mort de mon Rémi, c'est vraiment pas arrivé souvent que quelqu'un aye pensé à me gâter comme ça.

La mention du nom du mari décédé de Rita ne sembla pas émouvoir outre mesure le boulanger.

— Alors profitez-en, Rita. Il était grand temps que vous acceptiez de vous faire dorloter. Cette soirée, elle est à vous... Pour vous remercier de toutes les pizzas que j'ai dégustées à votre casse-croûte, et que vous n'avez jamais voulu que je paie.

— Ça serait ben le boutte des écus, ciboulette ! s'écria Rita, vite remise de ce bref moment de nostalgie. Quand vous venez souper au restaurant, la plupart du temps, vous me donnez un coup de pouce parce que mon chef retourne chez lui vers six heures. Même certains soirs, Anna aussi file rapidement chez elle pour se changer, parce qu'elle a une sortie avec son amoureux Arthur. Et dans ces cas-là, c'est à peine si vous prenez le temps de vous asseoir. C'est donc la moindre des choses que je vous offre à manger en échange.

— Et moi, voyez-vous, ça me fait tellement plaisir de vous avoir à ma table que je ne veux plus vous entendre dire que j'en fais trop ! Je considérerai, à la fin de notre soirée, que nous sommes quittes, voilà tout ! Et maintenant, assoyez-vous confortablement, je reviens avec le vin et les canapés. Après ça, on ira s'installer à la cuisine.

Si Mario était d'une très grande nervosité, tout au long de la soirée, il n'en laissa rien voir, et quand vint le moment de servir les pâtisseries fines qu'il avait lui-même confectionnées, Rita déclara que cela faisait des années qu'elle n'avait passé une soirée aussi délicieuse.

— C'est comme ça que ma mère appelait les moments particulièrement agréables.

La tête lui tournait un peu, la brise était douce, le café que Mario lui avait servi pour accompagner le dessert était excellent et Rita se sentait légère comme une bulle de savon.

— Et je parle pas uniquement du repas, qui était parfait, précisa-t-elle, les yeux brillants. Je parle aussi et surtout du bon temps qu'on passe ensemble.

— Tant mieux si vous êtes heureuse.

— Mais je suis heureuse! Là, maintenant, je peux dire que je suis heureuse. Ça faisait longtemps, vous savez, que j'avais pas dit ces quelques mots devant quelqu'un.

Mario avait le cœur qui battait la chamade. Devant une Rita visiblement sous le charme de cette soirée idyllique, le boulanger ressentait une émotion qu'il avait volontairement mise de côté. Pourtant, il avait quitté son patelin pour tenter de refaire sa vie, et il était sincère avec lui-même en disant cela. Trop de tristesse le poussait à changer de place, lui conseillait de changer d'existence. Il n'avait pas pu. Sa conscience le lui avait interdit. Il avait donc bourlingué à droite et à gauche, sans nouer d'attache. Et si par malheur, son cœur disait le contraire de sa raison, il partait sans tarder et sans laisser d'adresse.

Puis un jour, il était arrivé dans le quartier de la Place des Érables, il y avait de cela un bon moment déjà. Sans dire d'où il venait ni combien de temps il comptait rester, Mario s'était installé dans la petite boulangerie qui était à vendre. C'était la règle qu'il s'imposait. Il savait que son pain était bon, et au bout du compte, c'était ce que les gens attendaient de lui.

Les familles du quartier l'avaient rapidement adopté. Puis, comme il vivait surtout la nuit, il lui avait été relativement facile de se tenir à l'écart de la vie sociale. Alors, de fil en aiguille, il s'était établi dans le quartier, se disant qu'il avait peut-être trouvé le bon endroit pour jeter les amarres.

On lui avait appris, entre autres choses, que sa voisine était une jeune veuve qui pleurerait sans doute encore longtemps le décès de son mari, et Mario avait jugé que cela lui convenait tout à fait.

De loin, il saluait sa voisine quand le hasard les faisait sortir en même temps sur leur perron, mais comme la jeune femme n'insistait surtout pas pour lui parler, et semblait même le fuir en quelques occasions, alors qu'elle s'en retournait rapidement dans son restaurant, il ne s'en était guère préoccupé. Il la trouvait jolie, tout simplement.

Cela faisait bien quelques années qu'il cuisait le pain et les brioches du quartier, lorsque Rita s'était présentée à lui en bonne et due forme, comme étant cette voisine qu'il voyait de loin, de temps en temps.

— Je suis la propriétaire du casse-croûte, à côté de chez vous. Mais ça, vous avez bien dû le comprendre, depuis le temps qu'on se salue de loin. Ce que vous savez pas, par exemple, c'est que je vous entends, à l'aube, quand vous ouvrez vos volets, et que la réputation de votre pain s'est rendue jusqu'à moi. Alors, je me suis dit que si vous pouviez me garder trois pains tranchés minces, tous les jours, ça ferait bien mon affaire, et ça serait bien meilleur que le pain sandwich de l'épicerie. Quand j'en aurai besoin de plus, je vous aviserai à l'avance… Et si je vous payais une fois par mois, est-ce que ça vous conviendrait ?

Mario avait tout de suite accepté l'entente, et au bout de quelques mois, Rita Bellehumeur était devenue son rayon de soleil matinal, sans que rien y paraisse.

Elle était jolie et elle était gentille. Elle parlait facilement de tout et de rien, elle savait rire, et parfois, tôt le matin, l'été, quand les fenêtres étaient grandes ouvertes, il l'entendait chanter en préparant le café, avant l'arrivée des ouvriers qui venaient déjeuner chez elle.

Une belle amitié venait de naître, fragile comme le souffle de la brise, solide comme une toile d'araignée. Mario savait qu'un simple détail pourrait la changer en quelque chose de plus profond, mais comme il n'y avait pas droit, il ne fit rien en ce sens.

Rita était une amie, et Rita resterait une amie.

Et les mois avaient passé.

Au nom de cette même amitié, Mario avait décidé, un beau jour, que la pizza de monsieur Romano, dont il sentait les effluves épicés jusque chez lui, était trop tentante pour qu'il y résiste.

Alors, après de nombreuses tergiversations avec lui-même, il était traversé chez sa voisine pour en manger.

Quand le chef Romano était parti visiter sa famille en Italie, Mario s'était vite rendu compte que sa voisine peinait parfois à bien servir tout son monde. Alors il l'avait aidée, parfois à la cuisine et parfois dans le service aux tables, et cela aussi était devenu une douce habitude entre eux. En retour, Rita lui offrait maintenant une ou deux pointes de pizza, une ou deux fois par semaine.

Depuis, le reste coulait de source, et ils s'étaient mis à se fréquenter en toute amitié, en bons voisins qu'ils étaient tous les deux.

Et voilà que ce soir, Rita était assise dans sa cuisine.

Et voilà que ce soir, Mario devait avouer que pour lui, il n'était plus vraiment question d'amitié, mais bien d'amour, et que l'idéal, pour ne pas trop souffrir, serait de partir.

Encore une fois.

Cependant, en ce moment, il n'avait pas du tout envie de repousser Rita, comme il l'avait fait à quelques reprises, lorsqu'il était plus jeune.

Il n'avait pas le cœur de vendre une boulangerie qu'il aimait ni de quitter un quartier qui l'avait si gentiment accueilli.

Un peu plus tard, quand Rita s'approcha de lui pour l'embrasser sur la joue, dans un geste spontané et amical, il ferma les yeux sur la douceur du moment.

Tant pis s'il le regrettait un jour, il n'en pouvait plus de résister. À son tour, il emprisonna la main de Rita dans les siennes et la porta à ses lèvres, pour embrasser le bout de ses doigts.

— J'ai passé une merveilleuse soirée, Rita. Merci d'avoir accepté mon invitation. J'étais vraiment heureux de vous recevoir chez moi.

— Ben voyons donc, Mario ! C'est plutôt à moi de vous dire merci pour l'accueil chaleureux et le repas vraiment délicieux... Je vous dirais bien à charge de revanche, mais je cuisine pas.

— Qu'importe ? Votre chef fait la meilleure pizza en ville, et ses escalopes de veau sont divines. Pas besoin de chercher plus loin... Et que dire des tartes de la jeune Anna !

— C'est vrai que j'suis entourée d'excellents cuisiniers... Sur ce, je vous dis à demain matin pour le pain, et je vous souhaite une bonne nuit, Mario, du moins pour ce qu'il en reste...

Mario resta sur son balcon tant et aussi longtemps qu'il n'entendit pas la porte de chez Rita se refermer sur elle.

Puis, il entra chez lui.

Ce fut en lavant la vaisselle que le boulanger prit la décision de laisser le destin agir à sa guise. Il en avait assez de toujours fuir le bonheur. Si un jour l'amour qu'il ressentait était partagé, alors, il dirait la vérité. Toute la vérité.

Et ce jour-là, ce serait à Rita de choisir ce qu'elle voulait pour sa vie. Lui, il avait déjà choisi sa jolie voisine dans le secret de son cœur.

Chapitre 8

« Désormais
On ne nous verra plus ensemble
Désormais
Mon cœur vivra sous les décombres
De ce monde qui nous ressemble
Et que le temps a dévasté
Désormais
Ma voix ne dira plus je t'aime
Désormais
Moi qui voulais être ton ombre
Je serai l'ombre de moi-même
Ma main de ta main séparée »

~

Désormais, Charles Aznavour / Georges Garvarentz

Interprété par Charles Aznavour, 1969

Le jeudi 19 juin 1969, un peu partout chez les résidents du quartier de la Place des Érables

De guerre lasse, Anna s'était pliée à la demande d'Arthur, et elle l'avait suivi jusqu'au parc.

— On fait le tour, et on revient chez moi tout de suite après, avait-elle cependant exigé sur un ton impatient, à l'instant où ils avaient rejoint le sentier qui ceinturait le parc. Tu ne sais pas, toi, ce que ça peut représenter, partir pour des mois.

À cela, Arthur avait été tenté de répliquer qu'un départ, ça ne se vivait pas dans un sens unique, et que pour lui aussi, le bouleversement allait être majeur, même s'il ne faisait pas sa valise, même s'il restait à Montréal.

Surtout parce qu'il restait à Montréal!

Cependant, il s'était tu, car il craignait d'indisposer Anna qui, malgré le désir irrésistible qu'elle avait de retourner en Italie, était de toute évidence très nerveuse devant la date du départ qui approchait.

Quant à Arthur, depuis des semaines déjà, il mesurait l'ampleur du vide que l'absence d'Anna allait créer dans sa vie, et cela lui donnait le vertige. D'autant plus qu'il n'avait aucune date de retour à laquelle accrocher ses espoirs. En effet, Anna, son amoureuse, celle qu'il espérait à ses côtés pour partager le reste de son existence, avait décidé, sans la moindre discussion à deux, d'acheter un billet aller simple.

— Mais pourquoi ? avait-il osé demander, incrédule, une fois mis devant le fait accompli.

— Parce que je n'ai pas la moindre idée de ce qui m'attend vraiment en Italie, sinon que l'ami de papa, Felice Mingarelli, m'attend avec impatience et qu'il veut faire de moi son élève. C'est comme un rêve en train de se réaliser, et en même temps, j'ai un peu la sensation de me jeter dans le vide... Pourquoi faut-il que j'explique encore tout ça ! Tu le sais bien, Arthur, comment je vois les choses, non ? On en a parlé en long et en large ! On ne va toujours pas revenir là-dessus !

— D'accord pour toi. On en a longuement discuté, et je comprends très bien ton point de vue. Mais moi, dans tout ça ?

— Quoi toi ? Il n'y a rien de changé dans ta vie...

— Rien de changé ? Allons, Anna ! Comment peux-tu dire une chose pareille sans sourciller ?

— Parce que c'est vrai. Tu continues à travailler à la quincaillerie, tu continues à écrire ton deuxième roman, et tu continues à voir nos amis tous les vendredis... Moi, je ne vois pas grand changement... Même que ça devrait être encore plus facile pour toi d'écrire quand tu vas en avoir envie, puisque je ne serai pas là à gruger des heures dans ton précieux temps.

— Ça, c'est toi qui le dis, mais tant qu'à moi, ça reste à prouver...

— Allons donc, Arthur ! Il n'y a rien de plus à prouver... Ton rêve à toi, pour l'immédiat, c'est d'avoir la chance d'écrire autant que tu veux, et de publier un second roman durant l'été. Si je ne suis pas là, tu vas pouvoir y consacrer tout ton temps. Que demander de plus ?

— Avoir une date de retour, peut-être !

— Quelle importance est-ce que ça peut avoir ? Ce n'est qu'un chiffre sur un calendrier. Je le répète : je ne comprends pas ton entêtement pour un détail aussi insignifiant. Si jamais le voyage se prolongeait pour quelque raison que ce soit, avait alors tranché Anna, tu n'auras qu'à venir me visiter. Depuis le temps que tu dis vouloir connaître l'Italie, ça te donnerait un excellent prétexte.

À ce moment-là, Arthur n'avait pas répondu, parce que l'espèce de désinvolture qui enrobait ces quelques mots prononcés par Anna le chagrinait énormément, et il avait la gorge nouée.

C'était un peu pour cela qu'il n'avait pas avoué à Anna qu'il avait biffé les jours sur le calendrier de sa chambre. Comme un enfant dans l'attente de Noël qui compte les dodos. Toutefois, à l'inverse de ses désirs de gamin, cette fois-ci, il avait eu la désagréable sensation que la date entourée d'un large cercle au feutre noir fonçait vers lui à une vitesse fulgurante.

Et inexorablement, la date fatidique était arrivée.

Dans quelques heures, Anna prendrait l'avion toute seule pour s'envoler au bout du monde. Quant à

Arthur, il resterait ici sans savoir quand il la reverrait, et il avait le cœur dans l'eau.

Sa main chercha celle d'Anna et la serra très fort. La jeune femme, qui n'était pas très portée sur les accolades et les rapprochements, comprit tout de même que l'instant était grave et important pour Arthur. Il était son meilleur ami, celui à qui elle pouvait tout dire, même si elle n'était pas encline à divulguer ses états d'âme pour un oui ou pour un non. Mais quand elle en ressentait le besoin, quand la colère bouillonnait trop fort ou que le chagrin la submergeait, et qu'elle avait envie d'être réconfortée, Anna savait pouvoir compter sur Arthur. Alors, il allait certainement lui manquer, beaucoup, et si ce n'avait été du commerce familial des Picard, peut-être lui aurait-elle demandé de la suivre en Italie.

À cette pensée, ses doigts s'emmêlèrent à ceux de son ami et ils échangèrent alors un long regard.

Au moment où ils passèrent à côté de la gloriette, Arthur se laissa emporter par l'envie de prolonger ce moment à deux, et il entraîna Anna pour qu'ils puissent s'asseoir.

— Promis, ce ne sera pas long… Je… J'ai quelque chose pour toi… Pour que tu ne m'oublies pas. Je voulais te le donner à l'aéroport, mais bon…

Arthur regarda autour de lui et il désigna l'entièreté du parc d'un large geste du bras.

— Regarde comme c'est beau ! Allez, viens Anna, c'est assurément beaucoup plus beau ici pour donner un cadeau que dans une grande salle remplie d'inconnus et de gens pressés qui se hâtent autour de nous.

Arthur n'osa ajouter qu'en plus, les parents d'Anna seraient à l'aéroport avec eux, et qu'à ses yeux, ça viendrait gâcher les tout derniers moments qu'ils passeraient ensemble.

Anna le suivit sans résister, tout en reprenant cependant le mot qui l'avait fait tiquer.

— T'oublier ? Comment peux-tu simplement imaginer que je vais t'oublier ? Je tiens à toi, Arthur, je n'arrête pas de te le répéter.

— Je le sais...

— Alors pourquoi t'inquiéter ? Ce que j'entreprends aujourd'hui, c'est aussi pour notre avenir que je le fais, pas juste pour moi.

Arthur soupira.

— Je sais tout ça, Anna. On en a tellement discuté, toi et moi, que ça goûte le réchauffé. N'empêche que je vais m'ennuyer de toi. Et ne réponds pas que j'exagère, je m'en fiche ! Et comme je voulais que tu saches à quel point je t'aime...

Tout en parlant, Arthur avait plongé la main dans la poche de son pantalon, et il en retira une toute petite boîte, qu'il tendit à Anna.

— Voilà, c'est pour toi. Il y a longtemps que j'ai compris que tu ne tiens pas aux habituelles marques d'attachement ni aux cérémonies, et que des fiançailles officielles n'auraient pas signifié grand-chose pour toi. Mais pour moi, ces petites marques d'affection ont beaucoup d'importance. Au point que si je m'étais écouté, c'est ce que j'aurais aimé célébrer, avant que tu partes, nos fiançailles ! D'un autre côté, comme tu le dis si bien, ça ne regarde que nous, n'est-ce pas ? Et je suis d'accord avec ça aussi. Alors, j'ai pensé qu'une petite chaîne en or serait peut-être un bijou qui te plairait, et de plus, tu ne seras pas obligée de la retirer quand tu fais de la pâtisserie, comme ça aurait été le cas avec une bague.

Émue, Anna souleva le couvercle et elle découvrit, sur un lit de velours, une chaîne très délicate qui serait probablement à peine visible autour de son cou. Elle leva les yeux vers Arthur. Vraiment, son ami la connaissait bien. C'était exactement le genre de bijou qui lui plaisait.

— Tu veux m'aider à la mettre, s'il te plaît ?

Le jeune homme tendit alors la main pour recueillir la chaîne, il en dégrafa l'attache, puis il la glissa autour du cou de sa belle amie. Quand il eut terminé, il se pencha et effleura la nuque d'Anna d'un chaste baiser, alors que de tout son être, il rêvait d'enlacer la jeune femme avec fougue et désir.

Les doigts glissant sur le bijou pour qu'elle puisse s'habituer à le porter, Anna se retourna face à Arthur, et le temps d'un petit soupir, elle se blottit tout contre son épaule.

— Moi aussi, je vais m'ennuyer, murmura-t-elle... Ça ne paraît pas vraiment parce que j'ai trop de choses en tête, et je m'en excuse, mais dis-toi que chaque fois que mes doigts vont frôler la chaîne, je vais penser à toi. C'était une bonne idée, ton idée. Je regrette seulement de ne pas avoir songé à t'acheter un petit quelque chose, moi aussi.

— C'est sans importance. Tu viens de le dire, tu as trop de choses en tête. Je me sentirais probablement comme toi, si je partais aussi loin, moi aussi. En Italie ! Ce n'est pas la porte d'à côté, comme le dit mon grand-père, avec une pointe d'envie dans la voix. Alors, oui, il y a de quoi être nerveuse.

— Merci de me comprendre aussi bien... Et maintenant, même si ça ne me dit rien pour l'instant, et que je resterais ici avec toi pour attendre la fin de l'après-midi, il faudrait que je retourne à la maison. Ma valise n'est pas encore terminée, et mes parents vont sûrement vouloir passer un moment avec moi, en sirotant un bon *espresso*.

— Tu as raison ! Je t'accompagne jusqu'à ta porte, et ensuite, je file chez moi pour vous laisser en famille. Je ne sais pas si je vais avoir le cœur à travailler, mais je vais essayer. Je reviendrai vers quatre heures pour te reconduire à l'aéroport de Dorval.

* * *

Au même instant, de l'autre côté du parc, Agathe raccrochait le téléphone, les yeux tout brillants. Un large sourire accompagnait le geste.

— Cheez Whiz ! lança alors Léonie, venue au salon de coiffure pour ce qu'elle appelait « sa coupe d'été ». T'as ben l'air heureuse, tout à coup ! On dirait que tu viens de gagner le gros lot au bingo de la salle paroissiale.

— Ben, tu te trompes, Léonie. J'ai rien gagné pantoute, et Dieu soit loué, je suis pas du genre à attendre après le hasard pour faire mon bonheur... Non, c'est encore mieux qu'une tombola, je dirais bien, parce que c'était mon Rémi qui était au bout de la ligne.

— Ah ouais ? Comment il va, lui ?

— Assez bien, je dirais... Il va même mieux que je l'aurais espéré.

— Comment ça ?

— Imagine-toi donc qu'il va avoir la permission de venir me voir dimanche prochain, au lieu que ça soye moi qui me déplace vers Boscoville. Bigoudi que c'est agréable, tout ça !

— J'vas dire comme toi, c'est une fichue de bonne nouvelle ! Ça doit sûrement vouloir dire que ton garçon fait bien ça, pour se mériter une sortie comme celle-là.

— C'est ce que je me dis, moi avec. Pis en plus, il va même pouvoir rester à dîner avec moi.

Agathe prit alors une longue inspiration.

— Tu peux pas savoir, Léonie, à quel point je me sens soulagée... Pis toute énervée, en même temps !

Les deux mains pressées sur sa poitrine pour contenir les battements effrénés de son cœur, Agathe dévisageait son amie.

— Il me semble que les heures passeront pas, d'ici à dimanche.

— C'est fou comme les choses sont pas pareilles pour tout le monde, fit alors remarquer Léonie. Mon pauvre Arthur, lui, il trouve que le temps a passé pas mal trop vite, depuis le début du mois d'avril.

— Comment ça?

— C'est déjà aujourd'hui que sa belle Anna va s'envoler pour l'Italie. L'avion est à sept heures, en début de soirée.

— C'est bien que trop vrai, Anna s'en retourne dans les Vieux Pays... Comme ça, c'est aujourd'hui, le grand départ?

— Ben oui!

— Dans ce cas-là, une autre qui a dû trouver que le temps filait à toute allure, c'est notre Rita. Avec Anna qui s'en va, c'est comme si notre amie remontait dans le temps pour se retrouver avec les gros problèmes qu'elle a connus quand monsieur Toussaint a eu son accident. Qu'est-ce qu'elle va devenir, Rita, sans Anna dans sa cuisine?

Léonie hésita. Pouvait-elle confier ce qu'elle savait à leur amie commune? Mais aussitôt, elle s'entendit rétorquer qu'elle savait garder un secret.

Alors...

— Je le sais ben pas, ce qui va se passer, affirma-t-elle avec suffisamment de conviction pour qu'Agathe ne se doute de rien. Rita a rien dit là-dessus, pis moi, ben, j'ai pas osé lui en parler, les quelques fois où je l'ai vue... J'avais pas envie de tourner le fer dans la plaie, comme on dit. Chose certaine, c'est pas le chef Romano qui va se mettre à faire du ragoût de boulettes, pis de la soupe aux pois comme sa fille faisait.

— J'vas dire comme toi… Encore une chance qu'on est l'été.

— Pourquoi tu dis ça ?

— Parce que l'été, on en mange moins de ces affaires-là ! Comme ma mère disait quand on se plaignait d'avoir encore de la salade comme repas : en été, on mange léger.

— C'est vrai.

— Pis il y a rien qui nous empêche de croire qu'Anna va être revenue pour l'automne. Il me semble que trois ou quatre mois à suivre un grand chef dans sa cuisine, ça devrait suffire pour qu'une fille douée comme Anna soye en mesure de nous épater à son retour.

— C'est ce que je pense, moi aussi. Pis c'est en plein ce que je répète à mon garçon, qui s'ennuie avant même que sa blonde soye partie… Mais pour en revenir à Anna, j'ai rarement vu quelqu'un apprendre aussi vite pis aussi bien… J'suis ben placée pour le savoir, rapport que c'est moi qui lui ai donné ses premiers cours. C'est pas mêlant, dans le temps de le dire, elle était capable de modifier une recette pour la rendre encore meilleure.

— C'est un vrai don, son affaire. Rita arrête pas de me le répéter, quand je prends mon déjeuner chez elle, le dimanche matin… Bon, j'pense que tes cheveux sont assez courts, annonça Agathe, passant du coq à l'âne sans crier gare.

Elle recula d'un pas, tout en déposant ses ciseaux sur le plateau de la table roulante qui la suivait d'une cliente à l'autre. J'ai fini ta coupe... C'est-tu comme tu l'espérais?

Léonie se regarda dans le miroir, se tordit le cou pour essayer de voir l'arrière de sa tête, passa la main dans son cou, puis elle approuva d'un large sourire.

— C'est parfait, Agathe... T'as vraiment des doigts de fée. Avec la nuque dégagée comme ça, j'vas avoir moins chaud... Pis laisse faire les rouleaux pour aujourd'hui. J'ai ben de l'ouvrage qui m'attend au magasin, mes cheveux vont sécher tout seuls au soleil pendant que j'vas m'en retourner chez nous.

— C'est comme tu veux... Sans mise en plis, ça va faire deux piastres et quart, pis moi, j'vas en profiter pour avaler un bol de soupe vite fait avant que Donatienne se pointe ici pour sa teinture lilas... Un peu plus tard, c'est Léopoldine qui vient pour sa permanente, pis une demi-heure après, c'est Gracia qui vient en même temps que Dorothée pour leur mise en plis hebdomadaire... Sais-tu quoi, Léonie?

— Non, mais tu vas me le dire, je sens ça!

— Oh que oui! En fait, c'est pas tellement compliqué. C'est juste que j'ai ben apprécié la présence de Mado, quand elle est venue m'aider avant Noël. À force d'y réfléchir, je me suis convaincue que si j'avais une aide durant les fins de semaine, mettons le vendredi soir pis le samedi, ça me permettrait d'avoir un peu plus de liberté. Je pourrais corder les rendez-vous plus serré, pis ça me donnerait plus de loisirs. De toute façon, ça serait agréable d'avoir quelqu'un avec qui jaser entre deux clientes. Mais j'ai aucune idée de qui pourrait accepter de venir travailler à peine une journée et demie par semaine.

— C'est vrai que le monde aime mieux travailler à temps plein, pis je peux le comprendre… Par contre, j'suis tout à fait d'accord avec toi, Agathe : ça serait sûrement plus distrayant pour toi d'avoir quelqu'un à tes côtés. Prends-moi, par exemple ! Depuis que le beau-père a recommencé à venir faire son tour au magasin, de temps en temps, il me semble que mes journées sont plus plaisantes… Parce que pour dire vrai, entre toi pis moi, c'est pas mon mari qui est le plus jasant en ville. Pis mon fils, Cheez Whiz, avec l'histoire de sa blonde qui part pour l'Italie, on dirait qu'il parle encore moins que son père !

* * *

Depuis que le projet de voyage d'Anna avait été rendu public, avec une date précise pour le départ, mais aucune pour le retour, Mado essayait de voir ce qu'elle pourrait faire pour aider son amie Rita.

On était alors à la fin du mois d'avril.

— Soda ! On peut toujours ben pas revenir à la case départ, avait-elle réfléchi à voix haute devant sa patronne. Comment c'est que les clients vont prendre ça, eux autres, de se retrouver encore une fois avec juste de l'italien dans leurs assiettes? Ça a pas de sacré bon sens, avait-elle conclu.

— Ciboulette, Mado, tu m'enlèves les mots de la bouche! J'arrête pas d'y penser, moi avec. Mais qu'est-ce que je peux changer à ça? Je peux toujours ben pas obliger Anna à rester, pis encore moins donner l'ordre à son père de modifier ses habitudes.

— Non, en effet, avait répondu une Mado plutôt évasive, qui était aussitôt passée à autre chose.

En revanche, ce que Mado se disait, c'est qu'aujourd'hui, elle aimait cuisiner, ce qui n'était pas du tout le cas quand Rita s'était retrouvée seule, à la suite de l'accident de monsieur Toussaint. Pourquoi n'utiliserait-elle pas ce nouvel engouement pour la cuisine afin d'aider son amie?

— Pis en plus, j'ai ben du temps à moi, avait-elle murmuré en soupirant, revoyant en pensée ses dernières rencontres avec Valentin.

Car le pharmacien était finalement revenu dans sa vie. À petites touches, pas très souvent ni très longtemps à la fois, mais Mado estimait que c'était mieux que rien.

En fait, Valentin avait été de retour au casse-croûte, dès le lendemain de sa première visite, après plusieurs mois d'absence.

— Malgré la crise que ma mère a piquée, quand elle a vu qu'elle devrait manger toute seule deux midis d'affilée, avait-il alors expliqué à Mado, à qui Rita avait ordonné d'aller faire une promenade avec le pharmacien à l'instant où ce dernier avait eu mangé la dernière miette de son gâteau au chocolat.

— Mais les clients, eux ?

— Je pense que pour l'instant, t'as pas mal plus important à faire que de servir des repas, tu penses pas, toi ? avait souligné Rita de son ton le plus autoritaire, sous le regard amusé du chef Romano. Au besoin, m'sieur Romano est là pour m'aider. Hein, m'sieur Romano, que vous allez pouvoir m'aider ?

— *Santa Madonna !* Mais bien sûr.

— Bon tu vois, Mado ! Et Anna est tout à fait capable de se débrouiller toute seule, dans une cuisine.

— J'veux ben, oui, mais...

— T'es ben fatigante, à midi, Mado Champagne ! Allez, ouste ! Va t'aérer les esprits, va te dégourdir les pattes, va fumer une cigarette, va changer de chemisier ou ben va juste reconduire monsieur Valentin jusqu'à sa pharmacie, je m'en fiche royalement, mais j'veux pas te revoir la face dans mon restaurant avant une grosse heure... Pis c'est pas négociable, m'as-tu compris ? avait-elle ajouté précipitamment, lorsqu'elle avait vu sa serveuse ouvrir la bouche pour répliquer.

Mado avait donc accroché son tablier au clou. Elle avait enfilé son manteau et remis un peu de rouge à lèvres, puis glissant une gomme fraîche dans sa bouche, elle était allée rejoindre Valentin qui l'attendait sur le trottoir.

À l'orée du parc qu'ils devaient traverser, le pharmacien avait osé passer un bras autour des épaules de Mado, comme s'ils s'étaient quittés en bons termes tout juste la veille. Devant le geste familier, Mado s'était cabrée, comme un cheval réticent, dans un geste d'autoprotection. Elle avait tellement peur d'avoir encore très mal.

L'instant d'après, Valentin avait murmuré à son oreille qu'il l'aimait, que rien ni personne au monde n'allait pouvoir changer cela, et qu'il avait besoin d'elle. Alors Mado s'était aussitôt abandonnée, posant la tête sur l'épaule de celui qu'elle recommencerait peut-être à appeler son fiancé. Elle était soulagée et heureuse de constater que son amoureux ne l'avait pas oubliée au profit d'une mère acariâtre.

— Si tu savais, Mado, à quoi ressemble ma vie depuis l'incident qui a terrassé ma mère ! Si l'enfer existe, ça doit se rapprocher de ça !

Sur ce, tout en marchant vers l'autre bout du parc pour rejoindre l'avenue qui menait à la pharmacie, Valentin avait raconté les derniers mois où il avait souvent eu l'impression de frôler la folie.

— Je n'en peux plus, mais en même temps, je n'arrive pas à lâcher prise.

Puis, il avait parlé du pharmacien qu'il voulait engager le plus rapidement possible.

— Jusqu'à maintenant, je m'y étais toujours refusé, par souci d'économie, avait-il expliqué, mais là, je crois que c'est devenu essentiel pour ma santé mentale... Et surtout, j'estime que c'est devenu essentiel pour nous deux... Avec un confrère pour me seconder, je ne serai plus enchaîné au comptoir de la pharmacie au cas où un patient aurait besoin de moi, et je pourrai à l'occasion m'éclipser plus facilement.

Puis, le pharmacien avait eu un petit rire de gorge, comme s'il était gêné.

— Et dire que c'est ma mère qui en a eu l'idée! Si elle savait ce que je compte faire de mes loisirs, elle déchanterait rapidement. Je n'ai toujours pas la moindre idée du comment je vais m'y prendre, mais chose certaine, on va se revoir, toi et moi. Le plus souvent possible.

Deux semaines plus tard, Jean-Marie Grondin, célibataire et pharmacien de son état, avait été engagé. Jeune, bel homme, à la fois déluré et sérieux, farceur et compétent, il était le candidat parfait aux yeux de Valentin. De plus, Marc, son employé, l'avait tout de suite apprécié… Et les patients aussi.

— C'est agréable de voir un nouveau visage!

Mado et lui s'étaient alors concocté un horaire qui pouvait leur convenir à tous les deux.

— C'est moins que dans le temps, mais c'est nettement mieux que toute une année sans se voir, avait expliqué la serveuse à sa patronne.

À quelques jours de là, on arrivait alors au mois de mai, et après mûre réflexion, Mado avait décidé de se mettre sérieusement à cuisiner, tant pour plaire éventuellement à Valentin, qui avait bonne fourchette, que pour aider Rita qui, sans le dire ouvertement, semblait soucieuse depuis que la jeune Anna avait annoncé son voyage.

Et pour bien cuisiner, Mado avait besoin d'un mentor et de quelques ustensiles qui s'avéreraient probablement essentiels. Elle avait donc demandé conseil à Léonie.

— C'est ben beau faire du pâté chinois qui a de l'allure, pis du pouding au pain sans avoir besoin de la recette tellement j'en fais souvent, ça sera pas suffisant pour remplacer Anna.

— Parce que tu veux remplacer la jeune cuisinière, toi ?

— En quelque sorte, oui. Je prétends pas pouvoir faire tout ce qui est écrit sur la carte du restaurant, mais si j'étais capable de fricoter les plats les plus en demande, je serais ben contente. Mais pour ça, il va falloir que tu m'en montres un peu plus que ce que je sais déjà, pis que tu me dises ce que je dois acheter comme bols pis comme casseroles parce que j'ai pas grand-chose chez nous pour me pratiquer... Pis je veux pas que t'en parles à Rita tant que je serai pas certaine d'y arriver !

— Pas de trouble Mado. J'sais tenir ma langue... Sais-tu que t'as une vraie bonne idée ?

— Tu trouves ?

— Absolument.

— Ben là, tu me fais plaisir ! Je me demandais si j'étais pas en train de voir trop grand pour moi.

— Pantoute ! À partir du moment où t'aimes ce que tu fais, c'est ben rare que t'arrives pas à des bons résultats... Sais-tu que t'es vraiment généreuse, Mado ? D'abord, t'as aidé Agathe avant Noël, pis là, tu penses à Rita... On est toutes ben chanceuses d'avoir une amie comme toi.

— Arrête-moi ça, Léonie, tu vas me gêner... Ça va juste m'occuper. Pis ? Tu veux-tu m'aider ?

— C'est ben certain, voyons donc ! Pis dis-toi qu'en cas d'urgence, tu pourras toujours compter sur moi.

— Ah ouais ? Ben tu vois, de savoir ça, ça me rassure.

L'apprentissage ne fut pas très long, et en quelques semaines à peine, Mado maîtrisait l'art des ragoûts, des soupes et des fèves au lard. Le pâté chinois et le pain de viande n'avaient plus aucun secret pour elle, ni le gâteau au chocolat, d'ailleurs, et pour varier de temps en temps, elle avait ajouté le pouding chômeur à son pouding au pain.

Visiblement, Mado était fière d'elle-même.

— Même que Valentin m'a dit, l'autre jour, quand il est passé me dire bonjour avant de retourner chez lui, que mon gâteau au chocolat était dé-li-cieux ! Rien de moins.

— T'es belle, Mado, quand tu parles de Valentin... J'suis contente de voir que ça s'est rafistolé entre vous deux.

— Et moi donc ! Même si c'est pas encore l'idéal, on essaie quand même de se garder une couple d'heures par semaine. Pauvre homme ! Avec sa mère malade, il ose plus y reparler de moi. Pis cette fois-ci, je le comprends un peu mieux... Mais j'suis pas ici pour me plaindre de quoi que ce soit. Bon ! Comme ça, tu penses que j'peux annoncer à Rita de pas trop s'en faire avec le départ d'Anna?

— Parfaitement. Tout ce que tu cuisines est excellent.

— Soda que j'suis contente! Avec ça, je devrais être capable de combler ben des appétits! Pis si je me mets aux chaudrons durant l'après-midi, quand il y a moins de monde à servir, la charge sera pas vraiment lourde pour moi, pis ça paraîtra même pas qu'Anna est partie... Du moins, pas trop, parce que j'arrive toujours pas à faire de la pâte à tarte.

Cette dernière phrase avait été lancée sur un ton désolé.

— Ça va finir par arriver, l'avait rassurée Léonie. Moi non plus, j'ai pas faite de la pâte légère pis ben feuilletée du jour au lendemain. Même que mes premières tentatives étaient pires que les tiennes. C'est avec le temps que le feuilleté est apparu. Mais je te l'ai dit, Mado: au besoin, tu peux compter sur moi. C'est pas de cuisiner quelques tartes par semaine qui va charger le cours de mes journées. Depuis le temps, je peux faire ma pâte les yeux fermés! Pis ça sera ma manière à moi d'aider Rita.

Toutefois, même si elle savait depuis le début du mois de juin qu'elle serait probablement une aide précieuse au casse-croûte, Mado avait préféré attendre le départ de la jeune cuisinière avant de faire part de ses intentions à Rita.

— Je voudrais donc pas qu'Anna s'imagine que j'attendais qu'elle parte pour prendre sa place! Ça fait que tant pis si Rita se ronge les sangs durant encore quelques semaines, moi, je dis rien avant le départ de la jeune Romano.

— Ça serait ben gauche de la part d'Anna d'aller penser que tu veux prendre sa place pour tout le temps. Mais si tu veux pas t'ouvrir de tes intentions tout de suite, c'est toi qui décides, Mado ! C'est toi qui as eu l'idée d'apprendre quelques recettes, c'est à toi de parler à Rita. Moi, je reste muette comme une tombe.

Et voilà que le grand jour était arrivé. Du moins, Mado le voyait ainsi. En ce jeudi de juin, ensoleillé comme une journée de vacances, une autre étape de sa vie s'ouvrait devant elle, et à son âge, elle se sentait privilégiée d'avoir encore l'occasion de pimenter son quotidien par de nouveaux défis.

Présentement, Mado était chez elle. Elle avait travaillé comme de coutume jusqu'à deux heures, puis elle avait fait exprès de tacher son chemisier au dernier service.

— Soda que j'peux être maladroite, moi, des fois ! M'as-tu vu l'éclaboussure de sauce à « spag » ! En plein sur le devant de mon chemisier... Ça fait pas tellement chic, mon affaire ! Est-ce que je peux retourner chez nous pour me changer avant l'heure du souper ?

— Ben sûr que tu peux ! En autant que tu soyes revenue pour le souper.

— Pas de trouble ! J'vas être de retour ben avant ça.

La tache sur le chemisier n'était qu'un prétexte. Le temps de se changer, de mettre le chemisier sale à tremper dans de l'eau tiède additionnée de savon, et Mado sortait du fond d'une armoire le grand panier en osier que Valentin lui avait offert au cas où ils auraient envie d'un pique-nique sur le mont Royal.

Finalement, le panier n'avait toujours pas servi, et c'est maintenant que Mado allait l'étrenner, persuadée que Valentin n'y verrait aucun inconvénient.

Elle déposa une nappe propre au fond du panier, puis elle sortit de son réfrigérateur un pot Mason dans lequel elle avait versé deux bonnes louches de soupe aux pois; un autre, où elle avait mis une grosse portion de ragoût de boulettes; puis une assiette où trônait une belle part de gâteau au chocolat qu'elle avait enveloppée dans du papier Saran.

Ensuite, Mado rabattit un pan de la nappe sur ses provisions, et elle repartit vers le casse-croûte, le cœur battant.

Ce soir, son amie Rita mangerait tout un souper signé Mado Champagne, et son voisin Mario pourrait y goûter lui aussi, car Mado n'avait pas lésiné sur les portions, sachant que le boulanger venait de plus en plus souvent manger en compagnie de Rita.

Ainsi, la patronne du casse-croûte serait rassurée, car elle aurait la preuve, une fois que les provisions laissées par Anna seraient épuisées, que sa serveuse pourrait prendre la relève.

— Pis comme ça, murmura Mado en traversant le parc, le panier se balançant tout doucement au rythme de ses pas, Rita va bien dormir la nuit prochaine parce qu'elle va être sans inquiétude. Soda que j'suis fière de moi !

Mado entra dans la cuisine avec l'allure d'une conquérante.

— J'suis revenue, lança-t-elle joyeusement.

Occupée à finir d'essuyer la vaisselle, Rita répondit par un simple grognement un peu las.

— Lâche les assiettes, Rita, j'vas m'en occuper dans deux minutes. Viens plutôt voir ce que j'ai pour toi.

Sur ces mots, Mado déposa le panier sur le plan de travail et elle recula d'un pas.

La curiosité aidant, Rita se retourna enfin, et elle fronça aussitôt les sourcils en apercevant le panier. Si Mado avait l'intention de l'amener en pique-nique, elle avait bien mal choisi sa journée. Rita Bellehumeur avait l'humeur plutôt sombre, et elle n'avait pas du tout le cœur à la fête.

— Envoye, insista Mado, approche-toi, pis regarde ce que j'ai préparé pour toi, Rita.

Cette dernière posa un regard étonné sur son employée.

— C'est quoi, ça ? C'est pourtant pas ma fête.

— Je sais tout ça... Mais donne-toi la peine de regarder ce que j'ai mis dans le panier, pis dis-toi que c'est ma façon à moi de t'annoncer de pas trop t'énerver avec le départ d'Anna, parce qu'on sera jamais à court de provisions de ce que nos clients aiment le plus.

De plus en plus curieuse, Rita s'approcha.

La propriétaire du casse-croûte n'eut aucun mot à prononcer pour montrer à quel point elle était touchée par le geste de son amie. Le temps de repousser la nappe, de découvrir le pot de soupe, le ragoût et la pointe de gâteau, de deviner très facilement que c'était Mado elle-même qui avait dû cuisiner tout ça, et les larmes se mirent à couler.

Mado, toute chavirée elle aussi, s'approcha et passa le bras autour des épaules de son amie.

— Le pire, c'est que c'est bon, murmura la serveuse, qui ne savait pas trop quoi dire. J'aurais jamais cru, mais en fin de compte, c'était pas juste une question de pouding au pain, mon affaire. J'aime vraiment ça, faire à manger. Par contre, pour être ben certaine de faire les choses comme il faut, j'ai demandé à Léonie de me donner des cours. Je me suis acheté des bols, des ustensiles pis des casseroles, pis j'ai pratiqué chez nous à tous les soirs, tu sauras.

— C'était donc ça, ta nouvelle manie de plus manger ici, avant de retourner chez vous, nota Rita entre deux reniflements.

— Bingo ! T'as tout deviné. J'étais toujours ben pas pour jeter de la bonne nourriture, ça fait que je mangeais ce que je préparais... Laisse-moi te dire que certains soirs, j'ai mangé pas mal tard. Mais c'est pas grave. Astheure, si toi avec, tu trouves ça bon, comme de raison, t'auras juste à me demander ce que tu veux que je prépare, pis j'vas le faire. Comme ça, on aura toujours des réserves de notre bon manger canadien pour les clients les plus têtus qui veulent rien savoir de l'italien.

— T'es ben fine d'avoir pensé à ça... Moi, j'étais rendue à prier tous les soirs pour qu'Anna s'ennuie tellement de tous nous autres, en commençant par son Arthur, pour qu'elle décide finalement de revenir avant que tout ce qu'elle a laissé soye épuisé.

— Ben, tu pourras laisser le Bon Dieu tranquille, pis Anna aller jusqu'au bout de son voyage, on manquera de rien... Sauf peut-être de tartes pis de tourtières, parce que j'ai ben de la misère avec la pâte. Par contre, Léonie fait dire que ça va lui faire plaisir à elle aussi de te donner un petit coup de pouce pour le temps que ça va être nécessaire... Pis j'ai pas besoin de te dire que sa pâte à elle, c'est la meilleure en ville, tu le sais déjà ! Astheure, donne-moi le linge à vaisselle, j'vas t'essuyer pis te ranger tout ça avant que les clients nous arrivent pour le souper, pis toi, tu vas pouvoir monter la salle.

* * *

« C'est dans l'adversité que l'on reconnaît ses vrais amis. »

Rita se réveilla en sursaut avec ces mots remplis de vérité qui s'estompaient lentement dans son esprit. Elle resta immobile, essayant de se rappeler son rêve.

C'était plutôt vague, comme une sensation de détente, avec l'image de son défunt mari qui répétait ces mots en litanie, comme il l'avait déjà fait de son vivant, tandis qu'en retrait, Mario approuvait avec de grands hochements de la tête.

Tout en bâillant, Rita se frotta les yeux, puis elle s'étira longuement, avant de ramener le drap sur ses épaules.

Dehors, les oiseaux avaient commencé à se donner la réplique, et tout doucement, leurs cris joyeux remplacèrent la phrase qui l'avait éveillée. Le jour ne tarderait plus.

Rita savait que, si elle le voulait, elle avait le temps de se rendormir, car on était dimanche. Ce matin-là, le casse-croûte n'ouvrait qu'à huit heures, les ouvriers étant remplacés par les familles et les couples de personnes âgées qui se présentaient chez elle après la messe.

Comme Rita le disait en riant, le dimanche, elle pouvait faire la grasse matinée jusqu'à sept heures. Un peu comme son voisin, qui n'ouvrait jamais sa boulangerie le dimanche.

Hier soir, Mario était venu l'aider, encore une fois, parce que Mado, tout excitée, avait demandé la permission de s'absenter à partir de trois heures, pour aller au cinéma, voir un programme double avec Louis de Funès. En compagnie de Valentin, comme il se doit !

— Je sais pas ce qui se passe avec lui, mais on dirait qu'il a de plus en plus de temps libre. Ça doit être la présence de son nouveau pharmacien, je vois pas d'autre chose !

Cependant, le samedi, en été, quand il fait beau et chaud, le restaurant était souvent bondé, qui pour venir acheter un cornet, qui des frites ou des hot-dogs à emporter pour les manger au parc. Rita avait donc grimacé intérieurement devant la demande de Mado. Mais comment lui servir un non catégorique, après tout ce qu'elle faisait pour que le restaurant fonctionne bien ?

Rita avait alors demandé quelques minutes pour qu'elle puisse vérifier si Mario était disponible pour la remplacer, et elle était partie chez son voisin au petit trot. Bien entendu, le boulanger pouvait aisément se présenter au casse-croûte sur le premier coup de quatre heures, quand il fermerait la boulangerie. Mado avait donc quitté l'ouvrage en chantonnant.

Chère Mado !

Rita esquissa un sourire. Sans elle, le casse-croûte n'existerait probablement plus, ou alors, il serait entre d'autres mains, car restée seule au gouvernail, à la mort de son mari, Rita ne serait jamais parvenue à le garder.

Sur cette pensée, Rita tourna les yeux machinalement vers la fenêtre, se demandant si Mario était réveillé, lui aussi. Probablement, même s'ils s'étaient séparés en toute fin de soirée, après avoir bu un pot de thé glacé tout en grignotant des galettes à l'avoine et aux raisins, vestiges de la présence d'Anna. Trop habitué à se lever avant l'aube pour son travail, Mario n'arrivait plus à prolonger son sommeil au-delà de six heures. Il le lui avait déjà dit.

L'idée d'aller porter un café à son voisin traversa alors l'esprit de Rita, et elle se fit aussitôt tentation. Pourquoi pas ?

En toute amitié, bien entendu. Pour souligner la journée qui se préparait et qui serait sans doute radieuse. Le soleil dardait déjà ses rayons un peu partout. Il y en avait même sur le couvre-pied fleuri de son lit.

Rita inspira longuement.

En ce moment bien précis, elle se sentait heureuse comme cela ne lui était pas arrivé depuis fort longtemps. Le rêve y était sûrement pour quelque chose, car son mari avait toujours eu un pouvoir apaisant sur elle. Mais son bien-être était attribuable aussi en grande partie à Mado, qui lui avait fait la plus merveilleuse des surprises en lui apportant un délicieux repas qu'elle avait elle-même cuisiné. L'anxiété entretenue depuis le tout premier jour où elle avait su qu'Anna s'envolerait bientôt vers l'Italie pour un temps indéterminé était donc chose du passé.

L'humeur au beau fixe, Rita sauta en bas de son lit.

En ce moment, rien ne l'empêchait de préparer un pot de café pour deux que Mario et elle pourraient siroter sur le pas de leurs portes respectives. Ensuite, elle en ferait du frais pour les clients, en même temps qu'elle mettrait deux livres de bacon à grésiller lentement sur la plaque.

Le temps de s'habiller, de faire un brin de toilette sommaire, et Rita descendait au casse-croûte.

Dès qu'elle entendrait son voisin ouvrir ses volets, elle sortirait du restaurant avec deux tasses de café au lait.

Ce fut un dimanche à la hauteur des aspirations de Rita. Une belle clientèle de bonne humeur ; des conversations légères ; une Mado enthousiaste et joyeuse qui, sans parler de Valentin, se plaisait à raconter les films qu'elle avait vus ; et un voisin, ma foi, plutôt enjoué, lui aussi, car après avoir bu son café, Mario s'était offert pour lui donner un petit coup de main. Il avait donc mis le bacon à griller et il était resté avec elle jusqu'à l'arrivée de sa serveuse.

— Et maintenant, je vous laisse. C'est l'heure de mon ménage de cuisine hebdomadaire. À travailler dans la farine comme je le fais tous les jours, il s'en dépose une fine couche un peu partout. Et après, j'aimerais bien me balader en ville... On se revoit pour le souper ?

— Et pourquoi pas ?

Alors, vers cinq heures, au moment où les clients se faisaient plus rares et que Mado venait de quitter le restaurant, Rita sortit du congélateur une pizza toute garnie que le chef Romano avait préparée le vendredi avant de partir rejoindre son épouse.

— Et j'y ai mis des *pétits* morceaux de bacon comme vous aimez, madame Rita. *Commé* ça, si vous avez faim, vous n'aurez qu'à la mettre dans *lé* four... Maintenant, vous allez m'excuser, mais je vais retrouver ma Maria tout *dé* suite. *Santa Madonna !*

À peine une journée qu'Anna est partie, et elle trouve déjà la maison trop grande.

Rita venait tout juste de glisser la pizza dans le fourneau, se disant qu'avec la chaleur ambiante, Mario et elle pourraient la manger tiède avec une boisson glacée, quand elle entendit une voix familière l'appeler.

— Madame Rita ?

Rita accusa le coup en fronçant les sourcils. Si la voix lui était connue, en revanche, il était bien rare qu'elle l'entende chez elle. Elle se hâta vers la salle à manger.

— Oui, j'arrive...

Un homme de taille moyenne à la tête blanche que Rita connaissait fort bien pour le rencontrer au moins une fois par semaine depuis des décennies, l'attendait patiemment devant la caisse. Il triturait machinalement la casquette de coton marine qu'il avait retirée en entrant dans le commerce.

Rita s'approcha de lui en souriant.

— Monsieur Méthot ? Ciboulette ! Si je m'attendais à ça... C'est rare que je vous voie ici... Mais dites-moi donc, qu'est-ce que vous faites chez nous par un si beau dimanche ?

— Je suis venu en éclaireur !

— En éclaireur ?

— Ben oui... Imaginez-vous donc que c'est ma femme qui m'envoie.

— En quel honneur ?

Le vieil homme hésita un peu. Il détestait avoir à parler de lui ou de sa famille. Puisqu'il travaillait avec le public, Eugène Méthot jugeait essentiel de préserver un peu de discrétion sur sa vie privée.

— Calvinisse, madame Rita ! Depuis le temps que vous venez dans mon magasin pour toutes vos fournitures jetables, vous le savez, vous, qu'on est pas sorteux, hein ?

— En effet, je le sais. Vous me l'avez souvent dit.

— Pis c'est ben comprenable ! À voir du monde sans arrêt six jours par semaine, de sept heures du matin à sept heures du soir, le dimanche, on préfère rester tout seuls chez nous.

— Cela aussi, vous me l'avez souvent répété... Raison de plus pour vous demander ce que vous...

— Mais aujourd'hui, c'est différent, interrompit le vieux monsieur Méthot d'une voix que Rita qualifia aussitôt de très fatiguée. Après la visite de notre garçon, t'à l'heure, ma femme a déclaré qu'elle avait pas trop le cœur à préparer le souper, pis elle m'a demandé de venir voir si le restaurant était ouvert.

— Ah bon...

Rita regarda autour d'elle.

— Comme vous le voyez, c'est le cas : le casse-croûte est encore ouvert, même si pour l'instant, j'ai pas de clients.

Sur ce, la jeune femme fut sur le point d'ajouter qu'en revanche, elle s'apprêtait à fermer, mais une curieuse intuition la fit se taire. Si le vendeur de variétés chez qui elle s'approvisionnait en pailles, serviettes et autres napperons en papier était ici, par un aussi beau dimanche de juin, en toute fin d'après-midi, la raison devait être très importante.

— Si vous aviez l'intention de venir souper chez nous, vous êtes les bienvenus, madame Méthot pis vous, lança-t-elle à tout hasard.

Eugène Méthot eut l'air soulagé et Rita fut heureuse de sa décision de l'inviter, même si elle aurait préféré se retrouver seule avec son voisin.

— C'est ma Roberte qui va être contente, disait justement le marchand de variétés... Mais vous êtes ben certaine que ça dérangera pas ?

— Ben voyons donc, vous ! Quelle drôle de question ! Un restaurant, c'est justement fait pour nourrir le monde qui ont pas le goût de se faire à manger chez eux...

— Vous avez ben raison... Mais voyez-vous, chez nous, quand quelqu'un vient sonner à la porte d'en arrière pour nous demander si on ferait pas une petite exception pour lui parce qu'il aurait besoin de quelque chose pis que c'est pressant, ben ça nous achale, ma femme pis moi, même si on le montre pas trop... C'est pour ça que le dimanche, j'ai toujours le réflexe de penser que j'vas déranger le monde.

— Vous me dérangez pas du tout. Au contraire, ciboulette ! De la visite rare, ça fait toujours plaisir de la recevoir, non ? Allez, monsieur Méthot, allez chercher votre épouse, je vous attends.

— Ben c'est en plein ce que j'vas faire. Donnez-moi le temps d'aller chez nous pis de revenir avec ma femme. À tout de suite, madame Rita !

— C'est ça, monsieur Méthot. À tout de suite ! Pis moi, en vous attendant, j'vas vous préparer une belle table.

À suivre

Place des Érables

Tome 5 • E. Méthot et Fils, magasin de variétés

À vous tous, chers lecteurs, que je n'ai plus
l'occasion de rencontrer à cause de la pandémie.
Sachez que vous m'accompagnez chaque matin
quand je m'installe à l'ordinateur.

«Le corail des océans,
L'abeille et l'ours blanc,
Les grands hommes, soi-disant.»

ROMAIN DEMADRE
Lauréat Grand Prix Adultes,
Grand Prix Poésie RATP 2019
(Poème lu dans le métro de Paris en janvier 2022,
et qui m'a fait l'effet d'un coup de fouet
– Louise Tremblay d'Essiambre)

Note de l'auteur

Quelle curieuse série que celle-là ! J'ai l'impression d'être devant la boîte d'un immense casse-tête, et au fur et à mesure que je dispose les pièces devant moi, les regroupant par couleurs, il en apparaît de nouvelles. Ce qui m'oblige à étirer la série. Que voulez-vous, je suis ainsi faite ! Tant qu'il y aura des pièces dans la boîte, je vais continuer.

Au départ, je ne voyais que trois commerces : la quincaillerie, le casse-croûte et la pharmacie. Mais, alors que j'écrivais le tome trois, des pièces d'un rose bonbon se sont glissées dans la boîte de mon casse-tête, à mon insu, croyez-moi, et le salon de coiffure d'Agathe s'est ajouté, juste là, de l'autre côté du parc. Et ce matin, je me retrouve devant des morceaux plutôt sombres, et sur l'un d'entre eux, je peux lire le mot « variétés ».

Ça m'embête un brin, parce que je ne l'avais pas vu venir, ce commerce-là. Oh ! Je l'avais bien aperçu du coin de l'œil, lorsque j'allais faire mon tour à la pharmacie, mais sans plus. Le bâtiment est d'un vert sombre, avec des boiseries orangées. À mon avis, ce n'est pas très attirant. De plus, la bâtisse se tient en retrait du commerce de monsieur Lamoureux, ce qui ne m'a jamais incitée à y entrer. Néanmoins, à quelques reprises, j'avais cru remarquer que le va-et-vient des clients était assez soutenu, sans pour autant attiser ma curiosité. Je dois dire, à ma défense, que j'en avais déjà plein les bras avec la relation tumultueuse entre Mado et son cher Valentin... Une relation qui se poursuit, d'ailleurs, et dont j'espère connaître le dénouement bientôt.

Tout comme j'ai hâte de savoir ce qui empêche le gentil boulanger Mario de déclarer sa flamme à la jolie Rita. Ils feraient un très beau couple, tous les deux, et probablement de bons parents, s'ils ne tardent pas trop.

Puis, j'aimerais bien savoir si Jacinthe a eu le petit garçon qu'elle espérait. C'est Daniel qui serait content !

Et tant qu'à y être, je souhaite aussi de tout cœur qu'Agathe voie la fin de son cauchemar avec son fils

Rémi. Normalement, le jeune homme devrait quitter Boscoville avant le prochain Noël. À ce moment-là, aura-t-il vraiment tourné la page pour entrer dans sa vie d'adulte avec de bonnes intentions ?

Quant à Arthur, je n'ai pas la moindre idée de ce qui l'attend. J'espère seulement que son amie Anna ne s'éternisera pas en Italie, parce que notre écrivain en herbe espère sincèrement que Joseph-Alfred connaîtra la joie d'être arrière-grand-père. Il faut cependant noter que le vieux quincailler se porte comme un charme depuis que la famille a fait installer un monte-charge, et son humeur est au beau fixe. Ce serait bien qu'on ait la chance de fêter son centième anniversaire, vous ne pensez pas ?

En fin de compte, je crois bien que je vais démêler les nouveaux morceaux qui sont apparus durant la nuit dans la boîte du casse-tête de la Place des Érables. Si je suis vraiment pour me diriger vers le voisin de la pharmacie de Valentin Lamoureux, afin de poursuivre l'histoire des gens de ce quartier, ça me permettra de le garder à l'œil, le cher homme indécis, et du même coup, je pourrais surveiller de près sa très chère mère qui semble avoir plus d'un tour dans son sac pour contrôler la vie de son fils. Que fera Valentin, finalement, de cette nouvelle liberté acquise avec l'arrivée d'un confrère ? Arrivera-t-il à fréquenter la belle Mado aussi souvent qu'il le souhaiterait ? Rien n'est moins sûr !

Voilà ce qui m'attend ce matin : une visite dans le quartier de la Place des Érables. Tant mieux ! Ça va me permettre, du moins en pensée, de quitter la maison, car autrement, nous voici de nouveau plus ou moins confinés, avec couvre-feu obligatoire et sorties limitées au strict minimum. Et tout ça, après avoir connu un temps des Fêtes frustrant de ne pas avoir eu la chance de voir librement tous les nôtres.

Ce n'est pas que je veuille me plaindre, mais mautadine que j'en ai assez ! comme le dirait sans doute Jacinthe.

Allez, pas de pensée sombre ce matin ! J'ai rendez-vous avec un certain E. Méthot, même si lui ne le sait pas encore.

Ah oui, il faut que je vous dise ! Le « E » est la première lettre du prénom « Eugène ». C'est madame Rita qui me l'a précisé, quand je suis passée devant le casse-croûte.

Est-ce que vous m'emboîtez le pas ?

Je me dirige justement vers la rue transversale, là où se tient le commerce d'E. Méthot et fils, Variétés. J'aime assez l'idée de faire une première visite incognito dans ce commerce qui sera le port d'attache du tome 5.

Ainsi, vous et moi, nous pourrons nous faire une petite idée de ce qui nous attend, et nous aurons peut-être la chance de nous présenter à ce monsieur Eugène, espérant qu'il acceptera de nous ouvrir la porte de son cœur, comme celle de son magasin.

Bonne lecture !

Saint-Jean Éditeur
est une maison d'édition québécoise
fondée en 1981